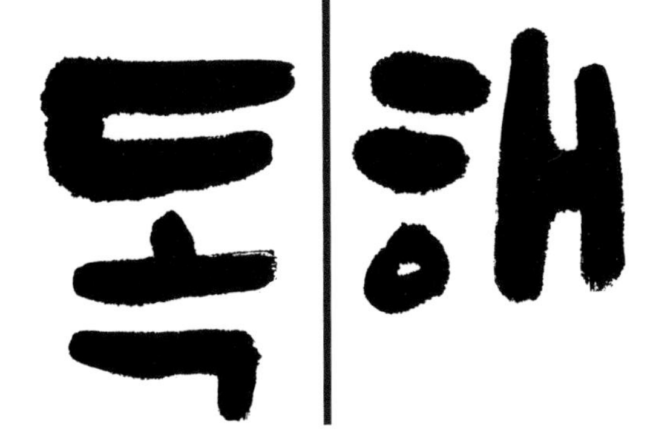

초등부터 시작하고
수능까지 연결하라

5 글의 구조를 떠올리며 읽어요		6 글과 소통하며 능동적으로 읽어요	
1주	글쓴이가 말하고자 하는 생각을 파악해요	1주	관용 표현의 뜻을 이해해요
2주	여러 가지 설명 방법을 이해해요	2주	주장과 근거의 타당성을 판단해요
3주	글의 짜임을 파악해요	3주	글을 읽으며 지식과 경험을 활용해요
4주	글의 종류에 따라 읽기 방법을 달리해요	4주	글에 드러나지 않은 내용을 추론해요
5주	글의 구조에 따라 내용을 요약해요	5주	글쓴이의 관점이나 의도를 파악해요
6주	자료의 특성을 생각하며 읽어요	6주	작품 속 인물을 자신과 관련지어 이해해요
7주	인물, 사건, 배경의 관계를 이해해요	7주	내용과 표현의 적절성을 판단해요
8주	여러 가지로 해석되는 낱말의 뜻을 짐작해요	8주	비유하는 표현을 이해해요

기초를 다진 후에

본격 독해로 LEVEL UP

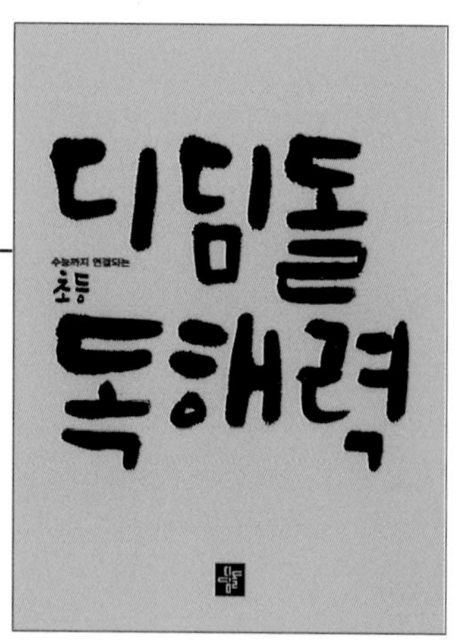

1
짧고 쉬운 글을 차근차근 읽어요

1주	낱말의 뜻을 정확히 알아요
2주	인물의 말과 행동을 상상해요
3주	느낌과 분위기를 살려 읽어요
4주	누가 무엇을 했는지 확인해요
5주	상황에 알맞은 내용을 찾아요
6주	글에 어울리는 제목을 붙여요

2
다양한 글을 재미있게 읽어요

1주	꾸며 주는 말로 생생히 읽어요
2주	인물의 처지와 마음을 헤아려요
3주	인물의 모습과 행동을 상상해요
4주	설명하는 내용을 이해해요
5주	일이 일어난 차례를 살펴요
6주	글의 중심 생각을 찾아요

3
개념을 생각하며 꼼꼼하게 읽어요

1주	인물의 마음 변화를 파악해요
2주	감각적 표현의 재미를 느껴요
3주	상황에 맞게 실감 나게 읽어요
4주	중심 문장을 찾아요
5주	글쓴이의 의견을 파악해요
6주	글의 흐름을 파악해요
7주	드러나지 않은 내용을 짐작해요
8주	글의 내용을 짧게 간추려요

4
길고 어려운 글을 정확하게 읽어요

1주	글쓴이의 마음을 짐작해요
2주	인물, 사건, 배경을 이해해요
3주	이어질 내용을 짐작해요
4주	사실과 의견을 구분해요
5주	주장과 근거를 파악해요
6주	의견이 적절한지 판단해요
7주	글의 종류에 맞게 내용을 간추려요
8주	글의 주제를 파악해요

독해는 초등부터 시작해야 합니다

'독해는 고학년이 되면 잘할 수 있겠지.' 라고 막연하게 생각하고 계신가요?
하지만 학년이 높아져도 글 읽기를 어려워하는 학생들이 많이 있습니다.
글을 '제대로' 읽어보려는 노력 없이 독해력을 저절로 기를 수는 없습니다. 단순히 눈으로 활자를 읽어내는 것이 아니라, 읽은 내용을 토대로 **적극적으로 사고하는 '독해'를 하려면 초등생 때부터 체계적이며 반복된 훈련이 필요**합니다.

독해력은 단기간에 기를 수 없기에, 일찍 시작해서 차곡차곡 쌓아야 합니다!

모든 공부의 기본과 기초는 독해입니다.
교과서의 내용은 물론 인터넷, 신문 등 일상에서 접하는 지식과 정보가 대부분 글로 이루어져 있기 때문입니다.
기본적으로 독해력이 튼튼하게 뒷받침된 학생은 학교 공부도 잘합니다.
사고력이 커지며 스스로 생각하는 힘을 키우는
초등생이 독해 공부를 시작하기 딱 좋은 시기입니다.

독해를 일찍 공부한 학생

- 국어뿐 아니라, 다른 교과 내용도 수월하게 이해함.
- 정보를 읽고 받아들이는 힘이 생겨 자기주도적 학습 능력이 향상됨.
- 의사소통 능력이 향상됨.

→ 꾸준하고 의도적인 노력을 통해 독해력을 길러야 합니다.

독해는 수능까지 연결되어야 합니다

이제 초등생인데 수능이라니요. 제목만 보고 당황하셨지요?
하지만 이 책에서 '수능'을 언급한 것은 초등학생 때부터 수능 시험을 대비하자는 의미가 아닙니다.
뜬구름을 잡는 것처럼 무작정 많이 읽는 비효율적인 공부가 아니라, **'학교 시험'과 '수능'이라는 목표를 향해 제대로 첫 발자국을 내딛자**는 의미입니다.

초등에서 고등까지, 독해의 기본 원리는 같습니다!

일반적으로 국어 학습 내용은 나선형으로 심화된다고 이야기합니다. 학습 내용이 이전 학년의 것을 기본으로 점차적으로 어려워지고, 많아지고, 깊어지기 때문입니다. 그 중에서도 특히 '독해'는 초등에서 고등까지 핵심 개념이 같으며, 지문과 어휘 수준의 난도가 올라갈 뿐입니다. 따라서 이 책은 초등 독해의 첫 시작점을 정확히 내딛어 궁극적으로 수능까지 도달할 수 있도록 구성하였습니다.

예를 들어, 수능에 자주 출제되는 '중심 화제 파악'이라는 독해 원리를 살펴볼까요?
우리 책에서는 학년별로 해당 독해 원리를 차근차근 심화하며 궁극적으로는 수능까지 개념이 이어지도록 목차를 설계하였습니다.

학년	주	내용
1학년	6주	글에 어울리는 제목을 붙여요
2학년	6주	글의 중심 생각을 찾아요
3학년	4주	중심 문장을 찾아요
4학년	8주	글의 주제를 파악해요
5학년	1주	글쓴이가 말하고자 하는 생각을 파악해요
6학년	5주	글쓴이의 관점이나 의도를 파악해요

→

수능
중심 화제 파악

독해 공부는 속도가 아니라 방향이 중요합니다.
학교 시험을 잘 보고, **수능까지 연결되는 진짜 독해 공부**를 시작해 보세요.

디딤돌 초등 독해력으로 독해 실력을 차근차근 높여요!

이 책은 초등학생이 학습 발달 단계에 맞춰 무리 없이 독해를 공부할 수 있도록,
초등 국어 교과서 성취기준을 근거로 독해 원리를 설정하였습니다.
1~2학년은 6개, 3~6학년은 8개의 독해 목표를 선별한 후, 독해 원리를 충분히 체화할 수 있도록
1주 5day 학습으로 구성하였습니다.
글의 종류는 문학과 비문학을 고루 싣고, 학년이 높아질수록 비문학 비중을 높여
까다로운 지문에 대비할 수 있도록 하였습니다.

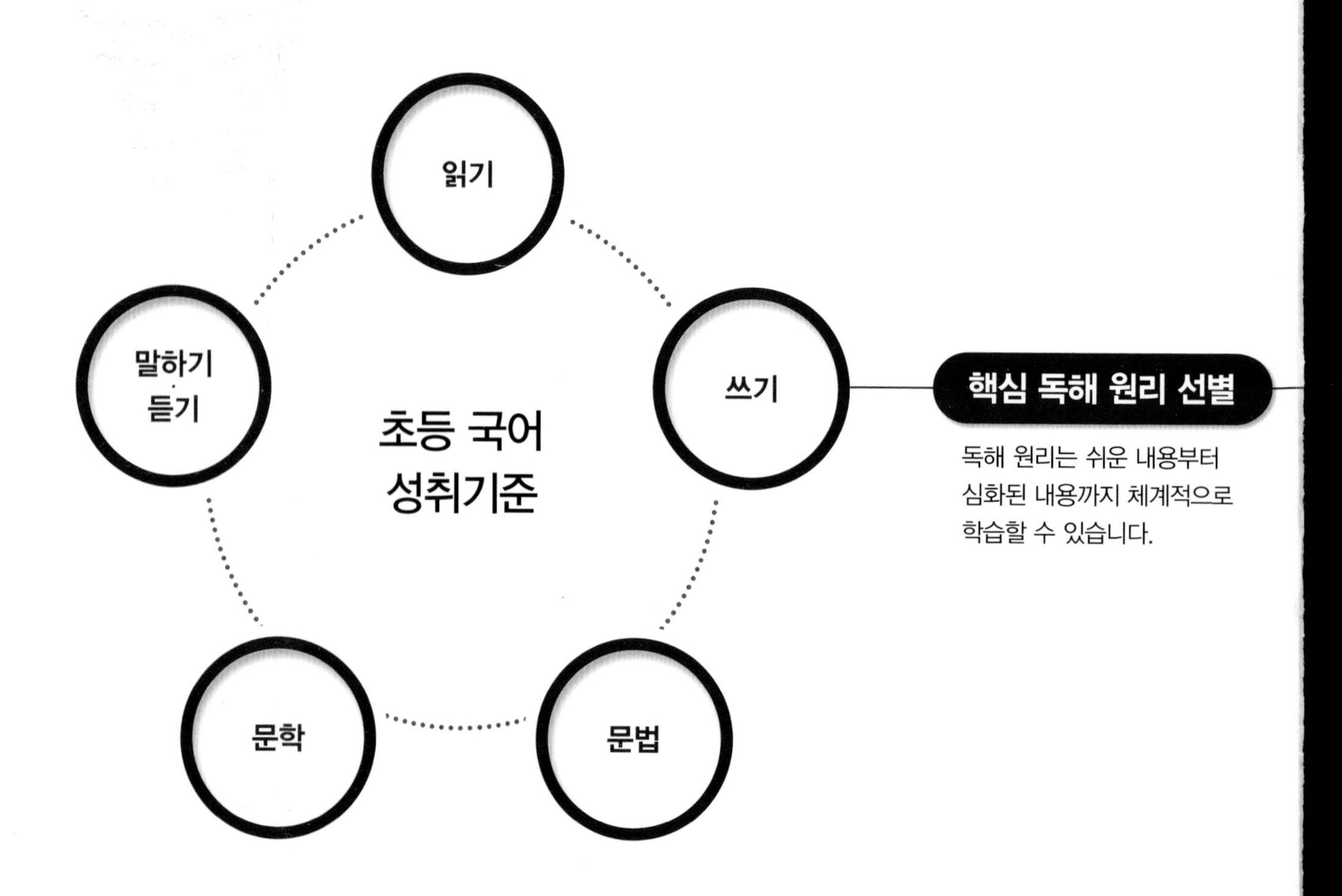

독해 원리는 쉬운 내용부터
심화된 내용까지 체계적으로
학습할 수 있습니다.

6

디딤돌

수능까지 연결되는
초등

독해력

디딤돌

무엇을 공부할까요?

	왜 공부해야 할까요?
WEEK 1 관용 표현의 뜻을 이해해요	때로는 길게 설명하는 것보다 짧지만 재미있는 말이 어울리는 상황이 있어요. 이럴 때 관용 표현을 활용하면 짧은 말로도 자신의 생각을 훨씬 더 잘 전달할 수 있습니다.
WEEK 2 주장과 근거의 타당성을 판단해요	어떤 주장을 말할 때에는 뒷받침하는 근거가 타당해야 듣는 사람을 설득할 수 있어요. 주장과 근거가 타당한지 판단하는 것이 비판적 글 읽기의 시작입니다.
WEEK 3 글을 읽으며 지식과 경험을 활용해요	주제에 대한 지식과 경험이 있다면 다른 사람보다 내용을 더 잘 알 수 있겠죠? 글을 읽을 때에도 지식과 경험을 활용하면 내용을 깊이 있게 이해할 수 있습니다.
WEEK 4 글에 드러나지 않은 내용을 추론해요	글에 나와 있는 내용을 확인하는 것도 중요하지만, 드러난 내용을 바탕으로 글에 드러나지 않은 새로운 내용을 추론하는 것도 글 읽기에서 정말 중요합니다.
WEEK 5 글쓴이의 관점이나 의도를 파악해요	같은 상황도 누가 보느냐에 따라 다른 것처럼 글을 읽을 때에도 글쓴이가 대상을 어떻게 바라보고 글을 썼는지 관점이나 의도를 파악하는 것이 우선입니다.
WEEK 6 작품 속 인물을 자신과 관련지어 이해해요	인물의 말과 행동을 보면 그가 추구하는 가치를 알 수 있죠? 작품 속 인물을 자신과 관련지어 이해하면 작품에 더 공감하며 글을 읽을 수 있습니다.
WEEK 7 내용과 표현의 적절성을 판단해요	글에는 수많은 정보들이 담겨 있어요. 그래서 글을 읽을 때에는 내용과 표현 모두 적절한지를 판단하면서 읽어야 합니다.
WEEK 8 비유하는 표현을 이해해요	비유적 표현을 사용하면 글로 설명하는 것보다 대상이 실감나게 느껴지고, 장면을 쉽게 떠올릴 수 있어요. 그래서 내용을 이해하는 게 훨씬 쉬워집니다.

독해원리, 초등에선 이렇게 배워요!		독해원리, 수능엔 이렇게 나와요!
• 상황에 알맞은 내용을 찾아요 ► 1학년 • 관용 표현의 특징을 알고 상황에 맞게 사용해요 ► 6학년	→	글에 드러난 상황에 어울리는 속담이나 관용어를 찾는 문제가 나와요.
• 주장과 근거를 파악해요 ► 4학년 • 의견이 적절한지 판단해요 ► 4학년 • 글쓴이의 주장을 찾고 내용의 타당성을 판단해요 ► 6학년	→	글쓴이 혹은 글에 드러난 어느 한쪽의 주장을 뒷받침하는 근거의 적절성을 판단하는 문제가 나와요.
• 인물의 처지와 마음을 헤아려요 ► 2학년 • 겪은 일과 아는 지식을 떠올리며 글을 읽어요 ► 6학년	→	글의 내용과 관련된 배경지식을 〈보기〉 혹은 자료로 제시하고, 이를 바탕으로 글을 이해할 수 있는지를 묻는 문제가 나와요.
• 이야기의 흐름을 파악하며 이어질 내용을 상상해요 ► 4학년 • 글에 드러나지 않은 내용을 추론해요 ► 3,6학년	→	글에 드러나지 않은 내용을 추론하고, 추론한 내용이 글의 내용과 연결되는지를 판단하는 문제가 나와요.
• 글쓴이의 의견을 파악해요 ► 3학년 • 글을 읽고 사실과 의견을 구별해요 ► 4학년 • 글에 나타난 글쓴이의 관점이나 의도를 파악해요 ► 6학년	→	글쓴이의 관점을 파악하고 이를 다른 관점과 비교하는 문제가 나와요.
• 인물의 처지와 마음을 헤아려요 ► 2학년 • 작품 속 인물을 나와 관련지어 이해해요 ► 6학년	→	작품 속 인물에 대해 주어진 조건에 따라 평가하거나 감상하는 문제가 나와요.
• 글을 읽고 내용과 표현이 적절한지 판단해요 ► 6학년	→	글을 읽거나 뉴스 혹은 강연을 듣고 난 뒤 그 반응을 평가할 때 내용과 표현의 적절성을 묻는 문제가 나와요.
• 비유하는 표현의 뜻과 좋은 점을 이해해요 ► 6학년	→	글을 읽을 때 비유적 표현이 나타난 부분을 찾고, 그 효과를 이해하는 문제가 나와요.

어떻게 공부할까요?

1 독해 원리 확인
목표를 알고 산을 오르자

한 주에 하나씩,
딱 뽑은 핵심 독해 원리 8개

초등에서 수능까지 연결되는 독해 원리를 한 주에 하나씩 체계적으로 배우며 독해에 자신감을 기를 수 있어요.

2 독해 실전 문제
목표 달성을 위한 실전 훈련!

목표 확인 문제는 물론,
독해 실전 문제까지 모두 잡자

내용 이해는 기본, 독해 원리를 적용해서 푸는 문제, 추론, 비판, 어휘력 등을 묻는 문제들로 실전처럼 훈련해요

1 초록색은 '기본 유형 문제'

3 빨간색은 '목표 확인 문제'

식용 곤충

수능에서는
선택지의 내용이 글에서 확인할 수 있는 것인지를 물을 때 '글의 내용과 일치하는(일치하지 않는)'과 같이 표현한다는 것을 알아 둬.

줄줄 새는 개념이 없도록 문제 속 개념이 초등부터 수능까지 어떻게 연결되는지를 보여줍니다!

원리를 적용해서 푸는 문제는
이전 학년에서 배운 내용과 연결해서 이해해요!

주장과 근거의 타당성을 판단해요

글쓴이는 자신의 주장을 내세우기 위해 여러 가지 근거를 사용합니다. 저학년에서는 이러한 주장과 근거를 파악하는 것을 배웠다면, 고학년에서는 글쓴이의 주장이 타당한지, 근거가 주장을 뒷받침하기에 적절한지를 판단하는 것까지 할 수 있어야 해요!

저학년에서는 주장과 근거를 파악해요 → 고학년에서는 주장과 근거의 타당성을 판단해요

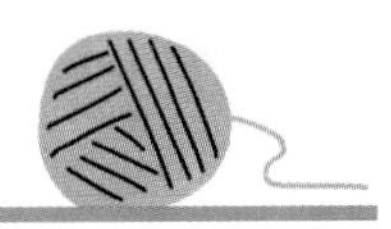

3 어휘력 기르기
독해 실력을 기르는 어휘를 잡자

독해력을 기르는 어휘, 독해를 하면 어휘력도 뿜뿜

어휘 공부 따로, 독해 공부 따로 하면 머릿속에 잘 안 들어오지요? 오늘 공부한 글에 나온 낱말을 빈칸 채우기, 사다리 타기, 짧은글 짓기 등 다양한 문제로 익힐 수 있어요.

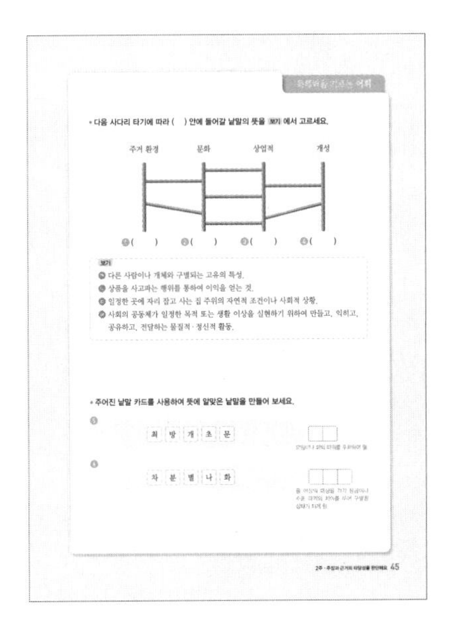

4 독해 원리 마무리
독해 원리, 수능까지 연결하자

수능을 향한 공부 방향 확인

한 주의 독해 원리를 표로 정리했어요. 이를 통해 초등에서 수능까지 연결되며 심화되는 독해의 원리를 한눈에 익힐 수 있어요.

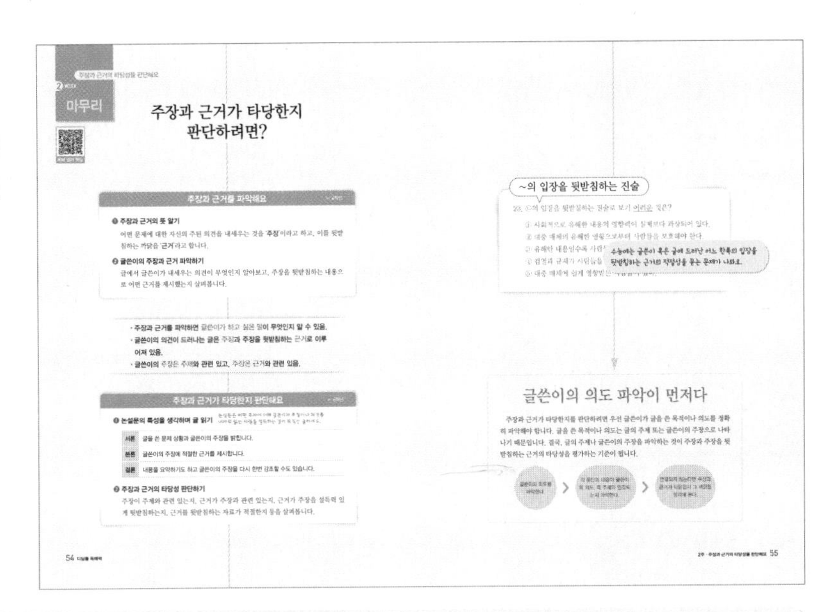

디딤돌 독해력을 어떻게 공부해야 할지 궁금하다면? **QR** 코드로 검색해 보세요.
선생님의 강의 동영상을 보면서 주차별 독해 원리를 익히고 대표지문으로 실전 독해 훈련을 합니다.

학습 계획표

수능까지 연결되는 초등 독해

WEEK 1

관용 표현의 뜻을 이해해요

돼지 잡는 날

은행 직원은 진영이가 모은 용돈이 큰 금액이라는 것을 알려주려고 '티끌 모아 태산'이라고 말했습니다. 짧은 표현이지만 만약 진영이가 관용 표현에 대해 잘 몰랐다면 은행 직원이 하려는 말이 무슨 의미인지 와닿지 않았을 거예요. 이렇게 말하는 상황에 빗대어 **원래의 낱말이 가진 뜻이 아닌 새로운 뜻을 나타내는 말을 관용 표현**이라고 합니다.

관용 표현에는 관용어, 속담, 한자 성어 등이 있습니다. 관용 표현을 활용하면 짧은 말로도 효과적으로, 재미있게 자신의 생각을 표현할 수 있어요. 자, 그럼 이제 글에 나타난 다양한 관용 표현과 그 뜻을 알아보러 가 볼까요?

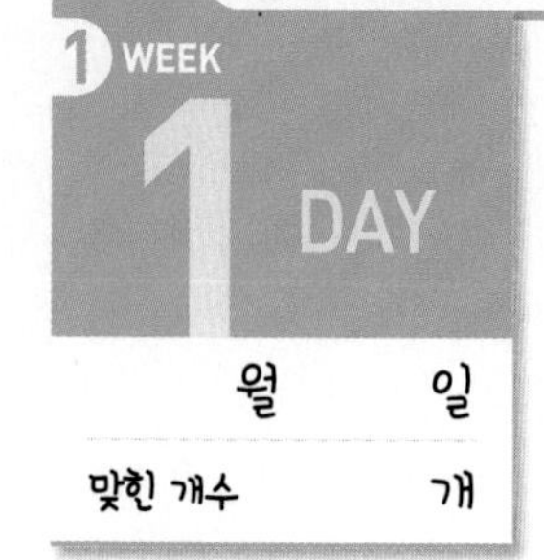

목구멍이 포도청

가 진행자의 도입

추운 겨울, 배고픔을 이기지 못해 마트에서 우유와 사과 등 먹을 것을 훔치다 적발된 아버지와 아들의 안타까운 이야기가 있습니다. 그리고 잘못을 뉘우치며 선처를 바란 이들에게 전해진 따뜻한 손길도 있는데요. 박창규 기자가 전해 드립니다.

나 기자의 보도

오후 4시 즈음, 마트 식품 매장으로 한 남성과 가방을 멘 아이가 들어옵니다. 잠시 두리번거리던 이들은 아이가 멘 가방을 열어 물건을 담기 시작합니다. 물건을 몰래 훔쳐 가려던 것인데요. CCTV 바로 아래에서 이루어진 허술한 절도 행위는 마트 직원에게 금방 발각됐습니다. 가방에서 나온 이들이 훔치려던 물건은 사과 여섯 개와 우유 두 팩, 마실 것 몇 개가 전부였습니다.

〈인터뷰〉 사건 당시 출동했던 경찰관

"배가 고파서 물건을 훔쳤다고 하더라고요. 범인 A 씨가 지병이 심해져서 일을 못 하게 되고, 아들이 배고픔을 호소하자 범행에 나선 것으로 보고 있습니다. 그 날은 아침도 점심도 굶었다고 하는데, 요즘 세상에 밥 굶는 사람이 어디 있습니까. 마트 사장님도 사연을 듣고 A 씨를 처벌하지 않겠다고 해서 훈방 조치했고, 처벌하는 대신 근처 식당에서 국밥을 시켜 줬습니다."

굶주림에 어쩔 수 없이 범죄를 저지른 A 씨의 사연을 들은 한 시민은 식당에 찾아와 A 씨에게 20만 원을 건네기도 했습니다. 또 마트 주인은 이들 부자가 더 이상 배고픔 때문에 범죄를 저지르는 일이 없도록 쌀과 필요한 물건을 지원해 주겠다고 했습니다.

다 기자의 마무리

'목구멍이 포도청'이라는 말이 있습니다. 먹고살기 위해 해서는 안 될 짓까지 하지 않을 수 없음을 이르는 말인데요. 적어도 가난 때문에 어쩔 수 없이 범죄를 저지르는 사람은 없는 사회가 되어야겠습니다. 디딤돌 뉴스 박창규입니다.

- **허술한**
  치밀하지 못하고 엉성하여 빈틈이 있는.
- **지병**
  오랫동안 잘 낫지 않는 병.
- **사연**
  일의 앞뒤 사정과 까닭.

1

이 뉴스에서 중점적으로 보도하는 내용은 무엇인가요? (　　　)

① 마트에서 물건을 훔친 도둑을 놓쳤다는 내용
② CCTV를 활용해도 범인을 찾기 힘들다는 내용
③ 마트에서 도둑질을 한 부자가 처벌받았다는 내용
④ 배고픔을 이기지 못한 부자가 범죄를 저질렀다는 내용
⑤ 밥 굶고 사는 사람이 없는, 풍족한 사회가 되었다는 내용

2

가의 역할로 알맞은 것은 무엇인가요? (　　　)

① 뉴스의 상세한 내용을 시청자에게 전달한다.
② 실제로 사건을 취재한 기자의 의견을 제시한다.
③ 뉴스에서 보도할 핵심 내용을 요약해 안내해 준다.
④ 뉴스 전체 내용을 요약하고 의견을 담아 마무리한다.
⑤ 인터뷰 자료나 통계 자료 등을 활용해 시청자의 이해를 돕는다.

3

수능에서는
글쓴이가 자신의 생각과 의견을 뒷받침하기 위해 전문가의 견해를 인용할 때가 많아. 글의 서술상 특징을 물을 때 자주 나오니까 알아 두도록 하자.

나에 대한 설명으로 알맞은 것을 보기에서 모두 골라 기호로 쓰세요.

보기
㉠ 글 전체 내용을 요약했다.
㉡ 인터뷰 자료를 활용했다.
㉢ 전문가의 견해를 활용했다.
㉣ 기자가 직접 취재한 내용이 있는 부분이다.
㉤ 사건을 바라보는 기자의 의견이 들어가 있다.

(　　　　　　　　)

관용 표현의 뜻 이해하기

4 다음 중 '목구멍이 포도청'과 같은 표현을 사용했을 때의 효과를 모두 고르세요.

(　　　　　　　　)

① 알아듣기 힘든 표현으로 듣는 사람의 기분을 상하게 한다.
② 재미있는 표현으로 듣는 사람의 관심을 불러일으킬 수 있다.
③ 상황에 알맞게 사용해 짧은 말로도 자신의 생각을 표현할 수 있다.
④ 각각의 낱말을 본래의 뜻으로 이해하면 제대로 된 뜻을 알 수 있다.
⑤ 한두 개의 낱말 또는 짧은 문구나 문장으로 상황을 인상 깊게 표현할 수 있다.

관용 표현의 뜻을 이해해요

관용 표현의 뜻을 이해하려면 먼저 낱말이 사용된 환경을 정확하게 알아야 합니다. 저학년에서는 모르는 낱말의 의미를 파악하는 방법을 배웠다면, 고학년에서는 앞서 파악한 낱말의 의미와 관계를 바탕으로 관용 표현의 의미를 파악하고 다양한 관용 표현을 상황에 맞게 사용할 수 있어야 해요!

저학년에서는 낱말의 뜻을 정확히 알아요 → 고학년에서는 관용 표현의 뜻을 이해해요

관용 표현의 뜻 이해하기

5 다음 중 '목구멍이 포도청'이라는 표현을 바르게 활용한 문장은 무엇인가요?

(　　)

① 목구멍이 포도청이라는데, 일단 밥부터 먹고 구경하자!
② 혼자 기대감에 차서 목구멍이 포도청이더니, 내 그럴 줄 알았어.
③ 지금 하는 짓이 나쁜 일인 건 알지만, 목구멍이 포도청이라 어쩔 수가 없네.
④ 목구멍이 포도청이라더니, 준비가 다 되어 있으면 뭘 하니? 활용을 해야지.
⑤ 왜 네가 한 일을 하지 않았다고 거짓말을 하니? 정말 목구멍이 포도청이구나.

한줄요약

6 빈칸에 알맞은 말을 넣어 이 글의 핵심 내용을 한 문장으로 요약하세요.

선처　　훈방　　범죄

배고픔을 이기지 못해 [　　]를 저지른 아버지와 아들이, 안타까운 사연으로 [　　]를 받고 [　　]되었다.

• 낱말이 한자로는 어떻게 쓰이는지 살펴보고, 예문을 참고해 빈칸을 채워 보세요.

❶

善處 착할 [선] 곳 [ㅊ]

그 일을 [선][ㅊ]해 주신다면 감사하겠습니다.

❷

父子 아버지 [부] 아들 [ㅈ]

옆집 [부][ㅈ]는 꼭 닮았다.

❸

支援 지탱할 [ㅈ] 도울 [원]

산불 피해를 입은 사람들을 위한 [ㅈ][원] 대책을 세워야 한다.

• 낱말의 뜻을 참고하여, 다음 문장의 빈칸에 들어갈 알맞은 낱말을 완성하세요.

❹ 우리 경찰에서는 범죄자의 [ㅈ][ㄹ]에 최선을 다하고 있습니다.

숨겨져 있는 일이나 드러나지 않은 것을 들추어냄.

❺ 그의 절실한 [ㅎ][ㅅ]에 귀를 기울이는 사람은 아무도 없었다.

억울하거나 딱한 사정을 남에게 간곡히 알림.

❻ 이번 사건의 범인은 범죄가 가벼워 [ㅎ][ㅇ]되었다.

일상생활에서 가벼운 죄를 범한 사람을 훈계하여 놓아줌.

❼ [ㅗ][도][ㅊ]에 가서 누가 잘못했는지를 알아보자.

조선 시대에, 범죄자를 잡거나 다스리는 일을 맡아보던 관아.

월 일
맞힌 개수 개

상황에 알맞은 관용 표현

다음은 관용 표현을 알아듣지 못해 서로 의사소통이 원활히 이루어지지 않은 예입니다. 상황을 파악하고 각각의 관용 표현이 어떤 의미를 갖는지 추측해 봅시다.

가 **민수:** 우리 아버지께서는 아는 분이 아주 많으셔. 얼마 전 동해 바다로 놀러 갔을 때 수산 시장에서 일하시는 아버지 친구 분 덕에 신선한 해산물을 많이 먹었어.

주희: 와, 아버지께서 ㉠발이 참 넓으시구나.

민수: 우리 아버지 신발 치수는 260mm야. 어른치고는 조금 작으신 것 아닌가?

주희: 신발 치수는 왜?

민수: 발이 넓으시다며?

나 **승수:** 지민이가 왜 이렇게 안 오지? 약속 시간이 한참 지났는데 말이야.

지민: (뛰어오며) 승수야! 오래 기다렸지, 미안해.

승수: 왜 이렇게 늦었어? ㉡눈이 빠지게 기다렸다고.

지민: 눈이 빠질 뻔했다는 거야? 겉보기엔 멀쩡해 보여.

승수: 응? 아무튼 왜 늦었어?

지민: 어머니께서 잡채 만드시는 걸 도와드렸거든. 어머니께서 ㉢손이 크셔서 큰 대야 세 개가 꽉 찰 만큼 만드느라 오래 걸렸어. 우리 집은 식구가 세 명인데.

승수: 손이 크시면 음식을 좀 더 빨리 만드실 수 있지 않나? 재료를 한 번에 많이 집으실 수가 있잖아.

지민: 응?

다 **태연:** 2인조 발라드 그룹이었던 나스타와 김가수가 오랜만에 다시 ㉣입을 맞췄대.

민희: 공공장소에서? 그 모습이 신문 기사에 ⓐ실린 거니? 놀랍구나.

태연: 도대체 무슨 소리야? 그런데 나스타는 군 입대 기피 문제 때문에 자숙 중인데, ㉤얼굴도 두껍지, 활동을 재개하다니.

민희: 그 사람 얼굴 피부가 두꺼워? 그걸 측정할 수도 있어? 태연이 넌 나스타라는 사람에 대해 여러모로 많은 걸 알고 있구나.

태연: 뭐라고?

• **원활히**
거침이 없이 잘되어 나가는 상태로.

• **발라드**
대중음악에서, 사랑을 주제로 한 감상적인 노래.

• **자숙**
자신의 행동을 스스로 조심함.

가~다의 경우와 같이 관용 표현을 올바르게 이해하지 못한다면 의사소통에 문제가 생깁니다. 그럼에도 이와 같은 관용 표현을 사용하는 이유는 하고 싶은 말을 인상적으로 전달할 수 있기 때문입니다.

관용 표현의 뜻 이해하기

수능에서는
둘 이상의 낱말이 합쳐져 원래의 뜻과는 전혀 다른 새로운 뜻으로 굳어져서 쓰이는 표현을 관용 표현이라고 해.

1 **이 글의 ㉠~㉤은 모두 관용 표현입니다. 각각의 뜻에 알맞은 낱말을 쓰세요.**

㉠ 사귀어 아는 (   )이/가 많아 활동하는 범위가 넓다.
㉡ 몹시 애타게 오랫동안 (   ).
㉢ 씀씀이가 후하고 (   ).
㉣ 서로의 말이 (   )하도록 하다. 또는 호흡을 맞추다.
㉤ (   )을/를 모르고 염치가 없다.

2 **이 글을 이해한 내용으로 알맞지 않은 것을 두 가지 고르세요. (,   )**

① 민수의 아버지는 발 사이즈가 크다.
② 민수는 동해 바다로 놀러 간 적이 있다.
③ 지민이는 잡채를 만들다가 약속 시간에 늦었다.
④ 승수는 약속 시간에 지민이보다 먼저 도착해 기다리고 있었다.
⑤ 나스타는 얼굴의 피부가 다른 사람에 비해 두꺼운 편에 속한다.

3 **가~다의 발화자에 대한 설명으로 알맞지 않은 것은 무엇인가요? (   )**

① 가의 민수는 자신의 경험을 제시하며 대화를 시작한다.
② 가의 주희는 관용 표현을 사용하며 민수의 말에 동조하고 있다.
③ 나의 승수는 지민이에게 늦은 이유를 거듭하여 묻고 있다.
④ 나의 지민이는 승수와 달리 관용 표현을 이해하지 못하고 있다.
⑤ 다의 민희와 태연이는 서로 원활하게 의사소통이 되지 못하고 있다.

관용 표현의 뜻 이해하기

4

다음 (   ) 안에 들어갈 알맞은 관용 표현을 ㉠~㉤을 참고하여 쓰세요.

제목: 어제 황당한 일을 겪었네요.

ID: 동탄다둥맘

제가 어제 저희 동네 커피숍에서 커피를 마시고 있었어요. 그런데 한 청년이 가게에 들어오더니 커피도 시키지 않고 자리에 앉더군요. 핸드폰 충전부터 하더니, 주머니에서 햄버거를 꺼내서 먹는데 냄새가 심했어요. 게다가 신발을 벗고 발을 올리는 행동까지……. 그러곤 커피숍을 나서면서 직원 분에게 내일 또 오겠다며 인사까지 하더라고요. 정말 그 사람 (   )

(   )

5

문맥상 ⓐ와 같은 의미로 쓰인 것은 무엇인가요? (   )

① 논에 물을 가득 실다.
② 시와 수필을 실은 잡지이다.
③ 차에 짐을 어서 실어야 한다.
④ 매일 나는 통학 버스에 몸을 싣는다.
⑤ 그는 얼굴에 웃음을 가득 싣고 있었다.

한줄요약

6

빈칸에 알맞은 말을 넣어 이 글의 핵심 내용을 한 문장으로 요약하세요.

관용   의사   상황

[|]에 맞지 않은 [|] 표현을 사용하면 [|] 소통에 문제가 발생할 수 있다.

• 낱말이 한자로는 어떻게 쓰이는지 살펴보고, 예문을 참고해 빈칸을 채워 보세요.

❶

市場 시장 [시] 마당 [ㅈ]

집 앞 [시][ㅈ]의 물건은 대체로 저렴하다.

❷

材料 재목 [재] 되질할 [ㄹ]

가구를 만드는 데에 많은 [재][ㄹ]가 필요합니다.

❸

活動 살 [ㅎ] 움직일 [동]

미세 먼지가 심할 땐 야외 [ㅎ][동]을 삼가세요.

• 낱말의 뜻을 참고하여, 다음 문장의 빈칸에 들어갈 알맞은 낱말을 완성하세요.

❹ 올바른 표현을 사용하는 것은 [ㅝㄴ][ㅎ]한 의사소통에 도움을 준다.

거침이 없이 잘되어 나감.

❺ 나는 채식주의자이지만 다 함께 식사하는 자리를 [ㄱ][ㅍ]하지 않는다.

꺼리거나 싫어하여 피함.

❻ 그는 [ㅏ][ㅅ]의 시간을 가진 뒤 모습을 드러냈다.

자신의 행동을 스스로 조심함.

❼ 회의가 한 시간 만에 [ㅈ][ㄱ]되었다.

어떤 활동이나 회의 따위를 한동안 중단했다가 다시 시작함.

창자가 끊어질 것 같다고?

가 안녕하세요, 청취자 여러분. 오늘은 우리가 자주 쓰는 관용 표현에 대해 알아볼 거예요. 혹시 '애간장이 타다'에서 '애'와 '간장'이 무엇인지 아시나요? '애'는 창자의 순우리말이고, '간장'은 간과 창자를 가리키는 한자어랍니다. 그러니까 '애간장이 타다'라는 말은 쉽게 말하면 '창자가 타다'라는 뜻으로 해석할 수 있지요.

나 그래서 '애간장이 타다'라는 말은 창자가 탈 정도로, 창자가 끊어질 정도로 속이 타고 초조한 상태를 이르는 말이랍니다. 이 말을 한자어로는 '단장(斷腸)'이라고 해요. 이 역시 '창자가 끊어진다'라는 뜻이에요. 이 말의 유래는 중국의 삼국 시대로 거슬러 올라간답니다.

다 어느 군대가 촉나라를 정벌하러 항해하던 중, 군대의 병사 하나가 잠깐 데리고 놀려고 새끼 원숭이를 잡았대요. 병사는 별 생각 없이 잡았지만, 어미 원숭이가 새끼 원숭이를 구하러 슬피 울며 따라오고 있었다고 합니다. 그 병사도 금세 자신이 잘못했다는 것을 깨닫고 새끼 원숭이를 돌려주고자 했지만 강이 너무 넓어져서 도저히 그럴 수 없는 상황이었어요. 그러다가 어미 원숭이가 기회를 보아 배로 뛰어들어 새끼를 구하려고 했으나 이미 배를 쫓아오느라 너무 많이 힘을 써서 지쳐 죽었답니다. 그런데 그 어미의 배가 이상한 거예요. 그래서 어미 원숭이의 배를 갈라 보니 창자가 토막토막 끊어져 있었기에 그것을 지켜보던 사람들이 매우 놀랐어요. 그걸 보던 군대의 대장이 크게 화내면서 새끼 원숭이를 직접 풀어 주고, 잡아 온 병사를 매우 혼냈다고 해요. 이후, "내가 너를 죽이면 너의 어머니도 이렇게 창자가 끊어지듯이 슬퍼하다가 죽을 것이니, 다시는 이러지 마라."라고 했대요.

라 이 이야기를 보니, 어미 원숭이의 애간장 타는 마음이 잘 보이는 것 같죠? 어미가 자식을 잃으면 저 정도로 아파한다는 것도 잘 알 수 있게 된 것 같아요. 이렇게 우리나라의 관용 표현에는 이와 관련된 유래가 있는 경우가 많답니다. 다음에도 더 유익한 이야기로 만나요. 안녕!

• **해석**
문장이나 사물 따위로 표현된 내용을 이해하고 설명함. 또는 그 내용.

• **유래**
사물이나 일이 생겨남. 또는 그 사물이나 일이 생겨난 바.

1

수능에서는
일반적으로 널리 통하는 개념을 통념이라 표현해. 대개 통념이 나오면 이를 반박하는 주장이 뒤따라 나와.

가 에서 청취자의 흥미를 끌기 위해 사용하고 있는 방법은 무엇인가요? (　　　)

① 질문을 통해 청취자의 흥미를 끌고 있다.
② 대조되는 상황을 통해 청취자의 흥미를 끌고 있다.
③ 통념과는 다른 해석을 제시하여 청취자의 흥미를 끌고 있다.
④ 감탄을 나타내는 표현을 사용하여 청취자의 흥미를 끌고 있다.
⑤ 주요 용어가 사용된 구체적인 사례를 들어 청취자의 흥미를 끌고 있다.

2

다 에 대한 이해로 알맞지 않은 것은 무엇인가요? (　　　)

① 강을 항해하던 중 일어난 일이다.
② 병사는 원숭이를 좋아하기 때문에 새끼 원숭이를 잡았다.
③ 어미 원숭이는 배로 몸을 던져 새끼를 구하고자 했다.
④ 죽은 어미 원숭이의 창자는 토막토막 끊어져 있었다.
⑤ 군대의 대장은 새끼 원숭이를 잡아 온 병사를 매우 혼냈다.

3

관용 표현의 뜻 이해하기

이 글에서 언급한 관용 표현의 의미와 가장 거리가 먼 것은? (　　　)

① 애가 썩다
② 입에 침이 마르다
③ 심장이 터지다
④ 애가 마르다
⑤ 가슴이 미어지다

관용 표현의 뜻 이해하기

4 **다음은 다 에 나온 병사의 속마음을 나타낸 것입니다. 보기 의 뜻을 참고해 (　　) 안에 들어갈 알맞은 관용어를 완성하세요.**

'어미 원숭이가 배를 쫓아오고 있다는 사실을 깨달았을 때, 아차 싶었어. 그렇게 쫓아와 배까지 뛰어들었지만 결국 죽어 버린 어미 원숭이가 내 (　　　　　)을 찔렀어. 결국엔 대장에게도 많이 혼나고 말았지.'

보기
- **(　　) 안에 알맞은 관용어의 뜻:** 마음이나 감정을 세게 자극하다.

(　　　　　　　　)

5 **가 ~ 라 에 대한 설명으로 알맞은 것을 보기 에서 모두 골라 기호로 쓰세요.**

보기
ㄱ. 가 에서는 앞으로 이 글이 전개될 방향에 대해 언급하고 있다.
ㄴ. 나 에서는 관용어가 사용된 실제 사례를 들어 설명하고 있다.
ㄷ. 다 에서는 사건을 시간의 흐름에 따라 서술하고 있다.
ㄹ. 라 에서는 말하는 이의 주장을 다시 한번 강조하고 있다.

(　　　　　　　　)

한줄요약

6 **빈칸에 알맞은 말을 넣어 이 글의 핵심 내용을 한 문장으로 요약하세요.**

단장　　유래　　창자

'애간장이 타다'라는 말에서 '애간장'은 [　　] 를 가리키는 말이고 한자어로는 [　　] 이라고도 하는데, 이 글에서는 '애간장이 타다'와 '단장'의 [　　] 를 소개하고 있다.

• 낱말이 한자로는 어떻게 쓰이는지 살펴보고, 예문을 참고해 빈칸을 채워 보세요.

❶

斷腸 — 끊을 [단] / 창자 [ㅈ]

어미가 느끼는 [단][ㅈ]의 아픔은 이루 말할 수 없는 것이었다.

❷

征伐 — 칠 [ㅈ] / 칠 [벌]

고려는 요동 [ㅈ][벌]을 시도했지만 이성계에 의해 좌절되었다.

❸

航海 — 배 [ㅎ] / 바다 [해]

그는 드디어 기나긴 [ㅎ][해]를 마치고 귀국했다.

• 낱말의 뜻을 참고하여, 다음 문장의 빈칸에 들어갈 알맞은 낱말을 완성하세요.

❹ 이 프로그램은 [ㅊ][ㅊ][자]들에게 인기가 많다.
라디오 방송을 듣는 사람.

❺ 그는 자식이 잘못될까 [ㅊ][ㅈ]한 마음을 차마 숨길 수 없었다.
애가 타서 마음이 조마조마함.

❻ 그의 인기는 [ㄱ][세] 해외까지 널리 퍼졌다.
지금 바로.

❼ 만일의 [ㅅ][ㅎ]에 대비해 준비를 철저히 하자.
일이 되어 가는 과정이나 형편.

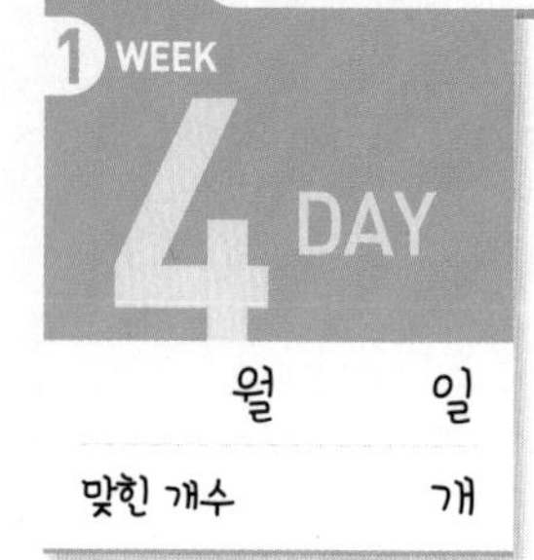

《사자소학》

《사자소학》은 조상들이 어린이들에게 한자를 가르치기 위해 엮은 기초 한문 교과서이다. 주된 내용으로는 효도나 윤리 규범 등 인간으로서 지켜야 할 도리가 있고, 친구 사귀는 법, 일상생활에서 지켜야 할 사소한 몸가짐까지 다양한 것을 구체적이고 상세하게 가르치는 교과서이다. 예를 들어 아침에 일어나면 세수하고 양치질하라는 내용이나, 편식하지 말라, 먼지가 쌓이면 방 청소를 해라 등 매우 간단한 생활 수칙도 많이 쓰여 있다. 혹시 용모를 단정히 하라는 말을 들어 본 적이 있는가? 이 또한 《사자소학》에서 유래된 말로, '용모단정 의관정제(容貌端正 衣冠整齊)'라 하여 얼굴 모양과 옷차림을 바르게 하라는 말이다. 이렇듯 다양한 내용이 담겨 있는 《사자소학》에서 가장 많은 내용을 차지하는 부분은 부모님에 대한 효도와 기본 예절이다.

가장 기본적인 효도 예절로 '출필고지 반필면지(出必告之 反必面之)'하라는 말이 있다. 집 밖에 나갈 때는 반드시 나간다고 말하고, 돌아오면 반드시 돌아왔다고 얼굴을 보고 인사하라는 뜻이다. 혹시 외출할 때 아무 말 없이 나간다거나 부모님께서 외출하실 때 방 안에서 가만히 있었던 적은 없는가? 만약 그랬다면 지금부터라도 '다녀오겠습니다.', '다녀오셨어요.' 등 인사하는 습관을 ㉠길러 보자.

그렇다면 효도 예절에서 가장 하지 말아야 할 것은 무엇일까? 그것은 바로 거짓말이다. 《사자소학》에서는 '일기부모 기죄여산(一欺父母 基罪如山)'이라 하여 한 번 부모를 속이면 그 죄가 산과 같다고 말하고 있다. 죄가 산과 같다는 말은 그만큼 잘못이 크고 무겁다는 것을 뜻한다. 즉 어떤 잘못을 했다면 솔직하게 말씀드리고 혼날 부분이 있다면 혼나고 반성을 해야지, 거짓말을 해서 더 큰 잘못을 저질러서는 안 된다는 말이다.

위의 내용처럼 《사자소학》은 일상생활에서 지켜야 할 매우 기본적인 것들을 다룬, 어린이들을 가르치기 위한 교과서이다. 개인의 몸가짐부터 주변을 대하는 방법까지 모든 면을 다루는 이 책을 통해 기본적인 예절과 올바른 인성을 갖춘 사람이 되는 법을 배울 수 있다.

• **윤리**
사람으로서 마땅히 행하거나 지켜야 할 도리.

• **규범**
인간이 행동하거나 판단할 때에 마땅히 따르고 지켜야 할 가치 판단의 기준.

1 **이 글을 통해 알 수 있는 내용이 아닌 것은 무엇인가요? (   )**

① 《사자소학》은 무엇을 다룬 글인가?
② 효도 예절에서 가장 하지 말아야 하는 것은 무엇인가?
③ 《사자소학》에서 효도보다 중요하게 여기는 것은 무엇인가?
④ 《사자소학》은 어떤 연령대의 사람을 대상으로 하는 책인가?
⑤ 《사자소학》에서 가장 많은 부분을 차지하는 내용은 무엇인가?

2 **이 글에서 찾아볼 수 있는 글쓰기 전략은 무엇인가요? (   )**

수능에서는
'《사자소학》은 ~이다'와 같은 설명을 정의라고 해. 즉 글의 첫 번째 문장에 '《사자소학》의 정의가 쓰여 있다.'라고 할 수 있지!

① 글쓴이의 경험을 바탕으로 글을 써 나가고 있다.
② 《사자소학》의 내용에 의문점을 제시하며 비판하고 있다.
③ 예상 독자에게 질문하는 형식으로 글을 써 나가고 있다.
④ 다른 사람과 대화하는 형식을 빌려 내용을 정의하고 있다.
⑤ 《사자소학》에 대한 추가 정보를 얻을 수 있는 방법을 제시하고 있다.

관용 표현의 뜻 이해하기

3 **보기 에서 하지 말아야 할 예절에 대한 내용이 담긴 구절을 찾아 기호로 쓰세요.**

보기
가 용모단정 의관정제(容貌端正 衣冠整齊)
나 출필고지 반필면지(出必告之 反必面之)
다 일기부모 기죄여산(一欺父母 基罪如山)

(   )

4 이 글에 나온 《사자소학》의 예절 중 가장 하지 말아야 하는 것은 무엇인가요? (　　)

① 수정이는 아빠가 출근할 때 방에서 나오지 않고 게임을 하고 있었다.
② 지수는 너무 놀러 나가고 싶어서 부모님께 알리지 않고 집에서 나갔다.
③ 수애는 엄마가 방 청소를 하라고 해서, 하지 않았지만 이미 했다고 말했다.
④ 지연이는 아침에 너무 늦게 일어나서 제대로 씻지도 못하고 집에서 나갔다.
⑤ 명은이는 아침에 엄마랑 싸워서 기분이 좋지 않아, 엄마가 외출했다가 들어오실 때 방에서 나오지 않았다.

5 문맥상 ㉠과 같은 의미로 쓰인 것은 무엇인가요? (　　)

① 아침에 일찍 일어나는 버릇을 길렀다.
② 새로운 인재를 발견해 기르기 시작했다.
③ 나는 집에서 고양이를 다섯 마리 기른다.
④ 머리카락을 계속 길렀더니 허리까지 왔다.
⑤ 병을 기르면 치료하기가 점점 어렵게 된다.

한줄요약

6 빈칸에 알맞은 말을 넣어 이 글의 핵심 내용을 한 문장으로 요약하세요.

예절　　일상　　인성

《사자소학》은 [　　]에서 지켜야 할 기본적인 [　　]과 [　　]을 갖춘 사람이 되는 법을 배울 수 있는 책이다.

• 낱말이 한자로는 어떻게 쓰이는지 살펴보고, 예문을 참고해 빈칸을 채워 보세요.

❶
基礎 — 터 [기] / 주춧돌 [ㅊ]

[기][ㅊ] 공사가 튼튼해야 멋진 건물이 지어진다.

❷
禮節 — 예도 [ㅇ] / 마디 [절]

[ㅇ][절]을 지킬 줄 아는 사람이 되어야 한다.

❸
人性 — 사람 [인] / 성품 [ㅅ]

공부도 중요하지만 [인][ㅅ]이 바른 사람이 되어야 한다.

• 낱말의 뜻을 참고하여, 다음 문장의 빈칸에 들어갈 알맞은 낱말을 완성하세요.

❹ 그 정도는 특별하지 않은 [ㅇ][ㅑㅇ]적인 일이다.

날마다 반복되는 생활.

❺ 그렇게 두루뭉술하게 이야기하면 이해를 할 수가 없잖아. [ㄱ][ㅊ][적]으로 이야기해 봐.

실제적이고 세밀한 부분까지 담고 있는 것.

❻ 여기에서는 꼭 지켜야 할 [ㅜ][ㅊ]이 몇 가지 있다.

행동이나 절차에 관하여 지켜야 할 사항을 정한 규칙.

❼ 오늘은 [ㄱ][ㄴ]적인 절차에 대해 알아보자.

사물이나 현상, 이론, 시설 따위를 이루는 바탕.

월 일
맞힌 개수 개

가난을 무서워한 호랑이

옛날 백두산 골짜기에 호랑이 한 마리가 살았다. 동물과 인간 모두 호랑이를 무서워했기에 호랑이는 무소불위의 권력을 갖고 있었다. 그러던 어느 날, 배가 고파진 호랑이는 마을로 내려와 잡아먹을 사람을 찾아 헤맸다. 호랑이는 어느 초가집 앞에서 발을 멈췄다.

"오늘은 너로구나."

호랑이가 배고픔을 해결하려는데, 우연히 방 안에서 부부가 하는 얘기를 듣게 되었다.

"아이고! 이놈의 가난, 일을 해도 해도 어찌 이리 가난할꼬."

부인이 한숨을 쉬며 한탄했다.

"여보, 가난이 아무리 무섭다 한들 저기 저 호랑이만 하겠소?"

남편이 부인에게 말하는 소리를 듣고 밖에 서 있던 호랑이는 놀랐다.

"내가 와 있는 걸 어떻게 알았지?"

호랑이는 외양간에 몸을 숨기고 얘기를 더 들어 보기로 했다.

"호랑이? 호랑이한테 죽으나, 당신하고 살다 굶어 죽으나 매한가지 아니요? 그까짓 호랑이보다 당신이 무섭고 가난이 무섭소!"

'나보다 더 무서운 것이 있다니!'

호랑이는 놀랐다. 자신보다 무서운 존재는 상상조차 해 본 적이 없기 때문이다.

그때 외양간에는 소도둑이 들어왔다. 소도둑의 손에 살이 두둑한 털북숭이가 닿았다. 소도둑은 소인 줄 알고 그 등에 올라탔다.

'내가 가난에게 잡혔구나.'

호랑이는 외양간을 헐레벌떡 도망쳐 나왔다. 소도둑은 소를 훔쳤다는 뿌듯함도 잠시, 금세 자신이 소가 아닌 호랑이 등에 올라탔다는 것을 알았다. 소도둑은 눈앞이 캄캄해졌다. 한참을 달리다, ㉠<u>소도둑은 마침내 고목 나무에 뚫린 구멍을 보고 그리 뛰어내려 숨었다.</u> 호랑이와 소도둑 모두 안도의 숨을 내쉬었다

그때 숲속의 동물들이 모여들었다.

"호랑이님! 무슨 일 있나요?"

• **무소불위**
하지 못하는 일이 없음.

• **전말**
처음부터 끝까지 일이 진행되어 온 경과.

"에헴! 내 너희들을 위해 지난밤 가난을 붙잡아 혼쭐을 내주었다."

동물들은 웃음을 참았다. 호랑이에게 일어난 일의 전말을 모두 보았기 때문이다. 동물들은 호랑이의 ㉡허장성세를 비웃으며 크게 외쳤다.

"가난이다, 가난이 나타났다!"

말이 떨어지기 무섭게 호랑이가 부랴사랴 도망을 치는 모습을 보고 동물들은 하늘이 울리도록 웃었다.

관용 표현의 뜻 이해하기

수능에서는
여러 낱말이 합쳐져 새로운 의미를 만드는 표현을 '관용 표현'이라고 해. 속담은 이 관용 표현에 속하지. 예로부터 전하여 내려오는 조상의 지혜가 담긴 표현을 속담이라고 말한단다.

1 **이 글의 내용과 관련이 있는 속담으로 알맞은 것은 무엇인가요? (　　　)**

① 하나를 보고 열을 안다
② 망둥이가 뛰면 꼴뚜기도 뛴다
③ 가는 말이 고와야 오는 말이 곱다
④ 구슬이 서 말이라도 꿰어야 보배라
⑤ 자라 보고 놀란 가슴 솥뚜껑 보고 놀란다

2 **이 글의 내용과 일치하지 않는 것은 무엇인가요? (　　　)**

① 소도둑이 호랑이 위에 올라탔다.
② 소도둑이 도망간 후 호랑이는 안도했다.
③ 호랑이는 주인 여자의 말을 듣고 두려움을 느꼈다.
④ 동물들은 호랑이를 곯려 주려는 의도로 말을 했다.
⑤ 호랑이는 초가집에 사는 사람들이 궁금해 마을로 내려왔다.

3 **이 글의 등장인물에 대한 설명으로 알맞은 것을 모두 골라 기호로 쓰세요.**

㉮ 호랑이는 가난에게 잡혔다고 생각하여 두려움을 느꼈다.
㉯ 소도둑은 처음에는 소를 훔쳤다고 생각하여 기뻐했다.
㉰ 소도둑은 자신이 호랑이 등에 탄 것을 알고 신기해했다.
㉱ 호랑이는 등에 타고 있던 가난이 내려서 아쉬워했다.
㉲ 동물들은 호랑이를 곯려 주며 재미를 느꼈다.

(　　　　　　　　)

관용 표현의 뜻 이해하기

4

다음은 ㉠의 상황에 어울리는 속담입니다. ⓐ와 ⓑ에 들어갈 알맞은 말을 쓰세요.

[ⓐ]이/가 무너져도 솟아날 [ⓑ]이/가 있다.

ⓐ (　　　　　　　) ⓑ (　　　　　　　)

관용 표현의 뜻 이해하기

5

다음 중 ㉡의 의미를 바르게 추측한 것은 무엇인가요? (　　　)

① 근거 없는 거짓말을 하는 것
② 잘 모르지만 아는 척하는 것
③ 말을 못 알아듣는 척 딴청을 피우는 것
④ 실력 혹은 실속이 없이 허세를 부리는 것
⑤ 당황스러운 상황에서 말을 얼버무리는 것

한줄요약

6

빈칸에 알맞은 말을 넣어 이 글의 핵심 내용을 한 문장으로 요약하세요.

존재　　가난　　소도둑

마을에 내려온 호랑이가 [　|　]이 무서운 [　|　]라는 말을 듣고 두려워하다 등에 업힌 [　|　|　]을 가난으로 오해하고 도망쳤다.

• 낱말의 뜻을 찾아 선으로 연결해 보세요.

① 마을 •		• ㉠ 원통하거나 뉘우치는 일이 있을 때 한숨을 쉬며 탄식함. 또는 그 한숨.
② 한탄 •		• ㉡ 주로 시골에서, 여러 집이 모여 사는 곳.
③ 안도 •		• ㉢ 매우 부산하고 급하게 서두르는 모양.
④ 떨어지다 •		• ㉣ 말이 입 밖으로 나옴.
⑤ 부랴사랴 •		• ㉤ 어떤 일이 잘 진행되어 마음을 놓음.

• 다음 문장을 읽고, (   ) 안에 공통으로 들어갈 낱말을 완성하세요.

⑥
• 소 잃고 (   ) 고친다.
• 동생은 (   )에 염소들을 몰아넣다가 다리를 다쳤다.

ㅚ	양	ㄴ

⑦
• 날씨가 추워서 (   ) 겉옷을 입었다.
• 귓불이 (   ) 것이 복스러워 보인다.

ㅜ	ㅋ	한

⑧
• 그 이야기의 (   )은 다음과 같다.
• 이제야 사건의 (   )이 분명해지기 시작했다.

ㅈ	ㅁ

마무리

독해 원리 학습

관용 표현의 뜻을 이해하려면?

낱말의 뜻을 정확히 알아요. ► 1학년

❶ 비슷해 보이는 낱말 구분하기

글자의 모양이 비슷하더라도 모음자와 자음자, 받침이 달라지면 전혀 다른 뜻이 되므로 잘 구분해 써야 합니다.

❷ 글에 사용된 낱말의 뜻 알기 낱말의 뜻을 정확히 알아야 글의 내용을 바르게 이해할 수 있어요.

낱말의 뜻을 정확히 알아야 글을 읽을 때 문장을 정확히 이해할 수 있으며, 글쓴이가 전달하고자 하는 내용도 잘 파악할 수 있습니다.

- 낱말의 뜻을 국어사전을 활용하여 파악함.
- 낱말의 뜻이 비슷한 경우, 구체적인 상황에 따라 달리 쓰임.
- 어려운 낱말이 나오면 앞뒤 내용을 통해 내용을 짐작함.

관용 표현의 뜻을 이해해요 ► 6학년

❶ 상황에 따른 낱말의 의미 파악하기 관용 표현은 원래의 뜻과는 전혀 다른 말로 사용돼요.

하나의 낱말이 상황에 따라 **다른 의미**를 가질 수 있어요.

❷ 관용 표현의 뜻 이해하기

관용 표현에는 **관용어**와 **속담**이 있는데, 원래의 뜻과는 다른 **새로운 뜻**으로 굳어져 우리가 기존에 알던 것과는 다른 의미로 사용됩니다.

밑줄 친 관용 표현의 의미를 ~

12. 밑줄 친 관용 표현의 의미를 나타낸 것으로 적절하지 않은 것은?

① 우리는 그 폭포의 장대한 물줄기에 입이 벌어졌다.

② 이 가게에는 누나의 눈에

수능에는 관용 표현의 의미와 이를 상황에 맞게 바르게 사용할 수 있는지를 묻는 문제가 나와요.

③ 사람들은 산불을 진화하지 못해 동동 발을 굴렀다.
(→ 안타까워하다)

④ 그녀는 손이 재기로 유명해서 잔치마다 불려 다닌다.
(→ 일 처리가 빠르다)

⑤ 나는 동생이 혼자 그 많은 일을 다 해서 혀를 내둘렀다.
(→ 안쓰러워하다)

앞뒤 내용을 살펴라

관용 표현은 문화적으로 굳어진 표현 방법이기 때문에 우리의 일상생활에서 익숙하게 사용됩니다. 하지만 관용 표현의 뜻을 모를 때에는 관용어나 속담이 쓰인 앞뒤 문장의 내용을 이해하고, 이를 바탕으로 관용 표현의 뜻을 짐작해야 합니다. 관용 표현을 제대로 이해하면 그 말을 사용하는 의도를 정확히 파악할 수 있습니다.

글에 사용된 관용 표현을 찾는다. > 관용 표현이 쓰인 앞뒤 내용을 이해한다. > 글의 앞뒤 내용을 바탕으로 관용 표현의 정확한 뜻을 짐작한다.

수능까지 연결되는 초등 독해

WEEK 2

주장과 근거의 타당성을 판단해요

우리 회사가 성공한 이유는

두 사람 모두 자기 덕분에 회사가 성공했다고 서로 주장하고 있어요. 한 사람은 매일 지각하지 않고 일찍 출근했고 다른 한 사람은 꼼꼼하게 일하며 질 좋은 물건을 만드는 데 힘썼어요. 두 사람 중 누구의 주장이 더 설득력이 있을까요?

어떤 문제에 대한 의견을 말할 때에는 그 의견을 뒷받침하는 적절한 이유를 들어야 듣는 사람이 납득할 수 있어요. 위 그림에 나오는 두 사람의 주장 중 누구의 말이 타당한지 판단하려면, 말하는 내용이 사실에 바탕을 두고 있는지, 어떤 자료를 활용하고 있는지 확인해야 해요.

글을 읽을 때에도 주장과 근거가 타당한지 판단하려면, **주장이 주제와 관련이 있는지, 근거가 주장을 잘 뒷받침하는지, 근거를 뒷받침하는 자료가 적절한지** 등을 살펴봐야 합니다. 자, 그럼 이제 글을 읽고 글에 제시된 주장과 근거의 타당성을 판단하러 가 볼까요?

월 일
맞힌 개수 개

스마트폰 필요한가요

사회자: 최근 한 보고서에 따르면 초등학생 10명 중 9명이 스마트폰을 갖고 있다고 합니다. 스마트폰을 사용하는 나이가 점점 어려지고, 스마트폰에 의존하는 초등학생이 증가하고 있습니다. 지금부터 '[㉠]'라는 주제로 토론을 시작하겠습니다. 토론 주제에 대한 찬성이나 반대 주장을 먼저 밝히고, 그에 대한 근거를 말씀해 주십시오.

호준: 저는 초등학생에게 스마트폰이 필요하다고 생각합니다. 스마트폰은 학습에 도움이 되기 때문입니다. 스마트폰에 있는 다양한 기능과 앱을 활용하면 원하는 동영상 강의를 들으며 공부를 할 수 있습니다. 최근 초등학생 5명 중 1명이 비만이라는 연구 결과가 나왔습니다. 건강을 위해 운동을 꾸준히 해야 합니다.

연수: 저도 초등학생에게 스마트폰이 필요하다고 생각합니다. 스마트폰을 통해 친구들과 친밀한 관계를 유지할 수 있기 때문입니다. 학년이 올라갈수록 학원을 다니느라 친구들과 이야기를 나눌 시간이 부족합니다. 스마트폰의 카카오톡, 페이스북, 누리 소통망(SNS)을 활용하면 친구들과 이야기를 주고받으며 친밀하게 소통할 수 있습니다.

사회자: 호준 친구와 연수 친구의 찬성 주장을 잘 들었습니다. 이번에는 반대 주장을 가진 친구들이 주장을 펼쳐 주십시오.

예진: 저는 초등학생에게 스마트폰이 필요하지 않다고 생각합니다. 스마트폰에 중독되기가 쉽기 때문입니다. 때와 장소를 가리지 않고 음악 감상, 동영상 시청, 게임, SNS 등을 하느라 스마트폰을 오래 붙들고 있다 보면 대인 관계에 문제가 생기고 일상생활에도 지장을 줄 수 있습니다.

준형: 저도 초등학생에게 스마트폰이 필요하지 않다고 생각합니다. 스마트폰은 눈 건강에 해롭기 때문입니다. 스마트폰 화면을 쳐다보는 동안에는 평소보다 눈을 깜빡이는 횟수가 줄어들어 눈이 건조해집니다.

사회자: 지금까지 '[㉡]'라는 주제로 토론해 보았습니다. 초등학생의 스마트폰 필요성에 대해 여러 관점에서 생각해 볼 수 있는 시간이었습니다. 이상으로 토론을 마치겠습니다.

- **앱**
스마트폰 따위의 운영 체제에서 사용자의 편의를 위해 개발된 다양한 응용 프로그램.
- **누리 소통망**
소셜 네트워크 서비스[SNS]를 다듬은 말로, 온라인에서 자유롭게 글이나 사진 따위를 올리거나 나누는 곳.
- **대인 관계**
사람과 사람 사이의 사회적·심리적 관계.
- **관점**
사물이나 현상을 관찰할 때, 그 사람이 보고 생각하는 태도나 방향 또는 처지.

1

수능에서는
토론에서 의견을 나누고자 하는 중심 문제인 토론 주제를 논제라고 표현하기도 해.

㉠과 ㉡에 공통으로 들어갈 토론 주제로 알맞은 것은 무엇인가요? (   )

① 초등학생에게 학교 시험이 필요한가.
② 초등학생에게 스마트폰이 필요한가.
③ 초등학교 고학년이 되면 학원에 다녀야 하는가.
④ 청소년의 인터넷 사용 시간을 제한해도 되는가.
⑤ 어린이의 인터넷 개인 방송을 금지해야 하는가.

2

토론 주제에 대한 찬성 측과 반대 측의 근거로 알맞은 것을 선으로 연결하세요.

❶ 찬성 측 •
❷ 반대 측 •

• ㉮ 스마트폰에 중독되기 쉽다.
• ㉯ 스마트폰은 눈 건강에 해롭다.
• ㉰ 스마트폰은 학습에 도움이 된다.
• ㉱ 스마트폰을 통해 친구들과 친밀한 관계를 유지할 수 있다.

3

주장과 근거의 타당성 판단하기

수능에서는
글쓴이의 주장을 뒷받침하는 내용인 근거를 논거라고도 표현해. 어려운 용어를 미리미리 익혀 두자.

호준이가 말한 근거가 타당한지 알맞게 판단한 것을 찾아 기호로 쓰세요.

㉮ 스마트폰이 학습에 도움이 된다는 호준이의 근거는 주장을 뒷받침하지 못하므로 타당하지 않다.
㉯ 최근 초등학생의 비만 연구 결과는 초등학생이 스마트폰을 하면 학습에 도움이 된다는 내용과 관련이 없으므로 근거로 타당하지 않다.
㉰ 초등학생의 비만 연구 결과는 호준이가 개인적으로 친구들을 면담한 내용으로 주장을 설득력 있게 뒷받침한다. 따라서 근거로 타당하다.

(   )

주장과 근거의 타당성 판단하기

4

보기 의 자료로 뒷받침할 수 있는 주장은 무엇인지 ( ) 안에서 알맞은 말을 찾아 ○표 하세요.

보기

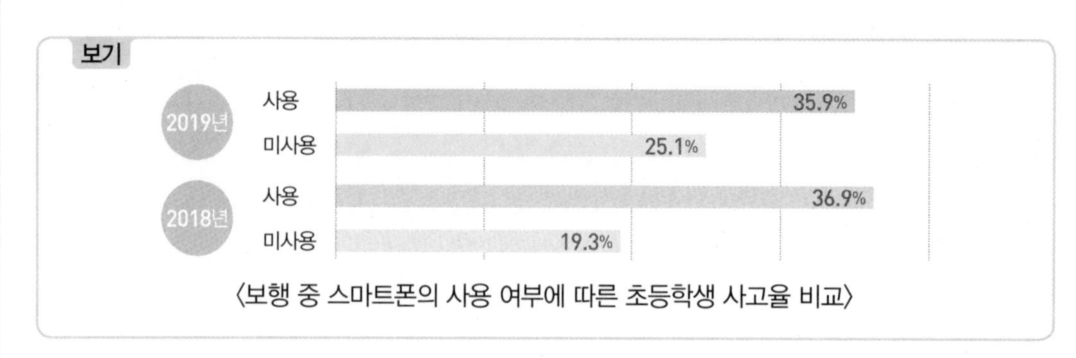

〈보행 중 스마트폰의 사용 여부에 따른 초등학생 사고율 비교〉

초등학생에게 스마트폰은 (필요하다, 필요하지 않다)

주장과 근거의 타당성 판단하기

5

이 토론에서 찬성 측의 주장에 대한 근거로 제시하면 더 효과적인 것을 두 가지 고르세요. (,)

① 전화가 필요하면 폴더 폰을 이용하면 된다.
② 스마트폰으로 인터넷을 검색할 일은 많지 않다.
③ 스마트폰의 기능을 잘 활용하면 일상생활이 편리해진다.
④ 해로운 정보를 차단하는 앱을 사용하면 스마트폰의 부작용을 예방할 수 있다.
⑤ 스마트폰에서 나오는 '블루 라이트'라는 불빛은 눈에 나쁜 영향을 끼친다.

한줄요약

6

빈칸에 알맞은 말을 넣어 이 글의 핵심 내용을 한 문장으로 요약하세요.

의존	증가	나이

최근 스마트폰을 사용하는 [ ]가 점점 어려지고, 스마트폰에 [ ]하는 초등학생이 [ ]하고 있다.

• 낱말이 한자로는 어떻게 쓰이는지 살펴보고, 예문을 참고해 빈칸을 채워 보세요.

1

疏通 트일 ㅅ / 통할 통

언어가 달라도 [ㅅ][통]에 문제가 없었다.

2

中毒 가운데 중 / 독 ㄷ

게임 [중][ㄷ]이 심각해서 상담을 받았다.

3

觀點 볼 ㄱ / 점찍을 점

친구와 나는 영화를 보는 [ㄱ][점]이 달랐다.

• 보기 의 글자를 사용하여 뜻에 알맞은 낱말을 만들어 보세요.

보기

활 대 계 용 친 인 관 밀

4 충분히 잘 이용함. → [ ][용]

5 지내는 사이가 매우 친하고 가깝다. → [ ][ ]하다

6 사람과 사람 사이의 사회적 · 심리적 관계. → [ ][ ] [관][계]

월 일
맞힌 개수 개

식용 곤충

전문가들은 2050년에 전 세계 인구는 90억 명을 넘을 것이며, 그에 따라 식량 생산량도 늘려야 한다고 말한다. 하지만 식량 생산량을 무한정 늘릴 수만은 없다. 곡물이나 가축을 더 키우기 위한 땅과 물이 충분하지 않고, 가축 생산량을 대폭 늘렸을 때 온실가스 등이 발생하기 때문이다. 이런 상황을 고려해 유엔 식량 농업 기구(FAO)에서는 곤충을 유망한 미래 식량으로 꼽았다. 식용 곤충은 인류에게 좋은 미래 식량이 될 수 있다. 그렇다면 사람들이 보통 작고 징그럽게 생긴 동물로 인식하는 곤충이 식량으로서 지닌 장점은 무엇일까?

첫째, 식용 곤충은 매우 경제적인 식재료이다. 누에는 태어난 지 20일 만에 몸무게가 1,000배나 늘어나고, 아프리카 큰 메뚜기의 경우에는 하루 만에 몸집이 2배 이상 커질 수 있다. 이처럼 곤충은 성장 속도가 놀랍도록 빠르다. 또한 식용 곤충을 키우는 데 필요한 땅은 가축 사육에 비해 상대적으로 훨씬 적어 이에 필요한 노동력과 사료도 크게 절감된다.

둘째, 식용 곤충은 영양이 매우 풍부하다. 식용 곤충의 단백질 비율은 쇠고기, 생선과 비슷하고 우리 몸에 이로운 지방인 불포화 지방산 비율이 쇠고기, 돼지고기보다 높다. 이 밖에도 철, 칼슘, 비타민을 비롯하여 육류에는 없는 탄수화물까지 영양소를 골고루 함유하고 있다.

셋째, 식용 곤충 사육은 친환경적이다. 소, 돼지 등을 기를 때 비료나 똥·오줌 등에서 발생하는 온실가스는 지구 전체 온실가스 발생량의 18% 이상을 차지한다. 반면 갈색거저리 애벌레, 귀뚜라미 등의 곤충을 기를 때 발생하는 온실가스는 소나 돼지의 경우보다 약 100배 정도 적다.

이처럼 식용 곤충은 경제적이면서도 영양이 풍부하고 친환경적이기 때문에 자원의 고갈과 환경 파괴의 위기 속에서 살아가야 하는 인류에게는 더할 나위 없이 좋은 미래 식량이다. 따라서 식용 곤충을 미래 식량으로 개발하는 데 보다 더 적극적인 노력이 필요하다.

- **온실가스**
지구 대기를 오염시켜 온실 효과를 일으키는 가스를 통틀어 이르는 말. 이산화 탄소, 메탄 따위의 가스를 말함.
- **식재료**
음식을 만드는 데에 쓰는 재료.
- **사료**
가축에게 주는 먹을거리.
- **절감**
아끼어 줄임.
- **고갈**
어떤 일의 바탕이 되는 돈이나 물자, 소재, 인력 따위가 다하여 없어짐.

1

수능에서는
선택지의 내용이 글에서 확인할 수 있는 것인지를 물을 때 '글의 내용과 일치하는(일치하지 않는)'과 같이 표현한다는 것을 알아 둬.

이 글의 내용과 일치하지 않는 것은 무엇인가요? (　　　)

① 곤충은 성장 속도가 놀랍도록 빠르다.
② 가축 생산량을 대폭 늘리면 온실가스 등이 발생한다.
③ 식용 곤충의 단백질 비율은 쇠고기나 생선과 비슷하다.
④ 식용 곤충을 키우려면 가축 사육에 비해 노동력과 사료가 상대적으로 많이 든다.
⑤ 곤충을 기를 때 발생하는 온실가스는 소나 돼지의 경우보다 약 100배 정도 적다.

2

이 글에서 글쓴이가 말하고자 하는 중심 생각은 무엇인가요? (　　　)

① 식용 곤충 사육은 친환경적이다.
② 식용 곤충은 영양이 매우 풍부하다.
③ 식량 생산량을 대폭 늘릴 수만은 없다.
④ 식용 곤충은 매우 경제적인 식재료이다.
⑤ 식용 곤충은 인류에게 좋은 미래 식량이다.

주장과 근거의 타당성을 판단해요

글쓴이는 자신의 주장을 내세우기 위해 여러 가지 근거를 사용합니다. 저학년에서는 이러한 주장과 근거를 파악하는 것을 배웠다면, 고학년에서는 글쓴이의 주장이 타당한지, 근거가 주장을 뒷받침하기에 적절한지를 판단하는 것까지 할 수 있어야 해요!

저학년에서는 주장과 근거를 파악해요		고학년에서는 주장과 근거의 타당성을 판단해요

3

주장과 근거의 타당성 판단하기

글쓴이의 주장이 타당한지 가장 알맞게 판단한 친구의 이름을 쓰세요.

민영: '식용 곤충'에 대한 내 생각은 글쓴이와 달라. 따라서 글쓴이의 주장이 타당하지 않다고 생각해.

지훈: 글쓴이의 주장대로라면 오히려 영양 부족 현상이 나타날 수 있으므로 글쓴이의 주장이 타당하지 않다고 생각해.

송이: 글쓴이의 주장은 식량 생산량을 무한정 늘릴 수만은 없다는 문제를 해결할 수 있고, 세 가지 근거가 모두 사실이므로 글쓴이의 주장도 타당하다고 생각해.

(　　　　　　　　)

주장과 근거의 타당성 판단하기

4

이 글의 주장을 뒷받침할 수 있는 근거로 알맞은 것을 두 가지 골라 ○표 하세요.

❶ 육식보다는 채식 중심의 식습관을 가진 사람이 더 오래 살 확률이 높다. 〈○○ 보고서〉 (　　)

❷ 곤충은 소의 약 5분의 1밖에 되지 않는 물의 양으로 같은 양의 식량을 생산할 수 있다. 〈△△ 논문〉 (　　)

❸ 가축 사육은 환경을 파괴하므로 인구 증가에 따른 단백질 제공을 소, 돼지 등의 육류에만 매달릴 수는 없다. 〈□□ 과학〉 (　　)

5

이 글을 읽고 보인 반응으로 알맞지 않은 것을 두 가지 고르세요. (　　,　　)

① 식용 곤충을 이용한 다양한 요리 방법을 개발하면 어떨까.
② 가축 생산량을 대폭 늘릴 수 있는 획기적인 방법을 연구하면 좋겠어.
③ 쇠고기와 돼지고기의 사육을 전면 금지하는 것이 가장 빠른 방법이겠군.
④ 식품 회사가 식용 곤충을 이용한 제품을 만들어 홍보하면 효과적이지 않을까.
⑤ 곤충에 대한 사람들의 부정적인 생각을 변화시키는 캠페인부터 하는 것이 좋겠어.

한줄요약

6

빈칸에 알맞은 말을 넣어 이 글의 핵심 내용을 한 문장으로 요약하세요.

영양　　식량　　곤충

식용 □□은 경제적이면서도 □□이 풍부하고 친환경적이기 때문에 인류에게 좋은 미래 □□이다.

• 다음 문장을 읽고, 두 낱말 중 알맞은 것을 찾아 ○표 하세요.

1. 성규는 학교 누리집에 도서관 좌석을 [늘려 / 늘여] 달라는 글을 써서 올렸다.

2. 우리 반은 여학생에 비해 남학생 [비율 / 배율]이 더 높다.

3. 올림픽은 세계 여러 나라가 참여하는 [일류 / 인류] 평화의 축제이다.

4. 경치가 좋은 곳을 관광지로 [계발 / 개발]하려고 한다.

• 낱말의 뜻을 참고하여, 다음 문장의 빈칸에 들어갈 알맞은 낱말을 완성하세요.

5. 앞으로 10년 후에는 어떤 직업이 [ㅠ][ㅁ]할지 궁금하다.
앞으로 잘될 듯한 희망이나 전망이 있음.

6. [ㄴ][동][ㄹ]이 부족해서 물건을 빨리 생산할 수 없었다.
생산품을 만드는 데에 소요되는 인간의 정신적 · 육체적인 모든 능력.

7. 쓰레기 분리배출 규정을 잘 지킨 결과로 쓰레기 처리 비용이 [ㅈ][ㄱ]되었다.
아끼어 줄임.

8. 비타민을 많이 [ㅎ][ㅇ]한 과일을 챙겨 먹어야 건강에 좋다.
물질이 어떤 성분을 포함하고 있음.

9. 석유 [ㄱ][갈]에 대비하기 위해 새로운 대체 에너지 개발에 힘써 왔다.
어떤 일의 바탕이 되는 돈이나 물자, 소재, 인력 따위가 다하여 없어짐.

월 일
맞힌 개수 개

지역 축제

우리나라의 많은 지역에서는 지역 축제가 ㉠벌어진다. 지역 축제는 그 고장의 문화를 알리고 발전시키기 위한 목적으로 개최한다. 그런데 우리 고장에는 고장의 문화를 알릴 수 있는 지역 축제가 없다. 우리 고장에서도 지역 문화 발전을 위한 축제를 열어야 하는 까닭은 다음과 같다.

첫째, 지역 축제를 열면 우리 고장의 독특한 문화를 널리 알릴 수 있다. 다른 지역 주민들이 많이 찾아와 우리 고장의 문화를 알게 되기 때문이다. 둘째, 지역 축제를 열면 우리 고장의 경제를 발전시킬 수 있다. 관광객의 방문이 늘면 지역민들이 경제적인 소득을 얻을 수 있기 때문이다. 셋째, 지역 축제를 열면 우리 고장의 환경 오염을 줄일 수 있다. 사람들이 많이 찾아오면 우리 지역의 주거 환경에 대해서도 관심을 가지게 되기 때문이다. 넷째, 지역 축제를 계속 열다 보면 주민들의 공동체 의식을 높일 수 있다. 고장의 문화는 지역 주민을 하나로 묶어 주는 바탕이 되기 때문이다.

그렇다면 지역 축제를 성공적으로 열기 위해서는 어떻게 해야 할까? 구체적인 방법을 정하기 전에 먼저 다른 고장에서 개최하는 축제들의 문제점을 알아볼 필요가 있다. 다른 지역에서 개최하는 축제의 문제점을 정리하면 오른쪽의 〈도표〉와 같다. 가장 큰 문제는 지역 축제가 지역의 고유한 특성을 살리지 못하고 지나치게 상업적이라는 것이다.

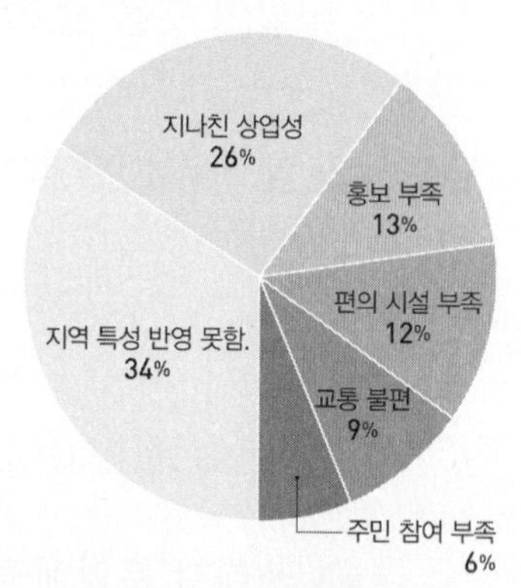

〈도표〉 다른 지역 축제의 문제점

지역 축제를 성공적으로 열려면 그 지역만의 개성을 담아야 한다. 그 지역의 전통문화나 특산물, 생태 환경 등 지역적 특성을 활용하여 다른 지역 축제와 차별화하는 것이 무엇보다 중요하다.

우리 고장에서도 차별화된 축제 내용을 개발하여 고장의 문화를 알릴 수 있는 축제를 열 수 있도록 고장 전체가 힘을 모아야 할 것이다.

• 문화
사회의 공동체가 일정한 목적 또는 생활 이상을 실현하기 위하여 만들고, 익히고, 공유하고, 전달하는 물질적·정신적 활동.

• 주거 환경
일정한 곳에 자리 잡고 사는 집 주위의 자연적 조건이나 사회적 상황.

• 공동체 의식
생활이나 행동 또는 목적 따위를 같이하는 집단에 속해 있다는 의식.

1

수능에서는
지문으로 논설문을 제시할 때 서론에는 문제 상황을, 본론에는 주장과 근거를, 결론에는 주장을 다시 한번 강조해서 밝힌다는 것을 기억해.

이 글에서 제시한 문제 상황으로 가장 알맞은 것은 무엇인가요? (　　　)

① 우리 고장을 알릴 만한 독특한 문화가 없다.
② 우리나라의 많은 지역에서 지역 축제가 벌어지고 있다.
③ 환경 오염 때문에 우리 고장에서 축제를 개최할 수 없다.
④ 우리 고장 축제에 지역 주민들의 관심과 참여가 부족하다.
⑤ 우리 고장에는 고장의 문화를 알릴 수 있는 지역 축제가 없다.

2

주장과 근거의 타당성 판단하기

이 글에서 제시한 근거 중 주장을 뒷받침하기에 가장 타당성이 떨어지는 것에 ○표 하세요.

❶ 주민들의 공동체 의식을 높일 수 있다. (　　)
❷ 우리 고장의 환경 오염을 줄일 수 있다. (　　)
❸ 우리 고장의 경제를 발전시킬 수 있다. (　　)
❹ 우리 고장의 독특한 문화를 널리 알릴 수 있다. (　　)

3

글쓴이가 지역 축제를 성공적으로 열려면 무엇이 가장 중요하다고 했나요? (　　　)

① 지역 축제 홍보
② 편의 시설 확대
③ 편리한 교통수단
④ 다른 지역 축제와의 차별화
⑤ 지역 주민들의 적극적인 참여

주장과 근거의 타당성 판단하기

수능에서는
주장의 근거를 뒷받침하기 위해 도표와 그래프 등의 매체 자료를 활용해서 근거로 제시하기도 해. 근거로 활용한 자료가 타당한지를 묻는 문제도 자주 출제되니까 함께 알아 둬.

4 **이 글에서 제시한 도표가 근거 자료로 활용하기에 적절한지 알맞게 판단한 친구의 이름을 쓰세요.**

> **승호:** 도표에 몇 명을 조사했는지 조사 범위가 명확하게 드러나 있으므로 근거 자료로 활용하기에 적절해.
>
> **지선:** 도표에 자료의 출처가 나와 있지 않아 믿을 수 있는 자료라고 보기 어려워. 따라서 근거 자료로 활용하기에 적절하지 않아.

( )

5 **밑줄 친 '벌어졌다'가 ㉠과 같은 뜻으로 쓰인 것은 무엇인가요? ( )**

① 수영 선수의 어깨가 떡 벌어졌다.
② 비가 온 뒤, 꽃봉오리가 활짝 벌어졌다.
③ 지난 주말에 마을에서 잔치가 벌어졌다.
④ 전학을 가게 되면서 친구와 사이가 벌어졌다.
⑤ 다른 나라와의 경기에서 점수 차가 크게 벌어졌다.

한줄요약

6 **빈칸에 알맞은 말을 넣어 이 글의 핵심 내용을 한 문장으로 요약하세요.**

> 경제 문화 축제

지역 축제를 열면 우리 고장의 독특한 [ ] 를 널리 알릴 수 있고, 우리 고장의 [ ] 를 발전시킬 수 있으며, 주민들의 공동체 의식을 높일 수 있으므로 우리 고장에서도 지역 문화 발전을 위한 [ ] 를 열어야 한다.

• 다음 사다리 타기에 따라 (   ) 안에 들어갈 낱말의 뜻을 보기 에서 고르세요.

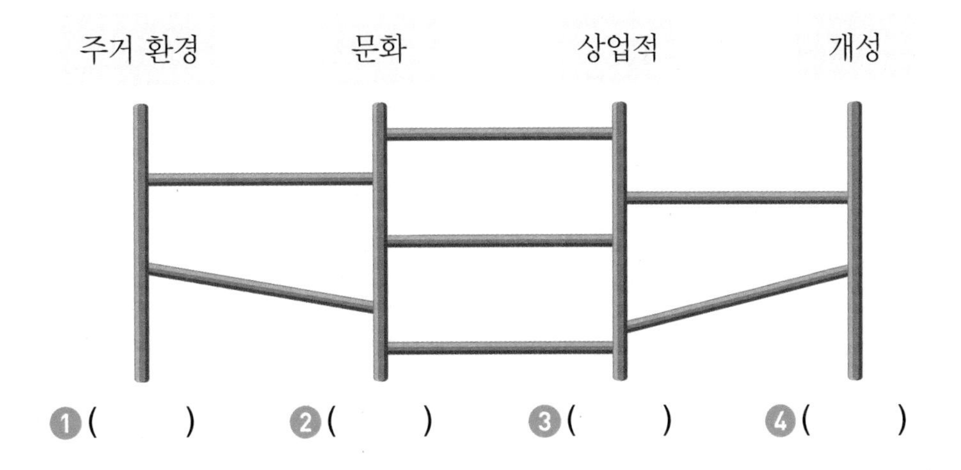

❶ (   ) ❷ (   ) ❸ (   ) ❹ (   )

보기

㉠ 다른 사람이나 개체와 구별되는 고유의 특성.
㉡ 상품을 사고파는 행위를 통하여 이익을 얻는 것.
㉢ 일정한 곳에 자리 잡고 사는 집 주위의 자연적 조건이나 사회적 상황.
㉣ 사회의 공동체가 일정한 목적 또는 생활 이상을 실현하기 위하여 만들고, 익히고, 공유하고, 전달하는 물질적 · 정신적 활동.

• 주어진 낱말 카드를 사용하여 뜻에 알맞은 낱말을 만들어 보세요.

❺

최	방	개	초	문

모임이나 회의 따위를 주최하여 엶.

❻

차	분	별	나	화

둘 이상의 대상을 각각 등급이나 수준 따위의 차이를 두어 구별된 상태가 되게 함.

월 일
맞힌 개수 개

아침밥

가 " ㉠ "(이)라는 서양의 격언이 있습니다. 같은 음식이라도 아침에 먹는 것이 더 이롭다는 말입니다. 그런데 요즘에 아침밥을 먹지 않는 학생들이 늘고 있습니다. 최근 한 보고서에 따르면 아침밥을 거르는 우리나라 초등학생은 10%에 달하고 중 · 고등학생은 34.6%로 그 비율이 해마다 증가하고 있습니다. 한창 공부를 해야 하는 학생들에게 아침밥은 매우 중요합니다. 건강한 생활을 위해 아침밥을 꼭 챙겨 먹는 습관을 들입시다.

나 첫째, ㉡아침밥은 잠자고 있던 몸과 뇌를 깨웁니다. 밤사이 잠들었던 우리 몸과 뇌세포가 완벽하게 깨어나려면 많은 에너지가 필요합니다. 아침밥을 먹으면 입으로 밥을 먹으면서 자연스럽게 얼굴 근육을 움직여 뇌를 자극하고 우리 몸을 깨우는 데 도움이 됩니다.

다 둘째, 아침밥은 두뇌 활동과 일의 능률을 높입니다. 아침밥을 먹지 않으면 점심시간까지 15시간가량 배 속이 비어 있는 상태가 유지됩니다. 이 상태로 계속 있으면 두뇌 회전이 느려지고 학습 능력 등 여러 가지 면에서 능률이 떨어집니다. 두뇌 회전을 빠르게 하려면 일정량 이상의 당분이 필요한데, 이 역할을 아침밥이 해 줍니다. ㉢그리고 설탕을 적당히 섭취해야 뇌가 활발하게 활동할 수 있습니다. 실제로 아침밥을 먹는 학생들과 그렇지 않은 학생들을 비교 연구한 결과, 아침밥을 먹는 학생들의 기억력과 집중력이 더 좋고 성적도 더 높은 것으로 나타났습니다.

라 셋째, ㉣아침밥은 비만을 예방하고 체중 조절에 도움이 됩니다. 아침밥을 먹지 않으면 점심이나 저녁에 과식하게 되어 비만으로 이어질 수 있습니다. 그러나 아침밥을 먹으면 낮 동안 생활에 필요한 에너지로 소모되기 때문에 몸속에 쌓이는 일이 적습니다.

마 이렇듯 아침밥은 잠들어 있는 뇌를 깨워 두뇌 활동을 활발하게 하고 일의 능률을 높여 줍니다. 또 비만 예방과 체중 조절에도 도움을 줍니다. 그러므로 아침밥을 먹을 시간이 없다는 핑계로 아침밥을 거르면 안 됩니다. 건강한 삶을 위해 아침밥을 꼭 챙겨 먹읍시다.

• **격언**
오랜 역사적 생활 체험을 통하여 이루어진 인생에 대한 교훈이나 경계 따위를 간결하게 표현한 짧은 글.

• **당분**
물에 잘 녹으며 단맛이 나는, 포도당, 과당 등 당류의 성분.

• **소모**
써서 없앰.

1

가 ~ 마 중 다음과 같은 역할을 하는 문단의 기호를 모두 쓰세요.

글쓴이가 제시한 주장의 근거와 그 근거를 뒷받침하는 내용을 제시한다.

( )

2

㉠에 들어갈 말로 가장 알맞은 것은 무엇인가요? ( )

① 밥이 보약이다.
② 누워서 떡 먹기
③ 꿀도 약이라면 쓰다.
④ 아침은 임금처럼, 저녁은 거지처럼
⑤ 밥은 봄같이 먹고, 국은 여름같이 먹는다.

3

이 글의 핵심 주장으로 가장 알맞은 것은 무엇인가요? ( )

① 설탕 섭취를 줄이자.
② 비만을 예방하고 체중 조절에 힘쓰자.
③ 아침에 부지런하게 생활하는 사람이 되자.
④ 훌륭한 사람이 되기 위해 아침 식사를 하자.
⑤ 건강한 생활을 위해 아침밥을 꼭 챙겨 먹자.

주장과 근거의 타당성 판단하기

4

수능에서는

주장을 뒷받침하는 근거의 타당성을 판단하라는 문제가 출제돼. 근거의 적절성이라고도 표현하는데, 이는 모두 주장을 뒷받침하는 내용인지를 판단하라는 거야.

이 글에 나타난 주장과 근거의 타당성을 바르게 판단한 친구의 이름을 쓰세요.

연경: ㉡은 아침밥을 먹어야 하는 까닭이 될 수 없으므로 근거로 타당하지 않아.
희수: ㉢은 아침밥이 두뇌 활동과 일의 능률을 높인다는 둘째 근거를 뒷받침하지 못하므로 타당하지 않아.
재영: ㉣은 아침밥의 해로운 점을 제시한 것이므로 주장을 뒷받침하는 근거로 타당해.
승민: 해마다 아침밥을 거르는 학생들이 증가하는 상황에서 글쓴이의 주장은 현실에 맞지 않으므로 타당하지 않아.

( )

주장과 근거의 타당성 판단하기

5

글쓴이의 주장을 뒷받침하는 근거 자료로 알맞은 것을 두 가지 골라 ○표 하세요.

❶ 방과 후에 불량 식품을 사 먹고 부작용이 일어난 우리 학교 학생들의 면담 내용 ( )

❷ 아침밥을 규칙적으로 먹은 학생들과 그렇지 않은 학생들의 암기력을 비교 연구한 결과 ( )

❸ 아침밥을 먹으면 장기적으로 과체중이 될 가능성이 적다는 미국 심장학회의 연구 보고서 ( )

한줄요약

6

빈칸에 알맞은 말을 넣어 이 글의 핵심 내용을 한 문장으로 요약하세요.

비만 습관 두뇌

아침밥은 잠자고 있던 몸과 뇌를 깨우고, [ ] 활동과 일의 능률을 높이며, [ ] 예방과 체중 조절에 도움이 되므로 아침밥을 꼭 챙겨 먹는 [ ]을 들이자.

• 다음 문장을 읽고, 두 낱말 중 알맞은 것을 찾아 ○표 하세요.

1 탄수화물은 우리 몸에 에너지를 공급해 주는 [역할 / 역활]을 하는 영양소이다.

2 함박눈이 나뭇가지에 소복소복 [싸이는 / 쌓이는] 소리가 들리는 듯했다.

3 많이 피곤하다는 [핑계 / 핑개]를 대고 집에 일찍 들어갔다.

4 끼니를 자꾸 [거르면 / 걸으면] 영양이 공급되지 못해서 건강에 좋지 않다.

• 낱말의 뜻을 참고하여, 다음 문장의 빈칸에 들어갈 알맞은 낱말을 완성하세요.

5 아버지께서는 튼튼한 [ㄱ|ㅇ]을 만들기 위해 매일 달리기를 하신다.
사람이나 동물의 몸을 움직이게 하는 힘줄과 살.

6 여러 사람이 함께 하니까 일의 [ㄴ|ㄹ]이 올랐다.
일정한 시간에 할 수 있는 일의 비율.

7 뼈를 튼튼하게 하기 위해 칼슘이 들어 있는 음식을 [ㅅ|취]했다.
영양분 등을 몸속에 받아들임.

8 배가 너무 고파서 평소 먹는 양보다 [ㄱ|ㅅ]을 했다.
지나치게 많이 먹음.

9 소음이 심하고 전력 [ㅗ|ㅁ]가 많아 컴퓨터를 새로 샀다.
써서 없앰.

월 일
맞힌 개수 개

분리배출

가 어린이 여러분, 안녕하세요? 자원 재활용 센터의 체험 학습에 오신 것을 환영합니다. 우리는 매일매일 엄청난 양의 쓰레기를 배출하며 삽니다. 그런데 많은 양의 쓰레기도 분리배출만 올바르게 한다면 자원이 될 수 있다는 사실을 알고 있나요? 지금부터 일상생활 속에서 분리배출을 실천해야 하는 이유에 대해 말씀드리겠습니다.

나 첫째, 환경을 보호할 수 있기 때문입니다. 쓰레기 종량제 봉투에 담아서 버린 쓰레기는 대부분 불에 태우거나 땅에 묻는 방법으로 처리합니다. 이 과정에서 대기와 토양, 지하수 등이 오염되고 인체에 해로운 가스가 발생합니다. 쓰레기 종량제 봉투에 버린 쓰레기 중 약 70%는 재활용품으로 분리배출할 수 있는 자원이라고 합니다. 환경을 생각한다면 소각·매립되고 있는 쓰레기양을 줄이기 위해 제대로 분리배출을 하는 것이 중요합니다.

다 둘째, 쓰레기 처리 비용을 줄일 수 있기 때문입니다. 환경부 조사 보고서에 따르면 분리배출이 제대로 이루어지면 연간 약 5억 매의 종량제 봉투를 절감할 수 있고, 약 3천억 원의 종량제 봉투 구매 비용을 절약할 수 있다고 합니다.

라 셋째, 자원을 절약할 수 있기 때문입니다. 예를 들어 비닐류를 무분별하게 다른 재활용품과 함께 배출하면 오염된 비닐이 다른 재활용품을 오염시켜 자원으로 활용할 수 없게 만듭니다. 그렇지만 분리배출을 제대로 하면 재활용 쓰레기의 자원 순환에 도움이 됩니다. 우리나라는 에너지의 97%, 광물 자원의 90%를 수입에 의존하고 있는 실정입니다. 따라서 재활용 쓰레기가 자원으로 순환될 수 있도록 재활용 쓰레기에 오염 물질이 혼합되지 않게 분리배출해야 합니다.

마 어린이 여러분! 쓰레기 분리배출을 제대로 하면 환경 오염과 쓰레기 처리 비용을 줄일 수 있습니다. 이제부터 쓰레기는 줄이고 재활용할 수 있는 자원은 늘어날 수 있도록 쓰레기 분리배출을 적극적으로 실천합시다.

- **분리배출**
쓰레기 따위를 종류별로 나누어서 버림.
- **쓰레기 종량제**
쓰레기 배출량에 따라 요금(수수료)을 부담하게 하는 제도.
- **오염**
더럽게 물듦. 또는 더럽게 물들게 함.

1

수능에서는
글쓴이의 주장이나 관점이 드러나는 논설문의 경우 글을 쓴 목적을 묻는 선택지가 포함되어 나와. 글을 쓴 목적, 글쓴이의 의도는 모두 같은 의미로 이해하면 돼.

글쓴이가 이 글을 쓴 목적은 무엇인가요? (　　　)

① 자원 재활용 센터를 홍보하려고
② 전 세계 환경 오염의 심각성을 알리려고
③ 지역별 쓰레기 분리배출 실태를 보고하려고
④ 쓰레기 분리배출 실천의 필요성을 강조하려고
⑤ 재활용품 분리배출 요령을 종류별로 설명하려고

2

주장과 근거의 타당성 판단하기

이 글에서 주장을 뒷받침하기 위해 제시한 근거가 아닌 것을 두 가지 고르세요.
(　　　,　　　)

① 벌금을 줄일 수 있기 때문이다.
② 환경을 보호할 수 있기 때문이다.
③ 자원을 절약할 수 있기 때문이다.
④ 재활용품을 수출할 수 있기 때문이다.
⑤ 쓰레기 처리 비용을 줄일 수 있기 때문이다.

3

주장과 근거의 타당성 판단하기

나와 다에 나타난 근거의 타당성을 바르게 판단한 친구를 찾아 ○표 하세요.

❶ **주은:** 나에서 쓰레기 분리배출을 하면 환경을 보호할 수 있다는 근거는 글쓴이가 추측한 내용이므로 타당하지 않아. (　　　)

❷ **성현:** 다에서는 출처가 정확하지 않은 조사 보고서를 제시해 글쓴이의 주장을 뒷받침하는 근거로 적절하지 않아. (　　　)

❸ **강인:** 다에서는 쓰레기 처리 비용과 관련지어 분리배출을 해야 하는 이유를 제시해 글쓴이의 주장을 설득력 있게 뒷받침하므로 근거로 타당해. (　　　)

4

라에 대한 설명으로 알맞은 것은 무엇인가요? (　　　)

① 글 전체 내용을 요약했다.
② 도표 자료를 근거로 제시했다.
③ 구체적인 예를 들어 근거를 설명했다.
④ 전문가의 말을 인용하여 근거를 제시했다.
⑤ 글쓴이의 주장에 대한 근거를 처음으로 제시했다.

5

가~마 중 보기 의 내용이 이어지기에 알맞은 문단의 위치를 찾아 기호로 쓰세요.

보기

그러면 자원 재활용 선별 센터에서 재활용할 자원을 선별하는 데 드는 수고로움과 비용이 줄게 되고, 폐기물 처리에 투입되던 정부의 예산도 절감됩니다.

(　　　　　　　　　)의 뒷부분

한줄요약

6

빈칸에 알맞은 말을 넣어 이 글의 핵심 내용을 한 문장으로 요약하세요.

자원　　환경　　비용

쓰레기 분리배출을 제대로 실천하면 [　　]을 보호할 수 있고, 쓰레기 처리 [　　]을 줄일 수 있으며, [　　]을 절약할 수 있다.

- **낱말의 뜻을 찾아 선으로 연결해 보세요.**

❶ 소각 •	• ㉮ 불에 태워 없애 버림.
❷ 매립 •	• ㉯ 물건 따위를 사들임.
❸ 구매 •	• ㉰ 쓰레기나 폐기물을 모아서 묻음.
❹ 순환 •	• ㉱ 주기적으로 자꾸 되풀이하여 돎. 또는 그런 과정.

- **보기 의 글자를 사용하여 뜻에 알맞은 낱말을 만들어 보세요.**

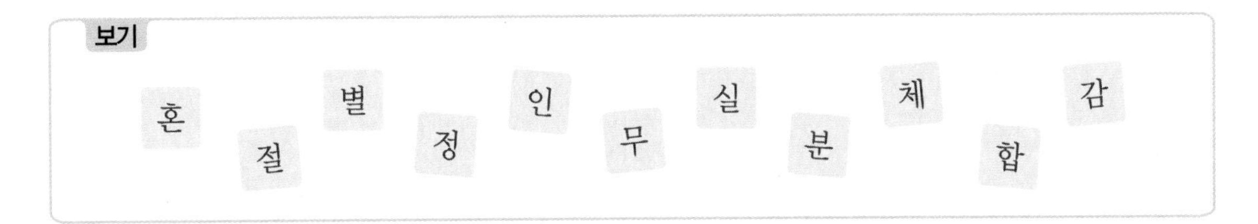

❺ 담배는 [인][ ]에 치명적인 해를 입힐 수 있다.
사람의 몸.

❻ 음식물 쓰레기로 가축을 먹여 기르는 데 쓰는 비용을 [절][ ]했다.
아끼어 줄임.

❼ 자연을 [ ][분][ ]하게 개발하는 것을 막아야 한다.
바른 생각이나 판단을 할 줄 모름.

❽ 우리 학교 도서관은 자리가 턱없이 부족한 [ ][정]이다.
실제의 사정이나 형편.

❾ 보리와 콩, 팥 등을 쌀에 [ ][합]해서 밥을 하면 영양도 많고 맛도 좋은 밥을 지을 수 있다.
뒤섞어서 한데 합함.

주장과 근거가 타당한지 판단하려면?

주장과 근거를 파악해요 ▶ 4학년

❶ 주장과 근거의 뜻 알기

어떤 문제에 대한 자신의 주된 의견을 내세우는 것을 '**주장**'이라고 하고, 이를 뒷받침하는 까닭을 '**근거**'라고 합니다.

❷ 글쓴이의 주장과 근거 파악하기

글에서 글쓴이가 내세우는 의견이 무엇인지 알아보고, 주장을 뒷받침하는 내용으로 어떤 근거를 제시했는지 살펴봅니다.

- 주장과 근거를 파악하면 글쓴이가 하고 싶은 말이 무엇인지 알 수 있음.
- 글쓴이의 의견이 드러나는 글은 주장과 주장을 뒷받침하는 근거로 이루어져 있음.
- 글쓴이의 주장은 주제와 관련 있고, 주장은 근거와 관련 있음.

주장과 근거가 타당한지 판단해요 ▶ 6학년

❶ 논설문의 특성을 생각하며 글 읽기

논설문은 어떤 주제에 대해 글쓴이가 주장이나 의견을 내세워 읽는 사람을 설득하는 것이 목적인 글이에요.

서론	글을 쓴 문제 상황과 글쓴이의 주장을 밝힙니다.
본론	글쓴이의 주장에 적절한 근거를 제시합니다.
결론	내용을 요약하기도 하고 글쓴이의 주장을 다시 한번 강조할 수도 있습니다.

❷ 주장과 근거의 타당성 판단하기

주장이 주제와 관련 있는지, 근거가 주장과 관련 있는지, 근거가 주장을 설득력 있게 뒷받침하는지, 근거를 뒷받침하는 자료가 적절한지 등을 살펴봅니다.

~의 입장을 뒷받침하는 진술

23. ㉡의 입장을 뒷받침하는 진술로 보기 어려운 것은?

① 사회적으로 유해한 내용의 영향력이 실제보다 과장되어 있다.
② 대중 매체의 유해한 영향으로부터 사람들을 보호해야 한다.
③ 유해한 내용일수록 사람들
④ 검열과 규제가 사람들을
⑤ 대중 매체에 쉽게 영향받는 사람들이 있다.

수능에는 글쓴이 혹은 글에 드러난 어느 한쪽의 입장을 뒷받침하는 근거의 적절성을 묻는 문제가 나와요.

글쓴이의 의도 파악이 먼저다

주장과 근거가 타당한지를 판단하려면 우선 글쓴이가 글을 쓴 목적이나 의도를 정확히 파악해야 합니다. 글을 쓴 목적이나 의도는 글의 주제 또는 글쓴이의 주장으로 나타나기 때문입니다. 결국, 글의 주제나 글쓴이의 주장을 파악하는 것이 주장과 주장을 뒷받침하는 근거의 타당성을 평가하는 기준이 됩니다.

글쓴이의 의도를 파악한다. > 각 문단의 내용이 글쓴이의 의도, 즉 주제와 연결되는지 파악한다. > 연결되지 않는다면 주장과 근거가 타당한지 그 까닭을 생각해 본다.

수능까지 연결되는 초등 독해

WEEK 3

글을 읽으며 지식과 경험을 활용해요

아는 만큼 보인다고?

민수와 나래는 국어 시간에 '첨성대'의 과학적 원리에 대한 설명을 듣고 있습니다. 최근 경주로 가족 여행을 다녀온 민수와 경주를 한 번도 가 본 적이 없는 나래 중 누가 내용을 더 잘 이해할 수 있었을까요?

민수와 나래 중 첨성대를 직접 눈으로 보고 첨성대가 어떤 역할을 했는지에 대해 이미 알고 있는 민수가 수업 내용을 더 잘 이해할 수 있었을 거예요. 글을 읽을 때에도 독자가 글감에 대한 배경지식을 갖고 있으면 글을 읽으면서 자신의 지식과 경험을 떠올리게 됩니다.

지식과 경험을 활용해 글을 읽으면 즐겁고 깊이 있는 독해가 가능합니다. 알고 있던 내용과 새롭게 알게 된 내용이 만나면 지식은 깊어지고, 앎의 즐거움은 더욱 커진답니다. 자, 그럼 정말 그런지 우리 함께 확인하러 가 볼까요?

콘서트홀

가 콘서트홀에서 이루어지는 공연의 질을 좌우하는 중요한 요소 중 하나는 음이 지속되는 잔향 시간이다. 잔향 시간은 음 에너지가 최대인 상태에서 100만분의 1만큼의 에너지로 감쇠하는 데 걸리는 시간을 말한다. 콘서트홀의 종류에 따라 그에 맞는 잔향 시간이 달라진다. 오케스트라 전용 콘서트홀은 청중이 풍성하고 웅장한 감동을 느낄 수 있도록 잔향 시간을 1.6~2.2초로 길게 설계하고, 오페라 전용 콘서트홀은 이보다는 소리가 덜 울려야 청중이 대사를 잘 들을 수 있기 때문에 잔향 시간을 1.3~1.8초로 짧게 만든다. 그러면 콘서트홀의 잔향 시간을 조절하는 방법을 살펴보자.

나 잔향 시간을 조절하는 방법에는 콘서트홀의 크기를 고려하는 방법이 있다. 잔향 시간은 콘서트홀의 크기에 따라 달라지기 때문이다. 작은 콘서트홀에서는 무대에서 나가는 소리가 벽에 부딪히기까지의 시간이 짧다. 따라서 소리가 벽에 부딪히는 횟수가 많아지므로 소리 에너지가 빨리 줄어들어 잔향 시간이 짧아진다. 큰 콘서트홀은 작은 콘서트홀에 비해 무대에서 나가는 소리가 벽에 부딪히기까지의 시간이 길다. 따라서 소리가 벽에 부딪히는 횟수가 적으므로 소리 에너지가 천천히 줄어들어 잔향 시간이 길어진다.

다 콘서트홀의 [㉠]를 고려하여 잔향 시간을 조절하는 방법도 있다. 콘서트홀의 벽면과 바닥, 객석 등에 쓰이는 [㉡]가 잔향 시간에 영향을 미치기 때문이다. 밀도가 낮고 통기성이 좋은 합성 섬유와 같은 푹신한 [㉢]는 소리를 잘 흡수하므로 흡음재로 쓰인다. 반면 돌이나 두꺼운 합판은 소리를 거의 흡수하지 않고 튕겨 내기 때문에 반사재로 쓰인다. 흡음재와 반사재를 적절히 조합하면 원하는 잔향 시간을 만들 수 있다. 무대 바닥이나 벽은 반사재를 붙여 반사의 정도를 조절한다. 객석과 주변의 벽은 흡음재를 사용하여 소리를 잘 흡수할 수 있도록 한다.

라 또 다른 방법으로 음향 장치를 활용하기도 한다. 공연이 열릴 때 반사판을 더하면 잔향 시간을 조절할 수 있다. 예를 들어 피아노 독주처럼 작은 소리를 울리게 해야 할 때에는 피아노 뒤편 무대에 음향 반사판을 병풍처럼 세운다. 그리고 이런 방법으로 잔향 시간을 늘리기 어려울 때에는 최첨단 전기 음향 시스템을 활용하기도 한다. 곳곳에 숨겨진 마이크가 음을 받아 목적에 맞는 잔향 시간만큼 늘린 뒤 다시 스피커로 들려주는 것이다.

• **좌우하는**
어떤 일에 영향을 주어 지배하는.

• **잔향**
실내의 발음체에서 내는 소리가 울리다가 그친 후에도 남아서 들리는 소리.

• **감쇠**
힘이나 세력 따위가 줄어서 약해짐.

1

가를 통해 알 수 있는 내용이 아닌 것은 무엇인가요? (　　　)

① 잔향 시간의 개념
② 음 에너지를 측정하는 방법
③ 콘서트홀 종류에 따른 잔향 시간의 차이
④ 오케스트라 전용 콘서트홀의 평균 잔향 시간
⑤ 오페라 전용 콘서트홀의 잔향 시간이 짧은 이유

2

가~라를 내용에 따라 알맞게 구조화한 것은 무엇인가요? (　　　)

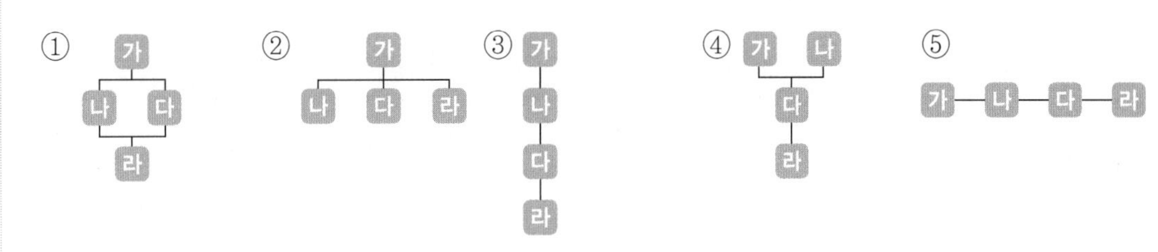

글을 읽으며 지식과 경험을 활용해요

글을 읽으며 자신의 지식과 경험을 활용하면 인물의 처지와 마음에 더 깊이 공감하고 글의 내용을 보다 잘 이해할 수 있습니다. 저학년에서는 자신이 아는 것을 바탕으로 인물의 처지와 마음을 헤아리는 능력을 키웠다면, 고학년에서는 지식과 경험을 활용하며 글을 깊이 있게 이해할 수 있어야 해요!

저학년에서는 인물의 처지와 마음을 헤아려요	→	고학년에서는 글을 읽으며 지식과 경험을 활용해요

3

글을 읽으며 지식과 경험 활용하기

수능에서는
글을 읽을 때, 각자 관련된 경험을 갖고 있다면 내용 이해에 도움이 돼. 경험만으로는 막연했던 상황들이 글을 읽으며 제대로 이해되기도 하고, 자신의 경험과 글의 내용이 어떤 면에서 같고, 어떤 면에서 다른지를 비교해 보면 심층적인 독해가 가능하지.

다음은 이 글을 읽은 수현이가 쓴 글입니다. 수현이의 글에 대한 평가로 가장 알맞은 것은 무엇인가요? (　　　)

> 클래식 음악을 좋아하시는 부모님 덕에 어렸을 때부터 오페라나 오케스트라 공연을 자주 보러 갔었다. 같은 작품을 여러 번 본 적도 있는데, 볼 때마다 연주가 다르게 들려서 의아했던 적이 있다. 그런데 그 이유가 단순히 내 기분 때문만은 아니었음을 이 글을 읽고 나서 알게 되었다.

① 전문가의 견해를 인용해 글쓴이의 의도를 파악했다.
② 객관적인 자료를 토대로 글의 내용을 정확히 파악했다.
③ 자신의 경험을 활용해 글의 내용을 깊이 있게 이해했다.
④ 실제로 이루어진 실험을 활용해 글의 신뢰도를 높였다.
⑤ 글에 제시되지 않은 사례를 활용해 글의 주제를 부각했다.

4 **글의 내용을 고려할 때, 다의 ㉠~㉢에 공통으로 들어갈 말은 무엇인가요? (　　　)**

① 위치　② 재료　③ 역사　④ 개방성　⑤ 유명세

5 **다음은 피아노 연주자가 콘서트홀 담당자에게 보낸 메일입니다. (　　) 안에 들어갈 알맞은 말을 라에서 찾아 쓰세요.**

New Message

콘서트홀 담당자님, 안녕하세요. 지난주에 피아노 독주회를 가졌던 김지우라고 합니다. 연주회를 마친 뒤에 피아노 소리가 너무 작아서 불편을 겪은 청중이 계시다는 이야기를 들었습니다. 다음에는 좀 더 많은 분이 만족하는 공연을 만들고 싶습니다.

↳ 만족을 드리지 못해 죄송합니다. 그러한 문제를 해결하고 잔향 시간을 늘리기 위해 (　　　　　)을 피아노 뒤편에 세워 두었습니다. 다음에는 좀 더 질 높은 공연을 하실 수 있으리라 생각합니다.

Send

(　　　　　　　　)

한줄요약 6 **빈칸에 알맞은 말을 넣어 이 글의 핵심 내용을 한 문장으로 요약하세요.**

잔향　재료　음향

콘서트홀의 크기 및 [　　], 또는 [　　] 장치를 활용해 [　　] 시간을 조절할 수 있다.

- 낱말이 한자로는 어떻게 쓰이는지 살펴보고, 예문을 참고해 빈칸을 채워 보세요.

① 殘響 쇠잔할 [ㅈ] 소리 울릴 [향]

[ㅈ][향] 시간을 길게 하는 것이 중요하다.

② 減衰 덜 [ㄱ] 쇠할 [쇠]

영원할 것 같던 정열도 시간이 갈수록 [ㄱ][쇠]해 간다.

③ 吸音 숨 들이쉴 [ㅎ] 소리 [음]

그들은 새로운 [ㅎ][음] 시설 마련에 최선을 다 했다.

- 낱말의 뜻을 참고하여, 다음 문장의 빈칸에 들어갈 알맞은 낱말을 완성하세요.

④ 그의 노래에 [ㅊ][ㅈ]은 열광했다.

강연이나 설교, 음악 따위를 듣기 위하여 모인 사람들.

⑤ 아무리 화려하고 [ㅇ][ㅈ][한] 건물도 사람 손이 닿지 않으면 금세 초라해진다.

규모 따위가 거대하고 성대한.

⑥ 1만 명의 관중이 [ㄱ][ㅓ]을 꽉 채웠다.

극장 따위에서 손님이 앉는 자리.

⑦ 이 옷은 [ㅌ][ㄱ][성]이 좋은 옷감으로 만들어졌다.

공기가 통할 수 있는 성질이나 정도.

월 일
맞힌 개수 개

괜찮아 _ 장영희

가 어머니는 내가 집에서 책만 읽는 것을 싫어하셨다. 그래서 방과 후 골목길에 아이들이 모일 때쯤이면 대문 앞 계단에 작은 방석을 깔고 나를 거기에 앉히셨다. 아이들이 노는 걸 구경이라도 하라는 뜻이었다.

나 딱히 놀이 기구가 없던 그때, 친구들은 대부분 술래잡기, 사방치기, 공기놀이, 고무줄놀이 등을 하고 놀았지만 나는 공기놀이 외에는 그 어떤 놀이에도 참여할 수 없었다. 하지만 골목 안 친구들은 나를 위해 꼭 무언가 역할을 만들어 주었다. 고무줄놀이나 달리기를 하면 내게 심판을 시키거나 신발주머니와 책가방을 맡겼다. 그뿐인가. 술래잡기를 할 때는 한곳에 앉아 있어야 하는 내가 답답해할까 봐 어디에 숨을지 미리 말해 주고 숨는 친구도 있었다.

다 우리 집은 골목에서 중앙이 아니라 모퉁이 쪽이었는데 내가 앉아 있는 계단 앞이 늘 친구들의 놀이 무대였다. 놀이에 참여하지 못해도 난 전혀 소외감이나 박탈감을 느끼지 않았다. 아니 지금 생각하면 내가 소외감을 느낄까 봐 친구들이 배려해 준 것이었다.

라 그 골목길에서의 일이다. 초등학교 1학년 때였던 것 같다. 하루는 우리 반이 좀 일찍 끝나서 나 혼자 집 앞에 앉아 있었다. 그런데 그때 마침 골목을 지나던 깨엿 장수가 있었다. 그 아저씨는 가위를 쩔렁이며, ㉠목발을 옆에 두고 대문 앞에 앉아 있는 나를 흘낏 보고는 그냥 지나쳐 갔다. 그러더니 손수레를 두고 다시 돌아와 내게 깨엿 두 개를 내밀었다. 순간 아저씨와 내 눈이 마주쳤다. 아저씨는 아무 말도 하지 않고 아주 잠깐 미소를 지어 보이며 말했다.

"[㉡]"

마 무엇이 괜찮다는 건지 몰랐다. 돈 없이 깨엿을 공짜로 받아도 괜찮다는 것인지, 아니면 목발을 짚고 살아도 괜찮다는 말인지……. 하지만 그건 중요하지 않다. 중요한 것은 내가 그날 마음을 정했다는 것이다. 이 세상은 그런대로 살 만한 곳이라고, 좋은 친구들이 있고 선의와 사랑이 있고, '[㉢]'라는 말처럼 용서와 너그러움이 있는 곳이라고 믿기 시작했다는 것이다.

• 모퉁이
구부러지거나 꺾어져 돌아간 자리.

• 참여
어떤 일에 끼어들어 관계함.

• 손수레
사람이 직접 손으로 끄는 수레(바퀴를 달아서 굴러가게 만든 기구. 사람이 타거나 짐을 실음.).

글을 읽으며 지식과 경험 활용하기

1

수능에서는 자료를 제시하고 자료를 활용하여 지문을 더 깊이 이해하거나 문제의 조건을 이해하는 문제가 자주 나와. 자료에서 어떤 부분이 지문과 연관되는지를 파악하는 것이 중요해.

가 ~ 마 중, 보기 의 자료를 활용하면 내용을 이해하는 데 도움이 되는 문단은 무엇인가요? (　　　)

보기

이 놀이는 평평한 마당에서 땅에 일정한 규격의 선을 그어 바둑판 모양의 칸을 만든 다음에 납작한 돌을 이용해 일정한 순서와 방법에 따라 돌아 나오는 민속놀이이다. 주로 여자아이들이 즐겨 했고, 아이들은 이러한 놀이를 통해 집중력과 민첩성을 높일 수 있었다.

① 가　② 나　③ 다　④ 라　⑤ 마

2

이 글에 등장하는 '나'에 대한 설명으로 알맞지 않은 것은 무엇인가요? (　　　)

① '나'는 집에서 책을 읽는 것을 즐겨 했다.
② 어머니는 '나'가 아이들과 놀기를 바라셨다.
③ '나'의 집은 골목 모퉁이 쪽에 위치해 있었다.
④ 공기놀이를 할 때 친구들은 내게 책가방을 맡겼다.
⑤ '나'는 친구들 덕분에 놀이할 때 박탈감을 느끼지 않았다.

3

다음은 라 의 ㉠을 통해 알 수 있는 내용을 정리한 것입니다. (　　) 안에 들어갈 알맞은 말을 쓰세요.

목발이 필요한 상황인 것으로 보아 '나'는 (　　　　　　　)는 것을 알 수 있다.

(　　　　　　　)

4 이 글의 내용으로 볼 때, ㉡과 ㉢에 공통으로 들어갈 알맞은 말을 쓰세요.

( )

글을 읽으며 지식과 경험 활용하기

5 이 글을 조건 에 따라 감상한 내용으로 가장 알맞은 것은 무엇인가요? ( )

조건
- 이 글의 주제와 관련된 자신의 경험을 드러낼 것.

① 작은 오해로 친구와 사이가 나빠졌는데, 용기를 내서 먼저 사과했더니 기분이 나아졌어.
② 문학 작품을 읽으면 내가 살아 보지 못한 시간과 공간을 경험할 수 있어서 마음이 자라는 기분이 들어.
③ 친구와 다툰 뒤 시무룩해 있을 때 언니가 다른 건 묻지 않고 어깨를 주물러 주었는데, 순간 기분이 좋아졌어.
④ 우리 가족은 원래 대화가 별로 없었는데, 방학 동안 국내 이곳저곳을 함께 돌아다녔더니 지금은 얼마나 친해졌는지 몰라.
⑤ 스마트폰을 잠시 꺼 놓고 친구들과 운동장에서 술래잡기를 했더니, 혼자 게임을 하며 놀 때와는 다른 기쁨이 느껴져서 행복했어.

한줄요약

6 빈칸에 알맞은 말을 넣어 이 글의 핵심 내용을 한 문장으로 요약하세요.

격려　사람　배려

다른 [ ] 에 대한 [ ] 와 [ ] 가 사람을 어떻게 변화시키는지를 보여 주고 있다.

• 다음에서 설명하는 놀이가 무엇인지 보기 에서 찾아 쓰세요.

보기

술래잡기　공기놀이　고무줄놀이

1. 공기알을 바닥에 깐 다음 공기알 하나를 위로 던지고 나머지 공기알을 집은 후 던졌던 공기알이 떨어지기 전에 잡는다. 1단은 하나를 던지는 동안 하나를 잡고, 2단은 두 개를 한꺼번에 잡고, 3단은 세 개를 한꺼번에 잡고 그 다음 한 개를 잡는다. 4단은 하나를 던지는 동안 네 개를 놓고, 다시 하나를 던지는 동안 그 네 개를 잡는다. 5단(꺾기)은 5개를 던져서 손등 위에 올린 뒤, 그것을 다시 공중으로 띄워서 잡는다. (　　　　　　)

2. 여럿 가운데서 한 아이가 술래가 되어 숨은 사람을 찾아내는 것인데, 술래에게 들킨 아이가 다음 술래가 된다. (　　　　　　)

3. 주로 여자아이들이 고무줄을 가로지르고, 노래에 맞추어 줄을 넘으면서 고무줄이 발에 닿지 않게 하거나 다리를 높이 거는 것을 겨룬다. (　　　　　　)

• 낱말의 뜻을 참고하여, 다음 문장의 빈칸에 들어갈 알맞은 낱말을 완성하세요.

4. 이상하게 오늘은 [ㅅ][ㅇ][감]이 느껴져서 좀 힘들었어.
   남에게 따돌림을 당하여 멀어진 듯한 느낌.

5. 부유한 사람들에 대한 빈곤층의 [ㅂ][ㅌ][감]이 매우 크다.
   박탈당하였다고 여기는 느낌이나 기분.

6. 소가 방울을 [ㄲ][ㄹ][ㅇ][며] 걸어간다.
   큰 방울이나 얇은 쇠붙이 따위가 흔들리거나 부딪쳐 울리는 소리가 자꾸 나며. 또는 그런 소리를 내며.

7. [ㅅ][의]를 베풀었더니 더 큰 사랑이 되어 돌아왔다.
   착한 마음.

월 일

맞힌 개수 개

황소에 대한 오해

가 '황소'라는 말을 듣는 순간 많은 사람이 누렇게 생긴 큼직한 소를 머릿속에 떠올린다. 우리가 흔하게 보는 황소가 대부분 누런 소이고, 그래서 황소의 '황'이 누렇다는 뜻의 한자어 '황'이 아니겠는가 하고 생각하기 때문이다. 하지만 사전을 찾아보면 황소는 '큰 수소'를 의미함을 알 수 있다. 즉 황소라는 말은 '누렇다'는 뜻과는 전혀 관련이 없는 순우리말이다. ㉠그렇다면 사람들은 왜 황소를 누런 소라고 여기게 된 것일까? 이는 우리 토종 한우의 아픈 역사와 깊은 관련이 있다.

나 원래 우리나라 소는 검정색부터 누런색까지 다양했고 무늬도 여러 가지였다. 즉 검정색 황소도 있었고, 누런색 황소도 있었다. 특히 호랑이 무늬 같은 짙은 줄무늬가 있는 소를 '칡소'라고 불렀는데, 무늬가 마치 칡덩굴이 얼기설기 감긴 것 같아서 붙여진 이름이다. "송아지 송아지 얼룩송아지 엄마 소도 얼룩소 엄마 닮았네." 박목월 시인이 쓴 동요 '얼룩송아지'에 등장하는 얼룩소는 토종 황소인 칡소라는 것이 정설이다. 자료를 찾아보면 칡소는 고구려 시대부터 존재했음을 알 수 있다. 서기 357년에 만들어진 고분 벽화인 안악 3호분에는 검정소 · 누렁소 · 얼룩소가 마구간에서 먹이를 먹는 모습이 나온다. 일부에서는 누런 한우보다 칡소가 우리나라에 먼저 들어왔다는 설도 있다.

다 그러나 일제 강점기인 1920년대 말부터 일본이 우리 소를 누런색으로 통일하려는 운동을 펼치면서 누런색을 제외한 다른 색깔 한우가 사라지게 되었다. 그리고 1969년에는 한우의 품질을 일정하게 유지해 상품적 가치를 높이려는 한우 개량 사업을 펼치면서 한우 고유의 여러 가지 특성도 사라지게 되었다. 많은 사람이 황소를 누런 소로 착각하게 된 것은 이 때문이다. 일본에 의해 다양한 색의 황소가 사라지고 누런 소만 존재하게 된 것이다.

라 최근 들어 칡소를 키우는 농가들이 늘어나고 있다고 한다. 여러 가지 색과 무늬를 가졌던 늠름한 토종 황소들이 우리의 들판을 가득 채울 수 있는 날이 어서 오기를 기대해 본다.

• **정설**
일정한 결론에 도달하여 이미 확정하거나 인정한 설.

• **농가**
농사를 본업으로 하는 사람의 집. 또는 그런 가정.

• **늠름한**
생김새나 태도가 의젓하고 당당한.

1

사람들이 '황소'에 대해 오해를 하게 된 까닭은 무엇인가요? (　　　)

① 황소는 대부분 몸집이 큰 편이어서
② 우리나라는 한자 문화권에 속해 있으므로
③ 흔하게 볼 수 있는 황소가 대부분 누런색이어서
④ 토종 한우의 아픈 역사에 대한 궁금증을 가지고 있으므로
⑤ 많은 사람이 '황소'가 순우리말이라는 사실을 모르고 있으므로

2

다음 (　) 안에 들어갈 '황소'의 정확한 뜻을 가에서 찾아 쓰세요.

황-소[1] 발음 [황소]
「명사」
「1」(　　　　　　　　) ≒ 황우.

3

이 글에서 이끌어 낼 수 있는 ㉠에 대한 답으로 가장 알맞은 것은 무엇인가요? (　　　)

① 우리 민족이 원래 누런색을 좋아해서
② 누런 소를 제외한 다른 소들은 지나치게 비싸서
③ 일본 사람들이 누런 소를 신성하게 여겼기 때문에
④ 많은 사람이 누런 소를 가장 뛰어난 품종이라고 여겨서
⑤ 일제 강점기에 일본이 우리 소의 색깔을 하나로 통일했기 때문에

글을 읽으며 지식과 경험 활용하기

4

수능에서는
글의 내용을 요약한 메모를 제시하고 이것의 적절성 여부를 묻는 문제가 출제되기도 해. 그러니까 글을 읽을 때 메모하며 읽는 습관이 필요해. 메모를 하면 글의 내용을 구조적으로 이해하고, 문제를 빠르게 푸는 데에도 도움이 되거든.

다음은 한 학생이 이 글을 읽으며 메모한 내용을 정리한 것입니다. ⓐ~ⓒ에 대한 설명으로 알맞은 것은 무엇인가요? (   )

> ⓐ 황소 중에 호랑이 무늬 같은 줄무늬가 있는 소도 있었다.
> ⓑ 황소를 누런 소라고 생각하는 사람들이 많은 것은 일본과 관련이 있다.
> ⓒ 동요 '얼룩송아지'에 등장하는 황소는 실제로 존재한 소라고 볼 수는 없다.

① 가의 첫 번째 문장을 토대로 할 때, ⓐ는 적절하지 않다.
② ⓐ에서 '줄무늬'를 삭제하면 적절한 메모가 된다.
③ ⓑ는 다와 관련된 메모이다.
④ 라는 ⓑ와 ⓒ의 적절성을 확인할 수 있는 문단이다.
⑤ 나의 내용을 바탕으로 할 때, ⓒ는 올바른 메모이다.

한줄요약

5

빈칸에 알맞은 말을 넣어 이 글의 핵심 내용을 한 문장으로 요약하세요.

> 역사　　황소　　오해

많은 사람이 큰 수소인 [　　]를 누런 소라고 [　　]하는 것은 토종 한우의 아픈 [　　]와 관련이 있다.

• 본문에 쓰인 낱말의 뜻을 칠판에 적어 놓았습니다. 그 뜻을 생각하면서 짧은 글을 지어 보세요.

[토종] 본디부터 그곳에서 나는 종자.
[얼기설기] 가는 것이 이리저리 뒤섞이어 얽힌 모양.
[개량] 나쁜 점을 보완하여 더 좋게 고침.

❶ 토종 ……………………………………

❷ 얼기설기 ……………………………………

❸ 개량 ……………………………………

• 낱말의 뜻을 참고하여, 다음 문장의 빈칸에 들어갈 알맞은 낱말을 완성하세요.

❹ 아기에게 [ㅅ][ㅇ][리][ㅁ] 이름을 지어 주었다.
우리말 중에서 고유어만을 이르는 말.

❺ 올해는 [ㅅ][ㄱ] 2020년이다.
기원 원년 이후. 주로 예수가 태어난 해를 원년으로 하여 이름.

❻ [ㄱ][ㅂ] [벽][ㅎ]에 사냥하는 모습이 그려져 있다.
무덤 안의 천장이나 벽면에 그려 놓은 벽화.

❼ 이 물건은 [ㅍ][질]이 뛰어납니다.
물건의 성질과 바탕.

3 WEEK 4 DAY

월 일

맞힌 개수 개

면역력과 항상성

가 외부에서 들어온 병원균에 저항하는 힘을 '면역력'이라고 한다. 면역력에는 사람이 태어날 때부터 갖고 있는 '선천 면역'과 태어난 이후에 생기는 '후천 면역'이 있다.

나 선천 면역은 엄마에게서 선천적으로 받은 면역으로, 이것 때문에 생후 6개월까지 신생아는 천연두나 홍역에 잘 걸리지 않는다. 반면에 후천 면역은 태어날 때는 갖고 있지 않았으나 후천적으로 생긴 면역이다. 예방 접종 등을 통해 인공적으로 면역력을 획득하기도 하고, 사람이 병을 앓으면 이후에 면역력이 형성되어 같은 병균이 몸에 들어와도 다시는 그러한 병에 걸리지 않게 된다. 어렸을 때 홍역을 한 번 앓고 나면 평생 다시 홍역에 걸리지 않는 것이 이러한 면역력 때문이다.

다 면역력은 [㉠] 위해서 꼭 필요하다. 인간의 몸은 체온, 혈압, 혈당량, 산소, 물과 같은 조건들이 일정하게 유지되어야 건강한 상태를 유지할 수 있다. 이러한 조건들의 균형이 깨지면 건강을 잃게 된다. 하지만 걱정할 필요는 없다. 앞서 말한 면역력이 우리 몸에 병균이 들어와도 이겨 낼 수 있게 도와주고, 기본적으로 인체는 외부 환경이 변화하더라도 몸의 상태를 일정하게 유지하려는 '항상성'을 갖고 있기 때문이다.

라 '항상성'이란 생명체가 여러 가지 환경 변화나 스트레스에 대응해 내부를 일정하게 유지하려 하는 조절 과정 또는 그러한 상태를 말한다.

마 예를 들어 날씨가 추워지거나 차가운 음식을 많이 먹으면 체온이 떨어진다. 이러한 체온 변화는 뇌로 전달되어 우리 몸에서 체온을 높이는 작용이 일어나도록 한다. 땀이 줄어들고 피부 혈관을 수축시켜 열을 간직하는 한편, 몸을 오들오들 떨게 만들어 열을 생성한다. 반대로 날씨가 덥거나 뜨거운 음식을 먹으면 체온이 높아지게 되는데, 이러한 변화 또한 뇌로 전달되어 사람이 땀을 흘리고 피부 혈관을 팽창시켜 결국 체온은 낮아지게 된다. 이러한 것들은 인간의 몸이 항상성을 갖고 있다는 것을 보여 주는 예이다.

바 면역력과 항상성은 인간의 건강한 삶을 위해 매우 중요하다. 그러므로 일상 속에서 면역력을 키우고 항상성을 잃지 않기 위한 다양한 노력을 기울일 필요가 있다.

- **저항**
  어떤 힘이나 조건에 굽히지 아니하고 거역하거나 버팀.
- **혈당량**
  혈액 속에 포함되어 있는 당의 양.
- **대응**
  어떤 일이나 사태에 맞추어 태도나 행동을 취함.
- **팽창**
  부풀어서 부피가 커짐.

1

가 의 중심 내용으로 가장 알맞은 것은 무엇인가요? (   )

① 면역력의 뜻
② 면역과 면역력의 관계
③ 면역력에 대한 궁금증
④ 면역력을 키우는 방법
⑤ 면역력의 개념과 종류

글을 읽으며 지식과 경험 활용하기

2

가 ~ 마 중, 보기 의 빈칸에 들어갈 적절한 문단은 무엇인가요? (   )

보기

갓 태어난 아기들은 매우 작지만 생각보다 건강한 것 같아. 어떻게 그렇게 작은 몸으로 그토록 건강한 것인지 그 이유가 정말 궁금했는데, [   ]를 읽고 의문이 풀렸어.

① 가　　② 나　　③ 다　　④ 라　　⑤ 마

3

㉠에 들어갈 면역력의 기능으로 가장 알맞은 것은 무엇인가요? (   )

면역력은 [㉠   ] 위해서 꼭 필요하다.

① 인간이 건강하게 살아가기
② 혈압을 효과적으로 조절하기
③ 외부 환경을 효과적으로 받아들이기
④ 건강에 관심을 갖고 사는 많은 현대인을
⑤ 산소가 부족한 상황에서 생활하는 이들을

4

마 에서 주로 사용한 설명 방법은 무엇인가요? (　　　)

① 사과는 중력 때문에 나무에서 아래로 떨어진다.
② 발효 식품의 예로는 김치, 된장, 간장 등이 있다.
③ 농구는 5명이, 배구는 6명이 선수로 뛴다는 점이 다르다.
④ 자동차는 사용하는 연료에 따라 전기 차, 디젤차 등으로 나뉜다.
⑤ 대류란 기체나 액체에서 물질이 이동함으로써 열이 전달되는 현상을 말한다.

글을 읽으며 지식과 경험 활용하기

5

수능에서는
수험생이 좀 더 수월하고 흥미롭게 글을 읽을 수 있도록 현재 이슈화되고 있는 주제나 익숙한 내용을 지문으로 제시하는 경우도 있어. 하지만 생소한 내용일지라도 열린 마음으로 글을 읽는다면 읽기의 효과를 높일 수 있을 거야.

보기 에 제시된 읽기 원리에 따라 이 글을 가장 잘 읽은 학생은 누구인가요? (　　　)

> 보기
> 자신의 지식이나 경험을 떠올리며 글을 읽으면 글의 내용을 훨씬 더 잘 이해할 수 있을 뿐만 아니라 읽기의 흥미 또한 높일 수 있습니다.

① 사전을 찾아가며 글을 읽으니 속도는 더디지만 글을 꼼꼼히 이해할 수 있었던 것 같아.
② 이 글을 읽고 난 후, 면역력을 높이기 위해서 매일 30분씩 운동을 해야겠다고 결심했어.
③ 국어 학원을 다니며 지문을 읽는 연습을 많이 했더니 글의 내용을 이해하기가 수월해졌어.
④ 지난주에 면역력을 높이는 방법에 대한 강의를 듣고 난 뒤 글을 읽어서 그런지 내용이 잘 이해되었어.
⑤ 이 글을 읽고 나니 왜 선생님이 긴 글을 꾸준히 읽어야 한다고 말씀하셨는지 그 의도를 알 수 있을 것 같아.

한줄요약

6

빈칸에 알맞은 말을 넣어 이 글의 핵심 내용을 한 문장으로 요약하세요.

면역력	항상성	건강

인간은 [　|　|　] 과 [　|　|　] 을 갖고 있어서 [　|　] 을 유지하며 살 수 있다.

• 낱말이 한자로는 어떻게 쓰이는지 살펴보고, 예문을 참고해 빈칸을 채워 보세요.

❶ 免疫
면할 ㅁ
전염병 역

예방 주사를 맞으면 그 병에 [ㅁ][역]이 생긴다.

❷ 後天的
뒤 ㅎ
하늘 ㅊ
과녁 적

인간 행동 양식의 대부분은 [ㅎ][ㅊ][적]인 것이다.

❸ 人工的
사람 ㅇ
장인 ㄱ
과녁 적

미생물을 [ㅇ][ㄱ][적]으로 배양했다.

• 낱말의 뜻을 참고하여, 다음 문장의 빈칸에 들어갈 알맞은 낱말을 완성하세요.

❹ 수아는 [ㅅ][ㅊ][적]으로 건강한 체질이다.
태어나면서부터 몸에 지니고 있는 것.

❺ 우리나라 선수들은 메달 [ㅎ][득]에 나섰다.
얻어 내거나 얻어 가짐.

❻ 무엇보다 도시의 평화 [ㅇ][ㅈ]를 위해 노력할 것이다.
어떤 상태나 상황을 그대로 보존하거나 변함없이 계속하여 지탱함.

❼ 추운 날씨 때문인지 창고에 쌓아 둔 목재가 [ㅅ][ㅊ]했다.
부피나 규모가 줄어듦.

용묵법

가 수묵화에서 먹을 이용해 다양한 표현 효과를 내는 것을 용묵법이라고 한다. 용묵법에는 사용하는 먹의 농도에 따라 초묵, 농묵, 담묵의 기법이 있고, 표현 효과에 따라 선염, 파묵, 발묵의 기법이 있다.

나 우선 먹의 농도에 따라 분류한 용묵법의 기법을 살펴보자. 초묵은 아주 짙은 먹색 또는 그 효과를 가리킨다. 먹을 갈아 반나절 정도 놓아두면 수분이 증발하고 자연스럽게 먹의 농도가 진해지는데, 이를 사용한 것이다. 주로 그림 속에 점을 찍을 때 부분적으로 사용한다. 농묵 역시 진한 먹색을 가리키지만 초묵과 비교하면 조금 옅다. 농묵은 물체의 명암이나 가까이 있는 사물을 표현할 때 주로 쓰인다. 담묵은 먹색이 담백하고 어둡지 않은 것으로, 먹물에 물을 많이 섞은 상태를 가리킨다. 담묵을 잘 활용하면 수묵화의 여백의 미를 한껏 살릴 수 있다.

다 다음으로 표현 효과에 따라 분류한 용묵법의 기법에 대해서 알아보자. 먼저 선염은 담묵이나 옅은 채색을 점점 엷게 칠하거나 혹은 점점 짙게 칠해 점층적으로 번져 가는 효과를 낸 것을 말한다. '바림'이라고도 하는데, 이를 통해 원근감은 물론 입체감도 나타낼 수 있다. 수묵화에서 가장 많이 사용하는 기법의 하나이다. 파묵은 윤곽선 중심의 묘사와 대립되는 기법의 하나로, 먹색의 농담 차이를 살려 입체감은 물론 형태까지 느끼게 하는 표현 기법을 가리킨다. 먼저 담묵을 칠한 뒤 다 마르기 전에 짙은 먹을 부분적으로 더해 형태에 대한 인상, 입체감 그리고 화면의 깊이감을 연출한 것이다. 발묵은 윤곽선을 전혀 쓰지 않고 먹물을 번지게 해서 형상을 나타내는 기법을 말한다. '발'은 물을 뿌리거나 튀기는 것을 가리킨다. 뿌린 먹에서 느껴지는 자유로운 형상을 이용하며 선을 거의 쓰지 않는다는 점에서 특징적이다. 붓뿐만 아니라 손이나 발은 물론 입으로 뿜거나 머리카락을 활용해 먹물을 번지게 했다고 한다.

라 이렇듯 수묵화에서 활용하는 다양한 표현 기법을 이해하면 낯설고 어렵게만 느껴지는 수묵화를 더 잘 이해하고 깊이 있게 감상할 수 있을 것이다.

• **수묵화**
먹으로 짙고 엷음을 이용하여 그린 그림.

• **농도**
용액 따위의 진함과 묽음의 정도.

• **기법**
기교와 방법을 아울러 이르는 말.

• **입체감**
위치와 넓이, 길이, 두께를 가진 물건에서 받는 느낌. 또는 삼차원의 공간적 부피를 가진 물체를 보는 것과 같은 느낌.

• **연출**
어떤 상황이나 상태를 만들어 냄.

1

이 글에 대한 설명으로 알맞은 것은 무엇인가요? (　　　)

① 용묵법의 다양한 기법을 설명하고 있다.
② 수묵화를 잘 그리는 방법을 소개하고 있다.
③ 용묵법의 유래를 역사적으로 소개하고 있다.
④ 수묵화에 대한 사람들의 관심을 요구하고 있다.
⑤ 용묵법을 발전시켜 나가야 할 필요성을 강조하고 있다.

2

나를 읽고 이해한 내용으로 알맞지 <u>않은</u> 것은 무엇인가요? (　　　)

① 초묵은 담묵에 비해 물을 적게 쓰는 기법이야.
② 그림 속에 진한 점을 찍을 때는 초묵을 사용해야겠어.
③ 그림을 담백하게 그리기 위해서는 담묵을 활용해야겠네.
④ 초묵, 농묵, 담묵 중 담묵이 물을 가장 많이 섞은 상태야.
⑤ 먹의 농도에 따라 분류하면 농묵은 초묵보다는 담묵에 가깝다고 볼 수 있어.

글을 읽으며 지식과 경험 활용하기

3

이 글의 이해를 돕기 위해 활용하면 좋은 자료로 가장 알맞은 것은 무엇인가요? (　　　)

①

②

③

④
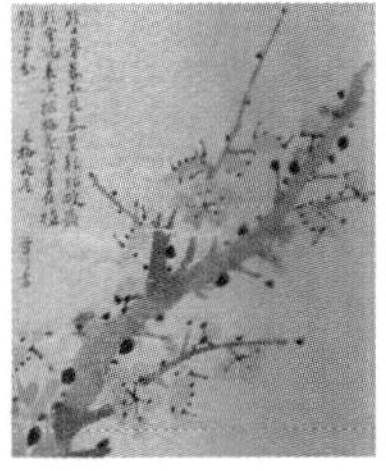

⑤

4

보기 의 설명에 해당하는 것을 다 에서 찾아 쓰세요.

보기
- '바림'이라고도 함.
- 원근감 및 입체감을 나타내는 데 효과적임.
- 수묵화에서 가장 많이 사용하는 기법 중 하나임.

(　　　　　　　　)

글을 읽으며 지식과 경험 활용하기

수능에서는
〈보기〉의 배경지식을 활용해 글을 감상하는 문제가 출제되기도 해. 글을 읽으며 획득한 지식을 활용해 〈보기〉의 내용을 구조적으로 이해하면 문제를 푸는 데에도 많은 도움이 될 거야. 그러니까 평소에 다양한 글을 읽으며 지식을 쌓아 두는 것이 좋겠지?!

5

다음은 민우가 수묵화 전시회에 다녀와서 쓴 감상문입니다. 민우의 감상문에 담긴 읽기의 원리로 가장 알맞은 것은 무엇인가요? (　　　)

오늘은 엄마와 함께 수묵화 전시회에 다녀왔다. 동양화에 대해서는 원래 관심도 지식도 없었는데, 막상 가서 보니 얼마 전 글로 접한 용묵법의 기법이 생각났다. 짧은 지식이지만 농묵, 담묵, 발묵 등을 떠올리며 그림을 보니 작품이 이해가 되었고 재미도 있어서 시간 가는 줄 몰랐다.

① 부모님의 읽기 습관이 자녀에게 큰 영향을 끼친다.
② 예술에 대한 관심도에 따라 읽기 능력에 차이가 생긴다.
③ 글을 읽으며 획득한 배경지식은 관련 분야에 대한 관심과 이해를 높여 준다.
④ 그림을 보며 내용을 떠올리는 연습을 하면 읽기 능력을 효과적으로 높일 수 있다.
⑤ 같은 책을 여러 번 읽는 것이 여러 권의 책을 읽는 것보다 독서 능력 향상에 효과적이다.

 한줄요약

6

빈칸에 알맞은 말을 넣어 이 글의 핵심 내용을 한 문장으로 요약하세요.

기법　　농도　　표현

용묵법은 먹의 [　　] 와 [　　] 효과에 따라 다양한 [　　] 이 존재한다.

• 다음 두 낱말 중, 밑줄 친 말과 바꾸어 써도 뜻이 통하는 낱말에 ○표 하세요.

❶ 이 그림은 새로운 채색 기법을 보여 주고 있다.

[기준 / 방법]

❷ 용묵법의 종류는 분류하는 방법에 따라 달라진다.

[나누는 / 세우는]

❸ 어떻게 묘사해야 어제의 즐거움을 전할 수 있을지 모르겠어.

[표현 / 표기]

• 낱말의 뜻을 참고하여, 다음 문장의 빈칸에 들어갈 알맞은 낱말을 완성하세요.

❹ 밤새 물기가 모두 [ㅈ][ㅂ]하여 신발이 보송보송해졌다.

어떤 물질이 액체 상태에서 기체 상태로 변함. 또는 그런 현상.

❺ 이 작품은 [ㅇ][ㅒ]의 미가 뛰어나다.

종이 따위에, 글씨를 쓰거나 그림을 그리고 남은 빈 자리.

❻ [ㅇ][ㄱ][감]을 잘 살려서 그려야 더 좋은 그림이 될 거야.

멀고 가까운 거리에 대한 느낌.

❼ 어둠 속에서 물체의 희미한 [ㅇ][ㄱ][선]만 보일 뿐이다.

사물의 테두리를 잇는 선.

❽ 그는 색의 [ㄴ][담]을 적절하게 조절하여 입체감 있는 그림을 그렸다.

색깔이나 명암 따위의 짙음과 옅음. 또는 그런 정도.

마무리

글을 읽으며 지식과 경험을 활용하려면?

인물의 처지와 마음을 헤아려요 ▸ 2학년

❶ 글을 읽으며 인물의 처지와 마음 헤아리기

글을 읽을 때 인물이 처한 상황을 바탕으로 인물의 마음을 헤아리면 글을 더 깊이 이해할 수 있습니다.

❷ 자신의 경험을 바탕으로 인물의 마음에 공감하기 자신의 경험을 떠올리면 내용을 좀 더 풍성하게 이해하는 데 도움을 주겠죠?

글을 읽을 때 자신의 경험과 지식을 바탕으로 인물을 이해하면 인물의 마음과 처지에 더 쉽게 공감할 수 있습니다.

- 글을 읽으며 내용과 관련된 경험과 배경지식을 떠올릴 수 있음.
- 읽기란 배경지식을 활용해 의미를 구성하는 과정임을 알기.
- 배경지식과 경험을 활용해 글의 의미를 새롭게 구성할 수 있음.

글을 읽으며 지식과 경험을 활용해요 ▸ 6학년

❶ 배경지식을 활용해 의미 구성하기 지식과 경험은 내용 이해에 도움이 돼요.

읽기는 배경지식을 활용해 의미를 구성하는 과정임을 이해하고 글을 읽습니다.

❷ 배경지식과 경험을 활용해 글을 능동적으로 읽기

배경지식과 경험을 활용해 글을 읽으면 의미를 새롭게 구성하는, **능동적인 독해**가 가능합니다.

[A]와 〈보기〉의 내용을 비교한 ~

44. [A]와 <보기>의 내용을 비교한 반응으로 가장 적절한 것은? [3점]

<보 기>

인간이 타고난 그대로의 자연스런 본능이 성품(性品)이며, 인간이 후천적인 노력을 통하여 만들어 놓은 것이 인위(人爲)이다. 즉 배고프면 먹고 싶고 피곤하면 쉬고 싶은 것이 성품이라면, 배고파도 어른에게 … 일하는 것은 인위이다. 그 … 면 반드시 다투고 빼앗는 결 … 화를 받아 예의 법도를 따르게 되면 질서가 유지된다. 따라서

수능에는 〈보기〉에 제시된 배경지식을 활용해 글을 읽거나 비교 감상하는 문제가 나와요.

자신의 생각과 글쓴이의 생각을 비교해라

읽기란 배경지식을 활용해 의미를 구성하는 과정입니다. 지식과 경험을 활용해 글을 읽고 문제를 풀기 위해서는 먼저 관련된 경험이나 배경지식을 떠올려 보고, 떠오른 내용을 토대로 글과 제시된 문제를 능동적으로 이해합니다. 마지막으로 자신의 지식과 제시된 글을 비교하며 내용을 수정, 보완하는 과정을 통해 문제를 해결합니다.

글을 읽으며 관련된 경험 및 배경지식을 떠올린다. 〉 떠올린 경험 및 배경지식을 활용해 글의 내용을 능동적으로 이해한다. 〉 자신의 지식과 제시된 글을 비교하며 내용을 수정, 보완해 보고 문제를 해결한다.

수능까지 연결되는 초등 독해

WEEK 4

글에 드러나지 않은 내용을 추론해요

사자네 집에서 무슨 일이 일어난 거지?

늙은 사자는 숲속 동물들에게 자기가 큰 병에 걸렸으니 문병을 오라고 알렸습니다. 동물들은 하루씩 차례를 정해 사자에게 문병을 갔습니다. 그런데 마지막 차례였던 여우는 사자의 집 앞까지 갔다가 사자의 집에 들어가지 않고 되돌아갔습니다. 왜 그랬을까요?

사자네 집에 들어간 발자국은 많은데
밖으로 나온 발자국은 하나도 없네.
저 안으로 들어가면, 살아 나오기 어렵겠구나.

사자네

사자의 집 앞까지 갔다가 여우가 되돌아간 이유는 무엇이었을까요? 여우는, 사자의 집에 들어간 발자국은 많은데 나온 발자국은 하나도 없다는 것에서 문병을 간 동물들이 사자의 먹이가 되었다는 것을 짐작했기 때문입니다. 이렇게 앞뒤 상황이나 사실을 근거로 삼아 다른 판단을 이끌어 내는 것을 **추론**이라고 해요.

글을 읽을 때에도 이야기의 흐름이나 글에 나타난 정보를 바탕으로 **드러나지 않은 내용을 짐작해 보는 추론**의 과정을 거치면, 글의 내용이나 상황을 좀 더 깊고 넓게 이해할 수 있어요. 자, 그럼 이제 글에 제시된 내용을 바탕으로 드러나지 않은 내용을 추론해 보며 글을 읽어 볼까요?

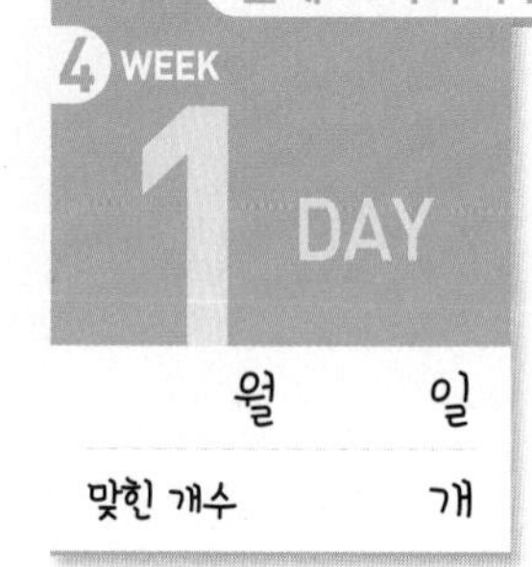

숫자 '3'과 '100'

[A] 단군 신화는 우리 민족의 시조이자 고조선을 세운 단군에 관한 신화이다. 단군 신화는 단순히 옛날이야기가 아니라 그 속에는 다양한 상징적 의미가 들어 있다. 특히 이야기 속에는 여러 숫자가 나오는데, 우리 민족에게 이들 숫자가 갖는 의미를 살펴보자.

단군 신화에는 환인 · 환웅 · 단군이 삼신으로 나온다. 또 환웅은 환인에게 천부인 세 개를 받은 후, 삼천 명의 무리를 이끌고 인간 세상으로 내려와, 풍백 · 우사 · 운사 셋을 거느리고 나라를 다스린다. 이렇게 '3'이 자주 나오는데, 예부터 우리 민족은 '3'이 신성함, 최상, 완전함을 의미한다고 보았다. 또 '하늘-땅-사람', '처음-중간-끝', '과거-현재-미래'와 같이 '3'은 '완성된 하나(전체)'라고 보았다. 이처럼 '3'이 사용되는 예는 옛이야기, 속담, 오늘날의 말에서도 종종 찾을 수 있다. ㉠주인공이 세 번의 고난을 겪은 후 승리하거나 세 가지 소원을 통해 행복을 이루는 이야기 등이 그렇다.

단군 신화에는 '3'과 관련하여 '삼칠일(三七日)'이라는 말이 나온다. 사람이 되기를 원하는 곰과 호랑이에게 환웅은 백 일 동안 쑥과 마늘을 먹으며 햇빛을 보지 말라고 한다. 호랑이와 달리 곰은 이를 지켜 삼칠일 만에 사람이 된다. 삼칠일은 3×7일의 21일을 의미하는데, 인간이 되기 위해서는 7일을 세 번 거쳐야 한다는 점에서 완성의 의미인 '3'과 연결된다.

그런데 환웅이 말한 기간은 원래 백 일이다. 이때의 '100'도 '3'과 같이 우리 민족이 특별하게 생각했던 숫자이다. ㉡백 일은 완전한 인간이 되기 위해 거쳐야 하는 시간이라는 점에서 예부터 '100'을 완성, 완전함, 가득 참의 의미로 보았음을 알 수 있다. 이는 갓난아이의 백일잔치, 백일기도, 100점 만점 등 오늘날 사용하는 말에서도 확인할 수 있다.

이처럼 우리 민족은 '3'이나 '100'을 단순히 숫자로만 생각하지 않고, 특별한 의미를 담아 사용했다. 숫자가 단순히 수를 나타내기만 한 것이 아니라 민족의 생각이나 문화를 나타내기도 한 것이다.

- **시조**
  한 겨레나 가계의 맨 처음이 되는 조상.
- **만점**
  규정한 점수에 꽉 찬 점수.

글에 드러나지 않은 내용 추론하기

1 **다음은 글쓴이가 이 글을 쓰기 전에 떠올린 생각을 적은 것입니다. 이 글에 반영되지 않은 것은 무엇인가요? (　　　)**

① 옛날부터 우리 민족이 특별하게 생각했던 숫자는 무엇일까? 신문 기사에서 우리 민족이 숫자 '3'을 가장 좋아한다는 내용을 읽은 적이 있어. ② 숫자 '3'이 많이 나오는 이야기를 찾아보자. 단군 신화에 많이 나오네. 그런데 ③ 숫자 '100'도 나오는데, 이것도 다루어야겠어. ④ '3'과 '100'에 대한 예를 넣어 주면 내용을 이해하는 데 도움이 되겠지? 어떤 책에서 '3'의 의미가 무속신앙과 관계있다고 했는데. ⑤ 이를 근거로 우리 민족이 '3'을 신성한 수로 본 이유를 밝혀야겠어.

2 **이 글을 읽은 학생이 심화 학습의 주제로 삼기에 알맞은 것의 기호를 모두 고르세요.**

수능에서는
글을 읽고 나서 궁금하거나 더 알고 싶었던 내용을 찾아 학습해 보는 것을 심화 학습이라고 표현해! 글의 중심 내용과 관련은 있지만, 글에는 없는 내용을 찾을 수 있는지를 물어봐.

㉮ '3'과 '100'이 가진 의미 중 공통되는 의미가 있는지 알아본다.
㉯ 다른 나라에서도 숫자에 특별한 의미를 붙여 사용하는지 알아본다.
㉰ '삼칠일(21일)'의 '7'과 '21'에는 어떤 상징적 의미가 있는지 알아본다.
㉱ 우리 민족은 '3'과 '100'을 어떤 의미를 가진 숫자로 생각했는지 알아본다.

(　　　　　　　)

3 **이 글에서 [A]가 하는 역할로 가장 알맞은 것은 무엇인가요? (　　　)**

① 글과 관련된 경험을 밝힌다.
② 중심 내용을 자세하게 풀이한다.
③ 글의 내용을 요약하며 마무리한다.
④ 글에서 다룰 중심 화제를 소개한다.
⑤ 여러 가지 근거를 들어 주장을 강조한다.

4

문맥상 ㉠에 덧붙일 수 있는 예로 알맞지 않은 것은 무엇인가요? (　　　)

① 삼 곱하기 삼은 구이다.
② 세 살 버릇 여든까지 간다.
③ 삼시 세끼 꼬박꼬박 챙겨 먹는다.
④ 서당 개 삼 년이면 풍월을 읊는다.
⑤ 가위바위보 삼세판으로 승부를 결정한다.

글에 드러나지 않은 내용 추론하기

5

다음은 글쓴이가 ㉡을 떠올리는 과정을 나타낸 것입니다. 이 글을 바탕으로 (　　) 안에 들어갈 알맞은 말을 각각 쓰세요.

백 일은 완전한 인간이 되기 위해 필요한 기간임.

백 일을 채움.	❶ 여기서 '100'은 (　　　)의 의미가 있겠구나.
• 불완전한 것이 완전한 것이 됨. • 인간으로 완성이 됨.	❷ 여기서 '100'은 (　　　)와/과 (　　　)의 의미가 있겠구나.

❶ (　　　　　　　) ❷ (　　　　　　,　　　　　　)

한줄요약

6

빈칸에 알맞은 말을 넣어 이 글의 핵심 내용을 한 문장으로 요약하세요.

숫자　　의미　　민족

단군 신화에 나오는 '3'과 '100'을 우리 □□은 단순히 □□로만 생각한 것이 아니라 특별한 □□를 나타내는 수로 생각했다.

• 낱말이 한자로는 어떻게 쓰이는지 살펴보고, 예문을 참고해 빈칸을 채워 보세요.

❶

神話

귀신 [신]

말할 [ㅎ]

제우스는 그리스 [신][ㅎ]에 나오는 최고의 신이다.

❷

始祖

비로소 [ㅅ]

할아비 [조]

신라의 [ㅅ][조]는 박혁거세이다.

❸

滿點

찰 [ㅁ]

점찍을 [점]

이번 시험에서 전 과목 [ㅁ][점]을 받은 학생은 모두 네 명이다.

• 낱말의 뜻을 참고하여, 다음 문장의 빈칸에 들어갈 알맞은 낱말을 완성하세요.

❹ 소도는 죄인이 숨어 있어도 잡아가지 못하는 [ㅣ][ㅅ]한 지역이었다.

함부로 가까이할 수 없을 만큼 고결하고 거룩함.

❺ 인삼은 우리나라의 것을 [ㅊ][ㅎ]으로 친다.

높이, 수준, 등급, 정도 따위의 맨 위.

❻ 이 단어들을 사용하여 영어 문장을 [ㅘ][ㅅ]하세요.

완전히 다 이룸.

❼ 그는 자기 혼자만 [ㅡ][ㅂ] 대우를 받고 싶어 했다.

보통과 구별되게 다름.

월 일
맞힌 개수 개

동물들의 겨울잠과 여름잠

동물들은 몸을 움직이며 행동하는 것뿐만 아니라, 체온 유지, 호흡, 심장 박동 등과 같은 기초적인 생명 활동을 하는 데도 에너지를 필요로 한다. 이렇게 동물들이 살아가는 데 필요한 에너지는 대부분 먹이를 통해 만들어 낸다. 그래서 일부 동물들은 먹이가 별로 없는 추운 겨울이 되면 봄이 될 때까지 살아남기 위해 겨울잠을 자기도 한다. 그런데 모든 동물이 이러한 이유 때문에 겨울잠을 자는 것은 아니다. 동물에 따라 겨울잠을 자는 이유가 어떻게 다른지 알아보자.

다람쥐, 곰과 같은 항온 동물은 겨울이 되면 먹이를 구하기가 힘들어지기 때문에 겨울잠을 잔다. 주로 온도 변화가 적은 나무나 바위 밑, 땅속에서 겨울잠을 자는데, 겨울잠을 자는 동안 몸을 움직이지 않더라도 체온 유지를 위해 에너지를 필요로 한다. 그래서 가을에 먹이를 충분히 먹어 두어 몸에 지방을 쌓은 후, 겨울잠을 자는 동안에 에너지로 사용한다. 또 먹이를 보금자리에 모아 두었다가 날씨가 따뜻해지면 가끔 깨어나 이를 먹고 다시 잠을 자거나, 겨울잠을 자는 동안 호흡이나 심장이 뛰는 횟수를 줄여 에너지를 절약하기도 한다.

개구리나 뱀과 같은 변온 동물은 ㉠<u>바깥의 열을 몸속으로 받아들여 체온을 조절한다.</u> 그렇기 때문에 추운 겨울이 되면 체온이 0도 이하로 내려가 얼어 죽을 수 있어, 땅속이나 나무 밑에서 겨울잠을 잔다. 그런데 변온 동물은 항온 동물과 달리 호흡이나 심장 박동이 거의 없는 상태로 겨울잠을 잔다. 그리고 몸 안에는 체액이 얼지 않게 막아 주는 물질이 있어 추운 날씨에 겨울잠을 자도 얼어 죽지 않는다.

한편, 여름이 되면 더위와 건조함을 피하려고 여름잠을 자는 동물들도 있다. 뜨거운 햇볕에 약한 달팽이는 뜨겁고 건조한 여름이 되면 땅속으로 들어가고, 물고기 종류 중 하나인 폐어류는 건조한 여름철에 물이 마르면 진흙 속에 들어가 ㉡<u>살기 좋은</u> 환경이 될 때까지 여름잠을 잔다. 이처럼 동물들은 겨울잠과 여름잠을 통해 힘든 계절을 견뎌 낸다.

• **박동**
맥이 뜀.

• **항온 동물**
조류나 포유류처럼 바깥 온도와 관계없이 체온을 항상 일정하고 따뜻하게 유지하는 동물.

• **변온 동물**
체온을 조절하는 능력이 없어서 바깥 온도에 따라 체온이 변하는 동물.

• **체액**
동물의 몸속에 있는 혈관이나 조직의 사이를 채우고 있는 혈액 등의 액체를 통틀어 이르는 말.

글에 드러나지 않은 내용 추론하기

1

이 글을 통해 알 수 있는 내용이 아닌 것은 무엇인가요? (   )

① 동물들이 겨울잠을 자는 장소로는 온도 변화가 적은 곳이 좋다.
② 어떤 환경에서 사느냐에 따라 동물들이 살아가는 방법도 달라진다.
③ 움직이지 않고 가만히 있더라도 몸에서 어느 정도의 에너지가 소모된다.
④ 항온 동물들은 몸 안에 지방을 쌓아 겨울잠을 자는 동안 쓸 에너지를 모아 둔다.
⑤ 몸이 큰 동물은 신체 활동보다 기초적인 생명 활동에 더 많은 에너지를 사용한다.

2

이 글로 볼 때, '항온 동물'과 '변온 동물'에 대한 설명으로 알맞지 않은 것의 기호를 모두 고르세요.

㉮ 항온 동물은 변온 동물과 달리 겨울잠을 자는 중간에 깨었다가 다시 자기도 한다.
㉯ 겨울잠을 자는 동안 호흡과 심장 박동의 횟수는 항온 동물이 변온 동물보다 적다.
㉰ 항온 동물과 변온 동물 모두 몸을 움직일 때 필요한 에너지는 먹이를 통해 만들어 낸다.
㉱ 항온 동물과 변온 동물이 겨울잠을 자는 까닭은 모두 생명 유지에 필요한 에너지를 몸 안에 절약하기 위해서이다.

(   )

글에 드러나지 않은 내용 추론하기

3

수능에서는
미루어 생각하는 것을 추측이라고 해. 글에 드러난 내용을 바탕으로 드러나지 않은 내용을 추론하는데, 추론 대신에 추측이라는 표현을 사용하기도 해. 추측과 추론이 비슷한 표현이라고 생각하면 쉽지?

이 글을 바탕으로 ㉠에 대해 추측한 내용으로 가장 알맞은 것은 무엇인가요? (   )

① 체온 유지를 위한 음식물이 별로 필요 없겠군.
② 스스로 체온을 높이거나 낮추는 것이 가능하겠군.
③ 바깥의 열이 들어오므로 영하의 날씨에도 몸이 얼지 않겠군.
④ 바깥의 열은 겨울잠을 자는 위치와 상관없이 어디나 같겠군.
⑤ 바깥의 열을 이용해 체액이 얼지 않게 하는 물질을 만들겠군.

4

㉡을 다른 말로 바꾼다고 할 때, 가장 알맞은 것은 무엇인가요? (　　　)

① 진흙이 많이 없는
② 땅의 깊이가 얕은
③ 밝고 습기가 없는
④ 시원한 바람이 잘 부는
⑤ 뜨겁지 않고 습기가 많은

5

다음은 이 글을 읽으면서 '곰의 겨울잠'에 대해 찾은 자료입니다. 이 글을 참고하여 ㉮와 ㉯에 들어갈 알맞은 말을 쓰세요.

[㉮]은/는 [㉯]을/를 구하기 힘든 겨울을 살아남기 위한 방법이다. 그런데 야생에서 사는 곰과 달리, 동물원에 사는 곰은 [㉯]을/를 스스로 구하지 않아도 되기 때문에 겨울잠을 잘 필요가 없다.

㉮ (　　　　　　　　) ㉯ (　　　　　　　　)

한줄요약

6

빈칸에 알맞은 말을 넣어 이 글의 핵심 내용을 한 문장으로 요약하세요.

겨울잠　　에너지　　먹이

동물들은 먹이를 통해 살아가는 데 필요한 [ ][ ][ ]를 만드는데, [ ][ ]를 구하기 힘들거나 살기 힘든 계절이 되면 [ ][ ][ ] 또는 여름잠을 잔다.

• 낱말이 한자로는 어떻게 쓰이는지 살펴보고, 예문을 참고해 빈칸을 채워 보세요.

❶ 搏動

칠 [ㅏ]

움직일 [동]

주삿바늘을 보자마자 심장 [ㅏ][동]이 빨라졌다.

❷ 恒溫

항상 [ㅎ]

따뜻할 [온]

사람은 더운 여름에는 땀을 흘려 체온이 올라가지 않게 함으로써 [ㅎ][온]을 유지한다.

❸ 變溫

변할 [ㅂ]

따뜻할 [온]

거북이는 체온이 바깥 온도에 영향을 받는 대표적인 [ㅂ][온] 동물이다.

• 낱말의 뜻을 참고하여, 다음 문장의 빈칸에 들어갈 알맞은 낱말을 완성하세요.

❹ 해 질 무렵에 새들이 [ㅂ][ㄱ][ㅈ][리]를 찾아 두세 마리씩 날아가고 있다.

지내기가 매우 포근하고 아늑한 곳을 비유적으로 이르는 말.

❺ 그는 아침에 일찍 일어나지 못해 지각하는 [ㅅ][ㅅ]가 점점 늘어나고 있다.

돌아오는 차례의 수효.

❻ 전기를 [ㅈ][ㅑ]하려면 사용하지 않는 전원은 끄도록 한다.

함부로 쓰지 않고 꼭 필요한 데에만 써서 아낌.

❼ 피부가 [ㄱ][ㅗ]해지는 것을 막으려면 물을 많이 먹어라.

말라서 습기가 없음.

월 일
맞힌 개수 개

나비 박사 석주명

'나비 박사'로 불리는 석주명은 조선의 나비를 연구하는 데 평생을 바친 인물이다. 그는 조선에 많은 까치나 맹꽁이가 미국이나 소련에는 없고, 조선 사람이 주로 먹는 쌀도 미국이나 소련에서는 그리 먹지 않는다고 말했다. 그리고 ㉠이러한 생각을 바탕으로 생물을 다루는 학문인 생물학은, 다른 과학 분야와 달리 자기 나라의 고유성을 연구할 수 있으므로 조선의 생물학이 가능하다고 주장했다.

석주명은 조선의 연구가가 이 땅의 생물을 직접 연구하여 조선의 독특한 생물의 모습을 있는 그대로 밝히는 것이 생물학의 할 일이라고 보고, 이러한 생물학을 '조선적 생물학'이라고 불렀다. 이를 위해 석주명은 조선의 나비만을 연구 대상으로 삼아 20여 년 동안 전국을 돌아다니며 75만 마리의 나비를 채집하여 연구했다. 그리고 이러한 연구 결과를 바탕으로 일본 곤충학자들이 조선의 나비에 대해 잘못 연구한 내용을 바로잡았다.

한편 석주명은 나비에 대해 생물학적으로만 연구하지 않고, ⓐ역사 속에 존재하는 나비도 조사했다. 그는 《조선왕조실록》과 같은 기록이나 옛 자료에 이름이 나오는 나비를 찾아보고, 나비 그림으로 유명한 19세기 화가 남계우를 소개하는 글도 썼다. 그리고 우리말에도 깊은 관심이 있었던 그는 조선의 나비에 우리말 이름을 직접 짓기도 했다. 일제 강점기에는 주변에서 흔히 볼 수 있는 일부 나비를 빼고는 대부분이 일본어 이름으로 되어 있었고, 우리말 이름으로 된 나비는 거의 없었다. 이에 석주명은 조선의 나비 200여 종에 '각시멧노랑나비', '떠들썩팔랑나비' 등과 같이 우리말 이름을 짓거나 정리했는데, 이는 지금까지도 많이 쓰이고 있다.

이처럼 석주명은 단순히 생물학 연구가로서만 나비 연구를 한 것이 아니라 우리 역사나 우리말과도 연결함으로써 나비 연구가 국학의 영역에 놓이게 했다. 석주명은 이렇게 열정을 쏟아부은 나비 연구의 결과를 모아 《조선산 접류 총 목록》을 영문으로 펴냈는데, 이 책은 이후 생물학을 공부하는 사람들에게 귀한 자료가 되었다.

- **소련**
  유럽 동부와 아시아 북부에 있었던 나라.
- **일제 강점기**
  1910년의 국권 강탈 이후 1945년 해방되기까지 35년간의 시대.
- **국학**
  자기 나라의 고유한 역사, 언어, 풍속, 신앙, 제도, 예술 따위를 연구하는 학문.

글에 드러나지 않은 내용 추론하기

1

이 글을 통해 알 수 있는 내용을 모두 골라 기호를 쓰세요.

> 가 석주명은 조선적 생물학자로서 일본 학자들에게도 인정을 받았다.
> 나 조선의 나비에 대한 일본 학자들의 연구 결과에는 잘못된 것도 있었다.
> 다 석주명이 우리말로 나비 이름을 짓기 전에도 우리말 이름의 나비가 있었다.
> 라 석주명의 나비 연구 결과는 생물학을 하는 후대 사람들에게 영향을 주었다.

( )

2

다음 중 이 글을 읽고 궁금증을 해결할 수 있는 질문은 무엇인가요? ( )

① 석주명이 나비에 관심을 갖게 된 까닭은 무엇일까?
② 석주명은 나비의 우리말 이름을 어떤 규칙에 따라 지었을까?
③ 석주명은 75만 마리의 나비를 어떤 방법을 사용해 정리했을까?
④ 석주명이 옛 기록이나 자료에서 찾으려고 했던 것은 무엇일까?
⑤ 석주명이 조선적 생물학을 주장한 것이 시대 상황과는 어떤 관련이 있을까?

글에 드러나지 않은 내용 추론하기

수능에서는
어떤 사실이나 정보에 대해 판단하고 추리하며 생각하는 과정을 사고 과정이라고 해. '사고'는 쉽게 말하면 '생각'이라는 뜻이야. 따라서 '사고 과정'은 생각하는 과정이라고 보면 돼. 고등학교에 가면 생각하는 과정보다는 사고 과정이라는 표현을 더 많이 사용하니까 참고해 둬.

3

㉠에 나타난 '석주명'의 사고 과정을 다음과 같이 정리할 때, 빈칸에 들어갈 수 있는 말이 아닌 것은 무엇인가요? ( )

> 각 나라에는 그 나라만의 [ ]한 생물이 있다.
> → [ ]은 [ ]을 연구하는 학문이다.
> → 따라서 생물학은 자기 나라의 [ ]한 생물을 연구할 수 있는 학문이므로, [ ]에 있는 생물을 연구하는 조선의 생물학도 가능하다.

① 고유 ② 생물학 ③ 생물 ④ 조선 ⑤ 자연 과학

4 석주명의 입장에서 조선적 생물학에 포함되는 것은 무엇인가요? (　　)

① 조선의 생물학자가 세계 여러 나라의 생물들을 비교하는 연구를 했다.
② 조선의 동물학자가 조선인들이 좋아하는 해외 동물을 직접 조사해 보았다.
③ 조선의 연구가가 다른 나라 사람이 발표한 조선 생물의 연구 결과를 정리했다.
④ 조선의 독특한 곤충에 관심이 있던 미국의 곤충학자가 조선에 들어와 직접 채집하여 연구했다.
⑤ 조선의 식물학자가 조선의 산과 들을 다니며 꽃을 직접 연구하고 그 결과를 영문으로 발표했다.

글에 드러나지 않은 내용을 추론해요

글에 직접 드러나지 않은 내용을 짐작하며 글을 읽으면 글의 내용을 더 잘 이해할 수 있습니다. 저학년에서는 낱말의 뜻과 생략된 내용을 짐작하는 방법을 배웠다면, 고학년에서는 글의 내용을 추론하거나 글의 앞뒤 내용을 통해 낱말이나 문장의 뜻까지 추론할 수 있어야 해요!

저학년에서는 드러나지 않은 내용을 짐작해요	→	고학년에서는 글에 드러나지 않은 내용을 추론해요

글에 드러나지 않은 내용 추론하기

5 문맥상 ⓐ가 의미하는 바로 가장 알맞은 것은 무엇인가요? (　　)

① 순우리말 이름을 가진 나비
② 현실에는 없는 상상 속의 나비
③ 역사적인 인물들이 좋아했던 나비
④ 일본 곤충학자들이 연구하지 않은 나비
⑤ 우리의 옛 기록이나 자료에 등장하는 조선의 나비

 한줄요약

6 빈칸에 알맞은 말을 넣어 이 글의 핵심 내용을 한 문장으로 요약하세요.

나비　　조선　　생물

석주명은 [　　]의 나비를 직접 찾아 연구하고, 옛 자료에서 [　　]에 관한 내용을 모으며 우리말로 나비 이름을 짓는 등 조선적 [　　]학을 해 나갔다.

• 다음 사다리 타기에 따라 ( ) 안에 들어갈 낱말의 뜻을 보기 에서 고르세요.

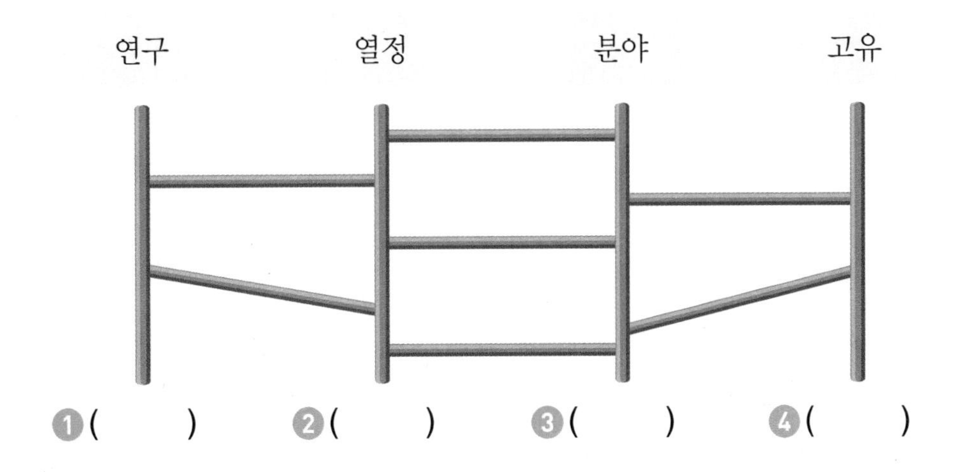

❶ ( ) ❷ ( ) ❸ ( ) ❹ ( )

보기
㉠ 본래부터 가지고 있는 특유한 것.
㉡ 여러 갈래로 나누어진 범위나 부분.
㉢ 어떤 일에 열렬한 애정을 가지고 열중하는 마음.
㉣ 어떤 일이나 사물에 대해 깊이 있게 조사하고 생각하여 진리를 따져 보는 일.

• 낱말의 뜻을 참고하여, 다음 문장의 빈칸에 들어갈 알맞은 낱말을 완성하세요.

❺ 그는 조국의 독립을 위해 [ㅍ][ㅅ]을 바쳤다.
세상에 태어나서 죽을 때까지의 동안.

❻ [ㄷ][ㅌ]한 이야기를 다룬 이 영화는 영화제에서 각본상을 받았다.
특별하게 다름.

❼ 소년은 산과 들로 다니며 여러 가지 곤충을 [ㅊ][ㅈ]했다.
널리 찾아서 얻거나 캐거나 잡아 모으는 일.

비밀을 푸는 열쇠, 운석

밤하늘에 가끔 꼬리를 길게 늘어뜨리고 떨어지는 유성(별똥별)을 볼 수 있다. 별과 별 사이의 공간에는 암석이나 그 조각들이 떠다니는데, 이를 유성체라고 한다. 이 유성체 중 일부가 지구 중력에 이끌려서 대기권에 들어올 때 뜨거운 열 때문에 타면서 불빛을 내는데, 이를 유성이라고 한다. 이때 타지 않고 남은 덩어리가 땅에 떨어져 운석이 된다.

운석이 어디에 떨어지느냐에 따라 땅에 커다란 충돌구가 생길 수도 있고, 사람이 다치거나 건물이 부서질 수도 있다. 이는 1초에 10~20km의 엄청난 빠르기로 떨어지는 운석의 속도 때문이다. 운석이 지구 대기권에 들어올 때 공기의 저항을 받는데, 이때 운석의 크기에 따라 속도가 줄어드는 정도가 달라진다. 크기가 매우 큰 운석은 처음의 빠른 속도를 거의 그대로 가지고 떨어져 땅에 아주 커다란 충돌구를 만든다. 이때 운석의 크기가 작아질수록 속도 또한 느려져 충돌구의 크기도 작아지며, 크기가 아주 작은 경우에는 충돌구를 만들지 못한다.

운석이 떨어지면서 만들어진 충돌구

한편, 지구에 떨어지는 운석에는 태양계가 처음 만들어질 때 생겨난 운석도 있고, 태양계가 만들어지고 난 후에 생겨난 운석도 있다. 태양계가 처음 만들어질 때 생겨난 운석에는 태양계 탄생 초기의 물질이 그대로 남아 있어, 태양계가 처음 만들어지던 때에 어떤 일이 있었는지를 연구하는 데 사용된다. 그리고 태양계가 만들어지고 난 후의 운석은 소행성이나 화성의 내부 중심인 핵에서 나온 암석들로 된 것이 많아, 행성의 초기 상태나 진화 과정, 지구의 핵을 구성하는 물질 등을 연구하는 데 중요한 자료가 된다.

이처럼 운석은 ㉠태양계나 지구의 비밀을 풀기 위한 자료로서 중요한 가치가 있다. 그렇기 때문에 태양계나 지구에 대해 연구를 하려면 운석이 많이 필요한데, ㉡운석의 80%는 남극에서 발견되고 있다. 이에 세계 각국이 앞다투어 남극을 탐사하여 운석을 찾고 있다. 우리나라는 2006년부터 남극 운석 탐사대가 활동하고 있으며, 그 결과 2014년 기준으로 총 282개의 남극 운석을 가진 나라가 되었다.

- **소행성**
화성과 목성 사이의 궤도에서 태양의 둘레를 공전하는 작은 행성.

- **행성**
중심 별의 강한 인력의 영향으로 타원 궤도를 그리며 중심 별의 주위를 도는 천체. 스스로 빛을 내지 못하고, 중심 별의 빛을 받아 반사함. 태양계에는 수성, 금성, 지구, 화성, 목성, 토성, 천왕성, 해왕성의 여덟 개 행성이 있음.

- **탐사대**
알려지지 않은 사물이나 사실 따위를 샅샅이 더듬어 조사하기 위하여 조직한 모임. 또는 그 구성원.

1 **이 글에 대한 설명으로 알맞지 않은 것은 무엇인가요? (　　　)**

① 운석을 이루고 있는 물질들을 나열하고 있다.
② 유성체가 운석이 되기까지의 과정이 나타나 있다.
③ 남극 운석의 탐사 결과를 구체적인 수치로 밝히고 있다.
④ 일상에서 볼 수 있는 상황을 제시하며 관심을 일으키고 있다.
⑤ 운석의 종류를 운석이 생겨난 시기에 따라 나누어 설명하고 있다.

글에 드러나지 않은 내용 추론하기

수능에서는
글의 내용을 바탕으로 드러나지 않은 내용을 생각해 내는 것을 추론이라고 하지. 학년이 올라갈수록 글의 내용을 단순히 아는 것보다는 글에 드러나지 않은 내용까지도 파악할 수 있는 능력이 필요해.

2 **이 글을 통해 추론할 수 있는 내용이 아닌 것은 무엇인가요? (　　　)**

① 운석이 떨어지는 속도에 따라 충돌구의 크기가 달라진다.
② 언제 만들어진 운석이냐에 따라 구성 물질에 차이가 있다.
③ 남극에 있는 운석은 그것을 가장 먼저 발견한 나라가 주인이다.
④ 운석이 도시에 떨어지게 되면 인명이나 재산 피해가 커질 수 있다.
⑤ 지구에 있는 운석 대부분은 태양계가 처음 만들어질 때 생겨난 것들이다.

3 **이 글을 참고하여 '유성체', '유성', '운석'에 해당하는 것을 각각 선으로 이으세요.**

❶ 유성체 •		• ㉮ 지구 대기권에서 타지 않고 땅에 떨어진 암석
❷ 유성 •		• ㉯ 지구 대기권에 들어와 타면서 불빛을 내는 암석
❸ 운석 •		• ㉰ 우주에 떠다니는 암석 조각들

4 **이 글로 보아 ㉠에 해당하지 않는 것은 무엇인가요? ( )**

① 행성의 초기 상태
② 행성의 진화 과정
③ 소행성의 핵이 만들어진 과정
④ 지구의 핵을 이루고 있는 물질
⑤ 태양계가 처음 만들어질 때의 상태

글에 드러나지 않은 내용 추론하기

5 **㉡에 대해 더 알아보기 위해 다음의 자료를 찾은 후, 보기 와 같은 반응을 보였습니다. 보기 의 빈칸에 들어갈 알맞은 말을 쓰세요.**

남극에서 운석이 많이 발견되는 이유는 빙하의 이동과도 관련이 있다. 남극의 빙하는 느리지만 꾸준히 낮은 곳을 향해 흘러간다. 그런데 산맥이 가로막고 있으면 빙하는 더 이상 가지 못하고 뒤에 오는 빙하의 힘에 밀려 솟아오르게 된다. 위로 올라온 빙하가 녹으면서 그 속에 있던 운석이 드러난다. 아주 오랜 세월에 거쳐 이러한 과정이 되풀이되면서 운석들이 한 장소로 모이게 된 것이다.

보기
운석은 남극에 있는 [   ] 주위의 빙하 지역에서 많이 발견되었겠군.

( )

한줄요약

6 **빈칸에 알맞은 말을 넣어 이 글의 핵심 내용을 한 문장으로 요약하세요.**

지구 운석 유성

[ ]은 대기권에서 타지 않고 남은 [ ]의 일부로, 떨어지는 속도에 따라 땅에 충돌구가 생기기도 하지만 태양계나 [ ] 연구에 중요한 가치가 있다.

- **본문에 쓰인 낱말에 사용된 글자들을 표로 만들었습니다. 표에 제시된 글자들을 합하여 빈칸에 들어갈 알맞은 낱말을 완성하세요.**

남	거	진	헌
화	지	사	발
미	탐	과	달
견	조	명	사

1. ㅈ ㅘ : 생물이 생명의 기원 이후부터 조금씩 앞으로 나아가며 변해 가는 현상.

2. ㅂ ㅕ : 미처 찾아내지 못하였거나 아직 알려지지 않은 사물이나 현상, 사실 따위를 찾아냄.

3. ㅏ ㅅ : 알려지지 않은 사물이나 사실 따위를 샅샅이 더듬어 조사함.

- **낱말의 뜻을 참고하여, 다음 문장의 빈칸에 들어갈 알맞은 낱말을 완성하세요.**

4. 그 산은 ㅇ ㅓ 으로 뒤덮여 있으나 산꼭대기에는 식물도 자란다.
   지구의 바깥쪽 부분을 구성하고 있는 단단한 물질.

5. 새 학년 ㅊ ㄱ 에는 많은 아이가 반 친구들과 친해지기 위해 노력해야 한다.
   정해진 기간이나 일의 처음이 되는 때나 시기.

6. 이건 너와 나만의 ㅂ ㅣ 이니까 다른 사람에게는 말하지 마.
   밝혀지지 않았거나 알려지지 않은 내용.

월 일
맞힌 개수 개

엘니뇨와 라니냐

"올겨울은 엘니뇨의 영향으로 눈이 많이 내리고 한파가 나타날 것이라고 합니다." 날씨에 관한 뉴스의 일부이다. 이때 엘니뇨는 적도 부근의 태평양 동쪽에 있는 페루 앞 바닷물의 온도가 평년보다 높아지는 현상을 말한다.

평소에는 적도 근처 태평양의 동쪽에서 서쪽으로 무역풍이 부는데, ⓐ이 바람에 따라 적도의 동태평양에 있는 페루 부근의 따뜻한 바닷물이 적도의 서태평양에 있는 동남아시아와 호주 쪽으로 움직인다. 그리고 페루의 앞바다에서는 ⓑ빠져나간 바닷물의 빈 자리를 채우기 위해 깊은 바닷속 찬물이 아래로부터 올라온다.

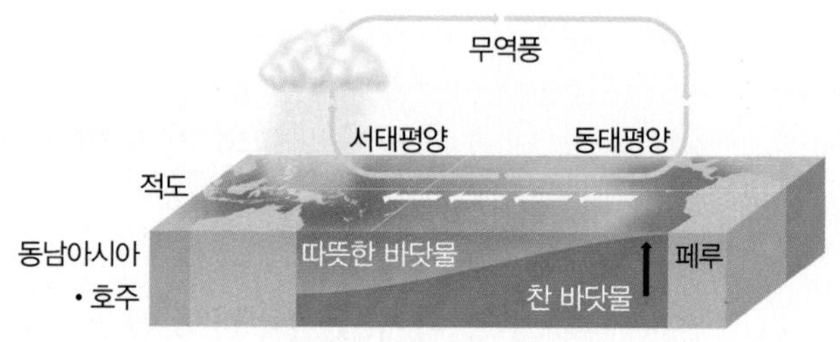

평상시 적도 부근 바다의 모습

[A]
그 결과 적도 부근 서태평양 바닷물의 평균 온도는 적도 부근 동태평양보다 높아지고, 바닷물이 증발하면서 수증기의 양도 많아진다. ⓒ그로 인해 적도 부근 서태평양 지역에는 비의 양이 많아진다. 반대로 적도 부근 동태평양 지역은 맑고 건조한 날씨가 나타나며, 위로 올라온 바닷속 찬물에는 영양분이 많아 물고기도 늘어난다.

그런데 무역풍이 평소보다 약해지면 적도 부근 동태평양의 바닷물이 ⓓ서쪽으로 가는 양이 줄어들고 깊은 바닷속 찬물이 올라오는 양도 줄어든다. 이로 인해 평소보다 동태평양의 바닷물 온도는 높아지나, 서태평양 바닷물의 온도는 낮아진다. 이를 엘니뇨라고 한다. ⓔ이 현상이 나타나면 동남아시아와 호주 등에서는 가뭄이 생긴다. 그리고 페루 등 남아메리카에서는 폭우나 홍수가 일어나며, 바닷속에서 올라오는 찬물의 양이 줄어들면서 어획량이 줄어든다.

한편, 무역풍이 평소보다 세지면 적도 부근 동태평양의 바닷물은 서태평양 쪽으로 더 많이 옮겨지고, 페루 부근 바닷가에서는 깊은 바닷속 찬물이 더 많이 올라온다. 이로 인해 엘니뇨와 반대되는 현상이 나타나는데, 이를 라니냐라고 한다. 라니냐가 발생하면 [㉠]

엘니뇨와 라니냐는 적도 부근에서 일어나는 현상이지만, 이 현상은 적도 이외의 다른 지역의 기후에도 영향을 준다. 엘니뇨와 라니냐는 2~7년의 불규칙한 주기로 일어나지만, 아직까지 정확한 원인은 밝혀지지 않았다.

- **증발**
어떤 물질이 액체 상태에서 기체 상태로 변함. 또는 그런 현상.
- **가뭄**
오랫동안 계속하여 비가 내리지 않아 메마른 날씨.
- **어획량**
수산물을 잡거나 채취한 수량.

글에 드러나지 않은 내용 추론하기

1 **이 글에서 이끌어 낼 수 있는 내용이 아닌 것은 무엇인가요? (　　　)**

① 바람의 세기에 따라 바닷물의 흐름에 변화가 생길 수 있다.
② 엘니뇨 현상과 라니냐 현상이 같은 시기에 일어나기는 어렵다.
③ 어느 한 지역의 자연 현상이 다른 지역의 날씨에 영향을 줄 수 있다.
④ 깊은 바닷속에서 올라오는 찬물의 양이 많을수록 어업에 도움이 된다.
⑤ 겨울철에 엘니뇨가 나타나면 동남아시아는 강수량이 높아질 가능성이 크다.

2 **이 글의 내용 전개 방식에 대한 설명으로 가장 알맞은 것은 무엇인가요? (　　　)**

① 각 현상의 장단점을 나누어 특정 현상들의 특징을 설명하고 있다.
② 다양한 예를 나열하여 특정 현상들이 미치는 영향을 설명하고 있다.
③ 과학적 연구 결과를 인용하여 특정 현상들의 차이점을 설명하고 있다.
④ 원인과 결과를 중심으로 특정 현상들이 일어나는 과정을 설명하고 있다.
⑤ 특정 현상들에서 발생하는 문제의 해결 방법을 중심으로 설명하고 있다.

3 **[A]의 내용을 적용하여 다음의 상황을 이해할 때, ㉮와 ㉯에 들어갈 날씨를 [A]에서 각각 찾아 쓰세요.**

수능에서는
어떤 사실이나 정보를 구체적인 상황과 연결지어 이해하는 것을 적용이라고 표현해. 수능에서는 글의 내용을 구체적인 예나 상황에 적용하게 하는 문제가 많이 나와. 평소에 글을 읽을 때, 글의 내용과 관계 있는 예나 상황을 떠올려 보는 연습을 해 두면 나중에 도움이 될 거야.

인도양에서는 엘니뇨, 라니냐와 비슷한 다이폴모드 현상이 나타난다. 인도양은 평상시 동쪽의 수온이 더 높지만, 다이폴모드 현상이 생기면 서쪽의 수온이 올라가면서 동풍이 강해진다. 그리고 강한 동풍에 의해 동쪽의 따뜻한 바닷물이 서쪽으로 옮겨지면서 동쪽의 수온은 내려간다. 그래서 인도양 동쪽에 있는 지역은 [　㉮　]이/가, 서쪽에 있는 지역은 [　㉯　]이/가 발생할 가능성이 크다.

㉮ (　　　　　　) ㉯ (　　　　　　)

글에 드러나지 않은 내용 추론하기

4

㉠에 들어갈 내용으로 알맞지 않은 것은 무엇인가요? (   )

① 페루 앞 바닷물의 온도가 평소보다 낮아진다.
② 동남아시아 근처 바닷물의 온도가 평소보다 높아진다.
③ 적도 부근 동태평양 지역에는 가뭄이 평소보다 늘어난다.
④ 적도 부근 서태평양의 바닷물이 증발하는 양이 평소보다 많아진다.
⑤ 적도 부근 태평양의 동쪽과 서쪽의 바닷물 온도의 차가 평소보다 작아진다.

5

문맥상 ⓐ~ⓔ와 바꿔 쓰기에 알맞지 않은 것은 무엇인가요? (   )

① ⓐ: 서태평양 방향으로 부는 무역풍의 영향으로
② ⓑ: 바닷물이 서태평양 방향으로 이동하며 생긴
③ ⓒ: 수증기의 양이 많아지면서 구름도 많이 만들어져
④ ⓓ: 서태평양 방향으로 빠져나가는 바닷물의 양
⑤ ⓔ: 페루 앞 바닷물의 온도가 평년보다 낮아지는 현상이 나타나면

한줄요약

6

빈칸에 알맞은 말을 넣어 이 글의 핵심 내용을 한 문장으로 요약하세요.

무역풍　　라니냐　　엘니뇨

적도 부근 태평양에서는 평소에 [ ][ ][ ]에 의한 바닷물의 흐름 때문에 서쪽이 동쪽보다 온도가 높은데, 바닷물의 흐름에 영향을 주는 무역풍이 평소보다 약해지면 [ ][ ][ ]가, 무역풍이 평소보다 세지면 [ ][ ][ ]가 나타난다.

• 보기1 의 각 문장의 밑줄 친 낱말과 비슷한 낱말을 보기2 에서 찾아 연결하세요.

보기1
㉮ 태평양 바닷물의 평균 온도가 평소보다 높아진다.
㉯ 바닷물이 많이 증발할수록 수증기의 양도 많아진다.
㉰ 바닷속 찬물에는 영양분이 많아 물고기가 늘어난다.

보기2
㉠ 증가하다: 양이나 수치가 늘다.
㉡ 상승하다: 낮은 데서 위로 올라가다.

1 ㉮ •
2 ㉯ •
3 ㉰ •

• ㉠ 증가하다
• ㉡ 상승하다

• 낱말의 뜻을 참고하여, 다음 문장의 빈칸에 들어갈 알맞은 낱말을 완성하세요.

4 갑작스러운 [ㅎ][ㅏ]로 피해를 입은 농가가 한둘이 아니다.
겨울철에 기온이 갑자기 내려가는 현상.

5 이번 [ㅡ][ㅇ]로 인해 산사태가 일어나 마을로 가는 길이 없어졌다.
갑자기 세차게 쏟아지는 비.

6 학생들 건강 검진은 초등학교 입학 후 3년을 [ㅈ][ㄱ]로 이루어지고 있다.
같은 현상이나 특징이 한 번 나타나고부터 다음번 되풀이되기까지의 기간.

마무리

독해 원리 학습

글에 드러나지 않은 내용을 추론하려면?

드러나지 않은 내용을 짐작해요

▶ 3학년

❶ 생략된 내용 짐작하기

글의 내용에 근거해 드러나지 않은 내용을 추론해야 하므로 앞뒤 문장이나 글의 흐름을 파악하는 것이 매우 중요해요.

글에 어려운 낱말, 생략된 내용이 나오면 앞뒤 내용을 통해 그 내용을 짐작합니다. 짐작하기는 글의 내용을 적극적으로 이해하는 방법입니다.

- **글의 내용을 짐작할 때에는 글의 핵심 내용과 세부 내용 모두가 정보가 됨.**
- **주제나 주장은 핵심 정보에 해당하고, 이를 뒷받침하는 내용은 세부 정보에 해당함.**
- **글의 정보를 바탕으로 낱말의 의미나 생략된 내용을 추론할 수 있음.**

글에 드러나지 않은 내용을 추론해요

▶ 6학년

❶ 이끌어 낼 수 있는 내용인지 판단하기

글에 제시된 **정보**와 관련이 있는지, 그리고 앞뒤 문장이나 글의 흐름과 어울리는 내용인지를 살펴봅니다.

글의 정보를 근거로 삼아 추론하는 것이므로, 이끌어 낼 수 있는 내용도 글의 정보와 관련된 것이어야겠죠?

❷ 드러나지 않은 내용을 추론하며 글 읽기

- 글의 흐름과 정보를 살펴 **글에서 빠진 내용, 이어질 내용을 추론**하며 읽기
- 인물의 말이나 행동을 통해 **인물의 마음이나 상황을 상상**하며 읽기
- 사건의 전개 과정을 살펴서 **사건의 전후를 추론**하며 읽기
- 앞뒤 문장을 바탕으로 **낱말의 의미를 짐작**하며 읽기

㉠의 의미를 추론한 ~

27. 문맥을 고려할 때 ㉠의 의미를 추론한 내용으로 가장 적절한 것은?

① 많은 사람들이 항상 달을 관찰하고 있으므로 달이 존재한다.
② 달은 질량이 매우 큰 거시 세계의 물체이므로 관찰 여부와 상관없이 존재한다.
③ 달은 관찰 여부와 상관없이 ... 이전에도 존재한다.
④ 달은 원래부터 있었지만 우리가 관찰하지 않으면 존재 여부에 대해 말할 수 없다.
⑤ 달이 있을 가능성과 없을 가능성이 반반이므로 관찰 이후에 달이 있을 가능성은 반이다.

수능에는 글의 세부 내용을 바탕으로 이끌어 낼 수 있는 내용인지를 묻는 문제가 나와요.

정확한 내용 파악이 먼저다

글에 드러나지 않은 내용을 추론하려면 우선 글에 드러난 내용부터 정확히 파악해야 합니다. 글의 정보로부터 이끌어 낼 수 있는 내용이어야 적절한 추론이 되기 때문입니다. 결국, 글의 내용을 정확하게 파악하는 것이 추론의 적절성을 판단하는 기준이 됩니다.

글의 세부 내용을 정확하게 파악한다. > 추론한 내용이 글의 내용 중 어느 부분과 관련되는지 찾아본다. > 글의 정보를 통해 알아낼 수 있는 내용인지 생각해 본다.

수능까지 연결되는 초등 독해

WEEK 5

글쓴이의 관점이나 의도를 파악해요

화가의 마음

수향이와 원영이는 미술관에 갔다가 우연히 화가가 작품을 소개하는 장면을 보았습니다. 두 사람 중 화가의 마음을 이해하며 그림을 감상한 사람은 누구일까요?

그림을 보고 마음이 편안했던 수향이와 달리 원영이는 쓸쓸함을 느꼈습니다. 이렇듯 어떻게 바라보느냐에 따라 같은 그림을 보더라도 다르게 느낄 수가 있습니다. 그런데 화가의 소개 내용을 보면 수향이가 그림을 그린 화가의 의도를 제대로 이해했다는 것을 알 수 있습니다.

화가가 그린 그림처럼 **글에도 글을 쓴 의도와 대상에 대한 생각이나 방향을 담은 글쓴이의 관점이 담겨 있습니다.** 그래서 같은 현상에 대한 글을 쓰더라도 글쓴이의 관점에 따라 글의 내용이 달라지게 됩니다. 글쓴이의 관점과 의도를 파악하면서 읽어야 하는 이유가 여기에 있습니다. 자, 그럼 이제 글에 담긴 글쓴이의 의도나 관점을 파악하는 방법을 알아보러 가 볼까요?

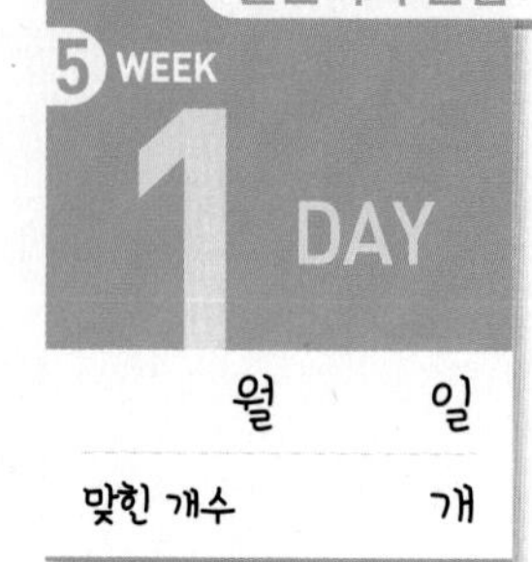

과일 가격이 문제야!

가 "여름 과일 먹을 맛나네."…… 참외·수박값 ↓
출하량 증가로 평년보다 가격 낮아져

㉠올해 5월 일찍이 찾아온 더위 탓에 여름철 대표 과일인 참외와 수박 출하량이 증가하면서 가격도 평년보다 낮게 형성되고 있다. 2일 한국 농수산 식품 유통 공사에 따르면 ㉡지난달 참외(10kg) 평균 가격은 3만 5,480원으로 지난해 같은 기간의 4만 6,311원보다 약 23% 하락했다. 참외 출하량도 지난 4월 2,724톤에서 5월에는 8,164톤으로 약 3배 정도 늘어나며 가격 하락을 ⓐ부채질했다.

△△ 마트 과일 팀장은 "올해 일찍 찾아온 더위와 재배 면적 증가 등의 영향으로 대표적 여름 과일인 참외와 수박 등의 가격이 전반적으로 낮게 형성됐다."라며 "산지 품질 관리 등에 계속 힘써 고품질의 제품을 합리적인 가격에 만나 볼 수 있도록 하겠다."라고 말했다. – 〈누리 뉴스〉(20○○년 ○월 ○일 자)

나 고개 못 드는 참외·수박값
작황 좋아 생산량 늘고 오렌지·체리 등 외국산 과일 공세 계속

㉢참외·수박 등 제철을 맞은 국내 과일 가격이 맥을 못 추고 있다. 봄철 작황이 순조로워 생산량이 늘어난 데다 오렌지 등 외국산 과일의 수입이 평년보다 증가했기 때문이다. ㉣10~16일 □□ 농수산물 도매 시장에서 참외 10kg들이 한 상자는 평균 2만 7,690원에 거래됐다. 평년보다 6,800원가량 낮은 값이다. 참외 가격은 4월 중순 이후 큰 폭으로 떨어지기 시작했다. 가장 두드러진 원인은 평년보다 많은 출하량에 있다. 겨울철 좋지 않았던 작황이 봄철 날씨가 따뜻해지면서 생산량이 많이 증가했다.

본격 출하를 시작한 수박 가격 또한 좋지 않다. 16일 수박의 □□ 시장 거래 가격은 상품 1kg당 평균 1,626원으로 평년보다 300원가량 낮다. 수박 출하량도 참외와 마찬가지로 평년보다 늘어났다. ㉤8~14일 □□ 시장 하루 평균 들어온 수박은 378톤으로, 평년보다 69톤 증가했다. 이처럼 공급량이 증가한 상황에서 외국산 과일 수입은 증가하고 있어 국산 과일의 가격 하락을 부추기고 있다. 3~4월 국내 과일 시장을 휩쓴 오렌지에 이어 5월부터는 체리 수입이 늘어나고 있다. ◇◇◇ 경매사는 "수입업자들이 많은 양을 수입해 재고로 쌓아 뒀기 때문에 최근까지 계속 시장에 출하되고 있다."라며 "남은 재고를 털기 위해 5월 중순까지는 시장에 적지 않은 양이 들어올 것이다."라고 밝혔다. – 〈농민 신문〉(20○○년 ○월 ○일 자)

• **출하량**
생산자가 생산품을 시장으로 내어보낸 양.

• **작황**
농작물이 잘되고 못된 상황.

• **재고**
창고 따위에 쌓여 있음.

1

다음은 가 와 나 에서 공통으로 다루고 있는 내용을 정리한 것입니다. 빈칸에 들어갈 알맞은 말은 쓰세요.

올 여름, 참외와 수박 출하량이 [ ] 하면서 가격이 평년보다 [ ] 하고 있다.

2

가 와 나 에서 알 수 있는 과일 가격 하락의 원인이 아닌 것은 무엇인가요? (   )

① 평년보다 출하가 많이 되었다.
② 외국산 과일 수입이 증가했다.
③ 과일을 찾는 소비자가 많이 줄어들었다.
④ 재배 면적이 증가하여 과일이 많이 생산되었다.
⑤ 수입업자들이 과일을 많이 수입하여 재고로 쌓아 두었다.

글쓴이의 관점이나 의도 파악하기

3

가 와 나 를 읽은 학생들의 반응으로 알맞지 않은 것은 무엇인가요? (   )

① 가 에서 '여름 과일 먹을 맛나네.'라는 제목을 보니 과일 가격의 하락을 긍정적으로 바라보고 있음을 알 수 있어.
② 가 에서 '고품질의 제품을 합리적인 가격에 만나 볼 수 있도록 하겠다.'라고 말한 것을 보니 과일 가격의 하락을 긍정적으로 보고 있음을 알 수 있어.
③ 나 에서 '고개 못 드는 참외·수박값'이라는 제목을 보니 과일 가격의 하락을 부정적으로 보고 있음을 알 수 있어.
④ 나 에서 '국내 과일 가격이 맥을 못 추고 있다.'라는 표현을 보니 과일 가격의 하락을 부정적으로 보고 있음을 알 수 있어.
⑤ 나 에서 '외국산 과일 수입은 증가하고 있어'라는 내용을 보니 과일 가격의 하락을 긍정적으로 보고 있음을 알 수 있어.

글쓴이의 관점이나 의도를 파악해요

글쓴이가 글을 쓴 관점과 의도를 알면 글의 내용을 보다 깊이 있게 이해할 수 있습니다. 저학년에서는 글에 나타난 사실과 글쓴이의 의견을 구분하는 것을 배웠다면, 고학년에서는 사실을 바탕으로 내세운 의견에 담긴 글쓴이의 관점과 의도까지 파악할 수 있어야 해요!

저학년에서는 사실과 의견을 구분해요 → 고학년에서는 글쓴이의 관점이나 의도를 파악해요

4

글쓴이의 관점이나 의도 파악하기

수능에서는 여러 관점을 비교하거나 적용하는 문제가 나올 수 있어. 관점은 사물이나 현상을 관찰할 때 그 사람이 보고 생각하는 태도나 방향을 말해. 글을 읽을 때 관점에 해당하는 내용이 나오면 표시해 두자.

㉠~㉤ 중, 사실이 아닌 글쓴이의 관점이 드러난 것은 무엇인가요? (   )

① ㉠ ② ㉡ ③ ㉢ ④ ㉣ ⑤ ㉤

5

ⓐ의 의미로 알맞은 것은 무엇인가요? (   )

① 몸의 모양이나 태도를 바꾸다.
② 부채를 흔들어 바람을 일으키다.
③ 가격을 올리거나 전보다 높게 평가하다.
④ 사물의 성질, 모양, 상태 따위가 바뀌어 달라지다.
⑤ 어떤 감정이나 싸움, 상태의 변화 따위를 더욱 부추기다.

6

한줄요약

빈칸에 알맞은 말을 넣어 이 글의 핵심 내용을 한 문장으로 요약하세요.

가격 수입 하락

가 출하량의 증가로 과일 [   ]이 평년보다 낮게 형성되어 소비자들이 고품질의 제품을 합리적 가격에 만나 볼 수 있게 되었다.

나 과일 가격이 평년보다 낮아지는 상황에서 외국산 과일의 [   ]이 증가해 가격 [   ]이 계속될 것이다.

• 다음 사다리 타기에 따라 (   ) 안에 들어갈 낱말의 뜻을 보기 에서 고르세요.

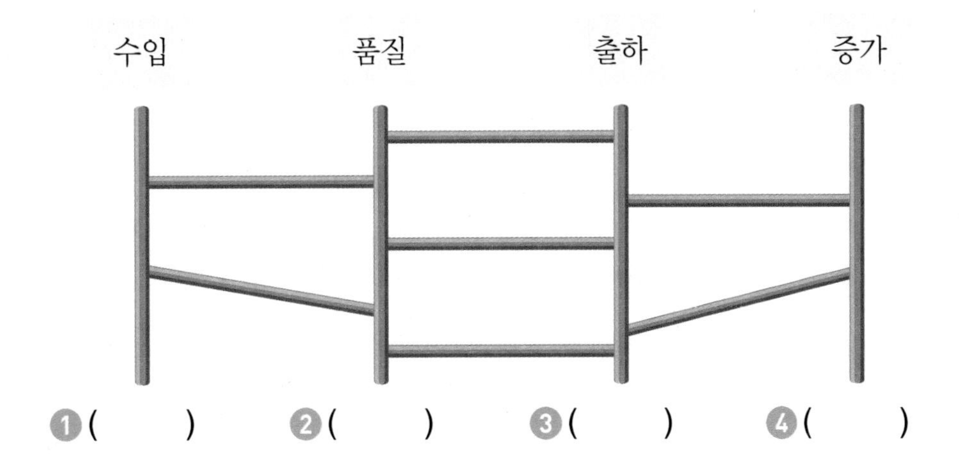

❶ (   ) ❷ (   ) ❸ (   ) ❹ (   )

보기
ㄱ 양이나 수치가 늚.
ㄴ 물건의 성질과 바탕.
ㄷ 다른 나라로부터 상품이나 기술 따위를 국내로 사들임.
ㄹ 짐이나 상품 따위를 내어보냄.

• 낱말의 뜻을 참고하여, 다음 문장의 빈칸에 들어갈 알맞은 낱말을 완성하세요.

❺ 올해의 배 수확량은 [ㅍ][ㄴ]과 다름없었다.
풍년도 흉년도 아닌 보통 수확을 올린 해.

❻ 집값이 큰 폭으로 [ㅏ][ㄹ]했다.
값이나 등급 따위가 떨어짐.

❼ 일단 동점이 되자 기세가 오른 우리 팀은 총[ㄱ][ㅔ]를 펼쳐 역전에 성공했다.
공격하는 태세. 또는 그런 세력.

소리 없는 암살자

드론은 조종사가 탑승하지 않고 무선으로 비행과 조종이 가능한 비행기나 헬리콥터 모양의 무인 비행기를 말한다. 원래는 '낮게 웅웅거리는 소리'를 뜻하는 말로, 벌이 날아다니며 웅웅대는 소리에 착안해 드론이라는 이름이 붙여졌다고 한다.

'엔젤 해즈 폴른'이라는 영화는 드론을 이용해 낚시를 즐기는 미국 대통령을 공격하는 장면으로 시작한다. 영화에서처럼 초기 드론은 군사용으로 개발되었다. 사람이 탑승하는 것이 아니라 멀리 떨어져서 조종이 가능하기 때문에 드론이 작전 중에 폭격되거나 추락하는 등 부서져도 아군의 인명 피해가 없다. 또한 대부분의 드론은 몸체가 작고 레이더를 피해 저공으로 고속 비행해 탐지가 어렵다. 그래서 드론은 대규모 병력이나 특수 장비 없이도 적을 죽이거나 핵심 시설의 기능을 마비시킬 수 있다. 조종사가 없어도 언제 어디서든 적을 파악하고 폭격까지 가할 수 있는 위험한 무기인 것이다.

드론은 군사용으로 개발되었지만, 요즘에는 일상생활에서도 드론의 용도가 다양해지고 있다. 화재 현장에 드론을 투입해 신속히 화재를 진압하기도 하고, 실종자를 찾는 수색 활동에도 쓰이고 있으며, 농업 기술에도 활용되고 있다. 또한 재난 탈출을 도와주는 역할도 한다. 재난 영화 '엑시트'의 한 장면을 보면 재난 현장에 갇혀 있던 주인공들의 탈출을 돕는 데 드론이 큰 몫을 담당한다.

드론은 부정적인 면과 긍정적인 면을 동시에 갖고 있어 [㉠]과/와도 같다. 어느 용도로 활용하느냐에 따라 위험천만한 살상 무기가 될 수도 있고, 사람의 생명을 구하는 역할을 할 수도 있다. 지금 당장 드론의 발전이나 사용을 막을 수는 없다. 드론을 어떤 방향으로 사용할 것인지에 대한 선택과 집중이 필요한 때이다.

• **착안**
어떤 일을 주의하여 봄. 또는 어떤 문제를 해결하기 위한 실마리를 잡음.

• **저공**
지면이나 수면에 가까운 낮은 하늘.

• **수색**
구석구석 뒤지어 찾음.

• **위험천만**
위험하기 짝이 없음.

1 **이 글의 내용과 일치하지 않는 것은 무엇인가요? (   )**

① 드론은 초기에는 군사용으로 개발되었다.
② 요즘에는 드론의 용도가 다양해지고 있다.
③ 대부분의 드론은 하늘 높이 고속으로 날기 때문에 탐지가 어렵다.
④ 드론이라는 이름은 벌이 날아다니며 웅웅대는 소리에 착안해 붙여졌다.
⑤ 드론은 대규모 병력이나 특수 장비 없이도 적의 핵심 시설을 마비시킬 수 있다.

2 **문맥을 고려할 때, ㉠에 들어갈 말로 알맞은 것은 무엇인가요? (   )**

① 양날의 검
② 벼룩의 간
③ 독 안에 든 쥐
④ 빛 좋은 개살구
⑤ 우물 안 개구리

3 **다음 중 일상생활에서 드론으로 할 수 있는 일이 아닌 것은 무엇인가요? (   )**

① 재난 탈출을 도와주는 일
② 씨를 뿌려 농사를 돕는 일
③ 적을 파악하고 폭격하는 일
④ 잃어버린 실종 아동을 찾는 일
⑤ 산불의 발화 지점을 찾아 진화하는 일

글쓴이의 관점이나 의도 파악하기

4

다음 중 글쓴이와 의견이 가장 비슷한 사람은 누구인지 쓰세요.

수능에서는
글쓴이의 의견을 이해하거나 비판해 보는 문제가 출제돼. 의견은 견해라는 말로 쓰이기도 하는데, 어떤 사물이나 현상에 대해 갖는 생각을 말해.

재석: 드론이 사람을 죽이는 데 사용되다니 너무 무서운걸. 국제 사회는 드론의 사용과 개발을 전면 금지해야 해.

정국: 드론은 실종자를 찾거나 산불을 진화하는 등 사람을 살리는 데도 잘 활용되고 있어. 그러니까 적극적으로 드론을 개발해야 해.

세호: 드론의 사용을 막을 수는 없어. 일상생활을 편리하게 하는 방향으로 기술을 발전시켜 나가야 해.

( )

글쓴이의 관점이나 의도 파악하기

5

이 글을 쓴 글쓴이의 의도로 알맞은 것은 무엇인가요? ( )

① 드론의 개발을 주장하기 위해
② 드론이 나온 영화를 홍보하기 위해
③ 사람들에게 드론의 위험성을 알리기 위해
④ 드론에 대해 잘못 알고 있던 내용을 바로잡기 위해
⑤ 드론의 올바른 사용 방향에 대해 함께 고민하기 위해

 한줄요약

6

빈칸에 알맞은 말을 넣어 이 글의 핵심 내용을 한 문장으로 요약하세요.

드론 선택 용도

[ ]은 어느 [ ]로 활용하느냐에 따라 위험천만한 살상 무기가 될 수도 있고, 사람의 생명을 구하는 역할을 할 수도 있으므로, 어떤 방향으로 사용할 것인지에 대한 [ ]과 집중이 필요하다.

• 낱말이 한자로는 어떻게 쓰이는지 살펴보고, 예문을 참고해 빈칸을 채워 보세요.

❶

着眼 붙을 [ㅏ] 눈 [안]

이 장난감은 용수철의 원리에서 [ㅏ][안]되었다.

❷

把握 잡을 [파] 쥘 [ㅏ]

검찰은 사건의 진상 [파][ㅏ]에 나섰다.

❸

投入 던질 [ㅌ] 들 [ㅇ]

막대한 제작비가 [ㅌ][ㅇ]되었다.

• 낱말의 뜻을 참고하여, 다음 문장의 빈칸에 들어갈 알맞은 낱말을 완성하세요.

❹ 우리 연구 팀은 신제품 [ㄱ][갈]을 시작했다.

지식이나 재능 따위를 발달하게 함.

❺ 우리는 경찰에게 과잉 [ㅈ][ㅇ]을 항의했다.

강압적인 힘으로 억눌러 진정시킴.

❻ 방학 기간 [ㅎ][ㅎ]을 어떻게 할지에 대해 의논해 보자.

충분히 잘 이용함.

❼ 무차별적인 [ㅅ][ㅅ]이 벌어지는 전쟁은 어떠한 이유에서도 용납될 수 없다.

사람을 죽이거나 상처를 입힘.

5 WEEK 3 DAY

월 일

맞힌 개수 개

칭찬의 효과

㉠'칭찬은 고래도 춤추게 한다.'라는 말이 있습니다. 이는 칭찬의 긍정적인 효과를 강조하는 말입니다. 하지만 다음 실험은 칭찬의 효과에 대해 다시 한번 생각해 보게 합니다.

㉡한 방송사에서 칭찬에 대한 실험을 했습니다. 아이는 선생님과 함께 기억력 테스트를 합니다. 아이가 몇 단어를 외우고 순서대로 칠판에 써 내려가기 시작할 때, 선생님이 이렇게 이야기합니다. "너 정말 똑똑하구나.", "대단한데?", "정말 머리가 좋구나." 이런 이야기를 끊임없이 해 주고 아이가 단어를 쓰는 중간에 선생님은 잠깐 자리를 비운다며 아이가 외웠던 단어 카드를 책상 위에 두고 나갑니다. 선생님께 무조건적인 칭찬을 받았던 아이들은 선생님이 자리를 비운 사이 어떻게 행동했을까요? ㉢안타깝게도 아이들 대부분은 답을 몰래 보고 말았습니다. 칭찬을 해 준 선생님의 기대를 무너뜨리고 싶지 않았기 때문입니다. ㉣한 심리학자는 칭찬에 대해 이렇게 이야기합니다.

"만약 당신이 어떤 사람의 재능을 칭찬할 경우 그 사람은 매 순간 자신이 완벽해야 한다는 생각을 갖게 됩니다. 그러면 실험에서 본 것과 같이 그들은 부정행위를 해서라도 똑똑하게 보이려고 노력할 것입니다."

우리는 이 실험을 통해 어떤 칭찬은 오히려 독이 될 수도 있음을 알 수 있습니다. 그렇다면 어떻게 칭찬을 해야 할까요? 칭찬의 효과를 높이는 대표적인 방법은 재능보다 노력을 칭찬하는 것입니다. 최선을 다하는 과정 자체가 칭찬받을 만한 일이기 때문입니다. 흔히 하는 '최고야!', '똑똑하구나!'와 같은 말은 노력보다는 재능에 대한 칭찬입니다. 반면에 '노력했구나!', '열심히 했구나!'와 같은 말은 어떤 일을 하는 과정에 대한 칭찬입니다. ㉤결과보다는 과정에 대한 칭찬, 포기하지 않는 자세에 대한 칭찬이 올바른 칭찬의 자세일 것입니다.

- **부정행위**
  올바르지 못한 행위.
- **최선**
  가장 좋고 훌륭함. 또는 그런 일.
- **자체**
  다른 것을 제외한 사물 본래의 몸체. 또는 바로 그 본래의 바탕.

1 이 글의 서술 방식에 해당하는 것을 보기 에서 모두 고르세요.

수능에서는
두 가지의 차이를 밝히기 위해 서로 맞대어 비교하는 것을 대비라는 용어로 표현해. 낯선 용어라고 당황하지 말자.

보기
㉮ 전문가의 견해를 통해 자신의 주장을 뒷받침하고 있다.
㉯ 구체적인 사례를 제시하며 독자의 이해를 돕고 있다.
㉰ 상반되는 주장을 절충하여 해결 방안을 제시하고 있다.
㉱ 두 대상의 특징을 대비하여 내용을 전개하고 있다.

( )

2 이 글을 읽고 난 뒤, 보기 의 준수 엄마가 준수에게 했을 칭찬으로 알맞은 것은 무엇인가요? ( )

보기
준수는 학교 운동회에서 달리기를 하다가 넘어졌다. 하지만 벌떡 일어나 달려서 결승선에 1등으로 들어왔다. 그것을 본 엄마는 경기가 끝난 뒤 준수를 칭찬하셨다.

① 대단한데? 준수는 달리기가 정말 빠르구나.
② 우리 준수는 다음에도 1등 할 수 있을 거야!
③ 준수는 재능이 있어서 달리기를 잘하는구나.
④ 와, 준수가 1등으로 들어와서 엄마는 정말 기뻐!
⑤ 준수가 넘어져도 포기하지 않고 달리는 모습이 보기 좋았어.

3 다음 중 '칭찬하다'와 반대의 의미를 가진 낱말은 무엇인가요? ( )

① 질책하다
② 칭송하다
③ 평가하다
④ 전달하다
⑤ 환영하다

4

이 글의 주제로 가장 적절한 것은 무엇인가요? (　　　)

① 칭찬에는 여러 가지 긍정적인 효과가 있다.
② 무조건적인 칭찬은 사람을 똑똑하게 만든다.
③ 칭찬은 사람을 변화시키는 효과적인 방법이다.
④ 칭찬을 해 준 사람의 기대를 무너뜨리지 말아야 한다.
⑤ 결과보다는 과정, 포기하지 않는 자세에 대한 칭찬이 필요하다.

글쓴이의 관점이나 의도 파악하기

5

㉠~㉤ 중, 글쓴이의 의견이 나타난 것은 무엇인가요? (　　　)

① ㉠　② ㉡　③ ㉢　④ ㉣　⑤ ㉤

한줄요약

6

빈칸에 알맞은 말을 넣어 이 글의 핵심 내용을 한 문장으로 요약하세요.

과정　포기　결과

[　　]보다는 [　　]에 대한 칭찬, [　　]하지 않는 자세에 대한 칭찬이 올바른 칭찬의 자세이다.

1 보기 의 빈칸에 공통으로 들어갈 알맞은 말을 쓰세요.

보기

㉠ 수연이는 나에게 입조심을 거듭 [ ][ ]했다.

㉡ 중요한 부분에 줄을 쳐 [ ][ ]해 두었다.

㉢ 어머니는 나에게 저축의 필요성을 [ ][ ]하셨다.

㉣ 이 그림은 특히 명암을 [ ][ ]했다.

( )

• 낱말이 한자로는 어떻게 쓰이는지 살펴보고, 예문을 참고해 빈칸을 채워 보세요.

2

肯定

옳게 여길 [ㄱ]

정할 [ㅈ]

그는 [ㄱ][ㅈ]적으로 고개를 끄덕였다.

3

不正

아닐 [ㅜ]

바를 [ㅈ]

그는 사소한 [ㅜ][ㅈ]도 참지 못했다.

4

過程

지날 [ㄱ]

단위 [ㅈ]

모든 일은 결과만큼 [ㄱ][ㅈ]도 중요하다.

월 일

맞힌 개수 개

아버지의 뒷모습 _ 주자청

우리 부자는 강을 건너 기차역에 이르렀다. 나는 아버지께 짐을 지키고 계시라고 하고는 역사 안으로 들어가 차표를 샀다. 짐을 옮기려면 아무래도 짐이 많아서 짐꾼에게 웃돈을 얹어 줘야 할 것 같았다. 아버지는 그네들과 한바탕 흥정을 벌이고 계셨다. 내가 옆에서 보기에도 아버지는 역부족이었다. 내가 나서야 할 것 같았다. 그러나 아버지는 끝내 당신이 품삯을 흥정하고야 말았다. 나는 기차에 올랐다. 찻간까지 따라오신 아버지는 창가 쪽에 자리를 잡아 주셨다. 나는 그 자리에 아버지가 주신 자주색 외투를 깔았다. 아버지는 작별 인사를 하듯 이야기하셨다.

"얘야, 조심해서 가거라. 밤에는 각별히 주의하고, 그리고 감기 들지 않도록 잘해라."

아버지는 여기서 그치지 않고 ㉠또 기차 안의 심부름꾼에게 나를 부탁하는 것이었다. 나는 속으로 아버지의 어리숙함을 비웃었다. '돈만 아는 사람들한테 부탁은 무슨 부탁! 더군다나 나같이 이렇게 다 큰 청년을 맡기다니. 내가 스스로 알아서 어련히 잘할라고.' 아, 지금에 와서 생각해 보니 그 당시 난 지나치게 똑똑하게 굴었던 것 같다. 나는 아버지를 안심시키는 투로 말했다.

"아버지, 이제 그만 가 보세요."

아버지는 내 말에 아랑곳하지 않고 차창 밖을 바라보시더니 이내 말씀하셨다.

"내 나가서 귤 좀 사 올 테니 너는 여기 가만히 있거라."

나는 고개를 돌려 창밖을 내다보았다. 저쪽 플랫폼 난간 밖으로 즐비하게 늘어선 상인들이 물건을 팔고 있는 것이 보였다. 하지만 그곳까지 가려면 철로를 건너야 했다. 그것도 이쪽 플랫폼에서 뛰어내린 다음 다시 저쪽 플랫폼으로 올라가야 했다. 몸이 뚱뚱하신 아버지로서는 여간 힘든 일이 아니었다. 마땅히 내가 가야할 것 같아 자리에서 일어났다. 그러나 아버지는 한사코 당신이 가시겠다는 것이다. 나는 하는 수 없이 도로 자리에 앉았다.

검은색 중절모를 쓰고 검은색 마고자에 남색 두루마기를 입으신 아버지의 모습이 눈에 들어왔다. 아버지는 철로 변을 약간 휘청거리면서도 천천히 살펴 가고 계셨다. 이때의 아버지는 그다지 힘들어 보이지 않았다. 이제 철로를 다 건너서 저쪽 플랫폼에 오르려고 할 때는 그리 쉽지 않을 것이다. 아버지는 먼저 양손을 플랫폼 위 바닥에 댄 채 두 다리를 모으고는 위로 오르려고 한껏 뛰셨다. 순간 뚱뚱한 몸이 중

• **역사**
역으로 쓰는 건물.

• **품삯**
품(어떤 일에 드는 힘이나 수고)을 판 대가로 받거나, 품을 산 대가로 주는 돈이나 물건.

• **마고자**
저고리 위에 덧입는 웃옷. 저고리와 비슷하게 생겼으나 깃과 고름이 없고 앞을 여미지 않으며, 단추를 달아 입음.

• **역력했다**
자취나 기미, 기억 따위가 환히 알 수 있게 또렷했다.

심을 잃으며 왼쪽으로 기우뚱했다. 몹시 힘겨워하시는 모습이 역력했다. 아버지의 뒷모습을 지켜보고 있던 나는 가슴이 뭉클해졌다. 나도 모르게 눈가에 눈물이 글썽거렸다. 얼른 고개를 떨구며 눈물을 훔쳤다. 남의 시선을 의식해서였지만 무엇보다 아버지한테 눈물 자국을 보이고 싶지 않았다.

1 **이 글에서 확인할 수 있는 내용이 아닌 것은 무엇인가요? (　　　)**

① 아버지는 몸이 뚱뚱한 편이다.
② 아버지는 검정색 중절모를 쓰고 있다.
③ 나는 감기에 걸려서 움직이기가 어려웠다.
④ 나의 짐이 많아서 짐꾼에게 부탁해야 했다.
⑤ 플랫폼 밖에서 상인들이 물건을 팔고 있었다.

2 **이 글에서 아버지의 헌신적인 사랑을 상징하는 소재는 무엇인지 찾아 쓰세요.**

(　　　　　　　　)

글쓴이의 관점이나 의도 파악하기

수능에서는
인물의 심리 변화를 묻는 문제가 자주 나오는데, 이는 관점의 변화이기도 해. 인물의 심리는 공간, 시간, 상황에 따라 변할 수 있고, 행동이나 대화, 내면 서술에서 나타날 수 있으니 잘 살펴보자.

3 **다음은 아버지를 바라보는 글쓴이의 심리 변화를 정리한 것입니다. (　　) 안에 들어갈 알맞은 말을 쓰세요.**

아버지의 모습		글쓴이의 심리
짐꾼들과 흥정함.	〉	아버지가 세상 물정에 어두운 것 같아 못미더움.
기차 안의 심부름꾼에게 '나'를 부탁함.	〉	아버지의 (　　　　　　)을/를 비웃음.
힘겹게 귤을 사러 가심.	〉	아버지의 (　　　　　　)을/를 깨닫고 눈물을 흘림.

4

아버지가 ㉠과 같이 행동한 이유는 무엇인가요? (   )

① 아들을 걱정했기 때문에
② 아들을 안심시키기 위해서
③ 아들이 건강하지 못하기 때문에
④ 아들이 차표를 사지 않았기 때문에
⑤ 아들이 똑똑하지 못하다고 생각했기 때문에

5

이 글의 주제로 가장 알맞은 것은 무엇인가요? (   )

① 아버지를 공경하는 마음
② 자식에 대한 아버지의 사랑
③ 아버지에 대한 아들의 효심
④ 고향의 아버지에 대한 그리움
⑤ 아버지에게 효도하지 못한 후회

한줄요약

6

빈칸에 알맞은 말을 넣어 이 글의 핵심 내용을 한 문장으로 요약하세요.

사랑　　모습　　아들

떠나는 [ ][ ]을 위해 귤을 사러 가는 아버지의 뒷[ ][ ]을 보고, 자식에 대한 아버지의 헌신적인 [ ][ ]에 대해 느낀 점을 쓴 글이다.

- **다음은 가족에 관한 속담입니다. 속담의 뜻을 참고하여 빈칸에 들어갈 알맞은 말을 쓰세요.**

1. 고슴도치도 제 [ㅅ][ㅣ]가 제일 곱다고 한다.
   어버이 눈에는 제 자식이 다 잘나고 귀여워 보인다는 말.

2. 열 손가락 깨물어 안 아픈 [ㅅ][ㄱ][ㄹ]이 없다.
   아무리 자식이 많아도 귀엽지 않은 자식은 없다는 말.

3. [ㅍ]는 물보다 진하다.
   가족 간의 정이 깊음을 이르는 말.

4. [ㄱ][ㅣ] 많은 나무에 바람 잘 날이 없다.
   자식을 많이 둔 어버이에게는 근심, 걱정이 끊일 날이 없음을 비유적으로 이르는 말.

- **낱말의 뜻을 참고하여, 다음 문장의 빈칸에 들어갈 알맞은 낱말을 완성하세요.**

5. 입장권이 [ㅇ][ㄷ]이 붙어 비밀리에 판매되었다.
   본래의 값에 덧붙이는 돈.

6. 엄마는 과일 가게 앞에서 상인과 [ㅎ][ㅈ]을 하고 있었다.
   물건을 사거나 팔기 위하여 품질이나 가격 따위를 의논함.

7. 열차가 [ㅡ][랫][ㅍ]으로 들어서자 승객들은 서둘러 내릴 준비를 했다.
   역에서 기차를 타고 내리는 곳.

8. 뜰에 핀 꽃이 [ㅇ][ㄱ] 탐스럽지 않았다.
   그 상태가 보통으로 보아 넘길 만한 것임을 나타내는 말.

9. 그 일은 [ㄱ][다][ㅈ] 어려울 것은 없지만 조금 번거롭다.
   그러한 정도로는. 또는 그렇게까지는.

월 일
맞힌 개수 개

까마귀를 바라보는 시선

가 ㉠까마귀 싸우는 골짜기에 ㉡백로야 가지마라.
성낸 까마귀가 흰빛을 샘낼까 염려스럽구나.
㉢청강(淸江)에 기껏 씻은 몸을 더럽힐까 하노라.

고려 말에 새로 등장한 정치 세력과 무인들은 고려 사회를 개혁하려고 했습니다. 그러나 그들 가운데에서 정몽주와 이성계가 생각하는 개혁 방법은 달랐습니다. 정몽주는 고려를 유지하면서 개혁해야 한다고 생각했고, 이성계는 고려를 무너뜨리고 새로운 왕조를 세우고자 했습니다. 하루는 정몽주가 이성계를 문병 가던 날, 팔순이 가까운 그의 어머니가 간밤의 꿈이 흉하니 가지 말라고 문밖까지 따라 나와 이 노래를 불렀다고 합니다. 정몽주는 결국 어머니의 말씀을 듣지 않고 갔다가 돌아오는 길에 이방원이 보낸 자객에게 죽임을 당하고 말았습니다.

나 ㉣까마귀 검다 하고 ㉤백로야 비웃지 마라.
겉모습이 검다고 그 속까지 검기야 하겠느냐?
아마도 겉모습은 희고 속은 검은 것은 너뿐인가 하노라.

고려 왕조가 망한 뒤 일부 고려 유신들은 절의를 지켰지만, 한편으로 새 왕조에 가담한 사람들도 있었습니다. 이직은 고려의 신하였지만 고려가 망하고 조선을 세우는 데 뜻을 같이했습니다. 고려의 유신들은 고려를 배신한 이직을 ⓐ손가락질했습니다. 이 시조에서 이직은 그런 사람들에게 자기 입장을 밝히고 있습니다. 비록 자신은 남들에게 손가락질을 받는 처지이지만, 실상 비판받아야 할 것은 겉은 흰 듯하지만 속이 검은 백로 같은 부류의 사람들이라는 것을 말하고 있습니다.

• **백로**
왜가릿과의 새 가운데 몸빛이 흰색인 새를 통틀어 이르는 말.

• **청강**
맑은 물이 흐르는 강.

• **무인**
무사인 사람. 곧 무예를 닦은 사람을 이름.

• **절의**
절개와 의리를 아울러 이르는 말.

글쓴이의 관점이나 의도 파악하기

1 가 와 나 에서 대상에 대한 관점이 대조적으로 나타나고 있는 것을 찾아 쓰세요.

	긍정적 대상	부정적 대상
가		
나		

2 가 와 나 에서 공통적으로 나타나는 표현상의 특징이 아닌 것은 무엇인가요? (　　　)

수능에서는
풍자가 나타난 글이 자주 나와. 풍자란 사회적 현상이나 현실을 과장, 왜곡, 비꼬는 방법으로 나타내는 것을 말해. 주어진 사실을 곧이곧대로 드러내지 않고 과장하거나 왜곡, 비꼬아서 표현하여 우스꽝스럽게 나타내는 거야.

① 시간의 흐름에 따라 서술하고 있다.
② 화자는 백로에게 말을 건네고 있다.
③ 마주하고 있는 현실 상황을 풍자하고 있다.
④ 사람이 아닌 것들을 마치 사람처럼 표현하고 있다.
⑤ 흰색과 검은색의 대조를 통해 주제를 강조하고 있다.

3 보기 를 바탕으로 가 와 나 를 감상할 때, ㉠~㉤ 중 작가와 같은 상황에 있는 시적 대상은 무엇인가요? (　　　)

보기
화자는 작품 안에서 말하는 사람이고, 시적 대상은 화자가 중요하게 이야기하는 대상이 되는 사람, 사물 혹은 현상을 말합니다. 작가는 작품 안에서 자신의 상황과 같은 처지의 시적 대상에 감정을 이입해 자신의 생각을 효과적으로 전달하기도 합니다.

① ㉠　② ㉡　③ ㉢　④ ㉣　⑤ ㉤

글쓴이의 관점이나 의도 파악하기

4

가 와 나 중, 보기 의 설명과 밀접한 관련이 있는 것을 기호로 쓰세요.

보기

까마귀는 깃털색이 검고 울음소리도 불길한 느낌을 주어 나쁜 징조를 나타내는 새로 알려져 왔다. 하지만 이런 까마귀를 한편에서는 새끼가 자라 늙은 어미에게 먹이를 물어다 먹인다고 하여 반포조(反哺鳥)라고 한다. 반포는 받아먹은 것을 되돌려 갚는다는 말이다. 이렇게 보면 까마귀야말로 겉은 검어도 속은 흰 새이다. 겉으로는 흰 척하면서 속은 검다 못해 시커먼 사람보다 나아 보이기도 한다.

( )

5

문맥상 ⓐ와 의미가 <u>다른</u> 것은 무엇인가요? ( )

① 온 동네가 그 집안을 <u>손가락질했다</u>.
② 뒤에서 <u>손가락질하는</u> 민수가 더 나쁘다.
③ 국민들이 그를 매국노라고 <u>손가락질했다</u>.
④ 사람들은 항상 잘난 척하는 그를 <u>손가락질했다</u>.
⑤ 그가 나에게 <u>손가락질해</u> 자리가 비어 있는 곳을 알려 주었다.

한줄요약

6

빈칸에 알맞은 말을 넣어 이 글의 핵심 내용을 한 문장으로 요약하세요.

까마귀 대조 백로

가 의 '까마귀 싸우는 골짜기에 ~'와 나 의 '까마귀 검다 하고 ~'는 고려 말, 조선 초의 시조로 [ ][ ][ ]와 [ ][ ]를 [ ][ ]적인 관점으로 나타내고 있다.

• 다음 문장을 읽고, 두 낱말 중 알맞은 것을 찾아 ○표 하세요.

1. 계곡 물이 [골짝이 / 골짜기]를 굽이굽이 흐른다.

2. 너는 일을 아침부터 시작했는데 [기껀 / 기껏] 이것밖에 못했니?

3. 잘못된 제도를 [개혁 / 개방]해야 한다.

4. 닭과 오리는 같은 [부류 / 분류]에 속한다.

• 낱말의 뜻을 참고하여, 다음 문장의 빈칸에 들어갈 알맞은 낱말을 완성하세요.

5. 병풍 뒤에는 장군을 해치려는 [ㅈ][ㄱ]이 숨어 있었다.
사람을 몰래 죽이는 일을 전문으로 하는 사람.

6. 이 시조는 고려의 [ㅇ][ㅣ]인 길재의 작품이다.
왕조가 망한 뒤에 남아 있는 신하.

7. 독립운동가는 동지의 [ㅂ][ㅣ]으로 체포되었다.
믿음이나 의리를 저버림.

8. 사장님은 그 사건으로 [ㅇ][ㅈ]이 난처하게 되었다.
당면하고 있는 상황.

9. 그는 매사에 너무 [ㅂ][ㅍ]적이다.
현상이나 사물의 옳고 그름을 판단하여 밝히거나 잘못된 점을 지적함.

마무리

글쓴이의 관점이나 의도를 파악하려면?

사실과 의견을 구분해요

► 4학년

❶ 사실과 의견 구분하기

사실	경험한 것이나 조사한 것, 실험한 결과 등 있는 그대로를 나타낸 것 예 축구는 두 팀이 발이나 머리를 사용하여 공을 상대편 골대에 넣는 경기이다.
의견	사실에 대한 생각이나 느낌, 판단을 나타낸 것 예 축구는 가장 신나는 스포츠이다.

- **사실은 주로 지식을 전달하거나 정보 전달하기를 목적으로 많이 사용됨.**
- **의견은 주장을 하거나 설득하기를 목적으로 많이 사용됨.**
- **사실과 의견 중 글쓴이의 관점이나 의도는 의견에 나타남.**

글쓴이의 관점이나 의도 파악하기

► 6학년

❶ 관점의 뜻 알기 관점에 따라 같은 사물이나 현상도 다르게 보일 수 있습니다.

관점은 사물이나 현상을 관찰할 때 그 사람이 바라보는 **태도**나 **방향** 또는 **처지**를 뜻합니다. 사람마다 관점이 다른 까닭은 사람마다 갖고 있는 지식, 경험, 속한 문화가 다르기 때문입니다

❷ 글쓴이의 의도를 파악해야 하는 까닭 이해하기

글쓴이의 의도를 파악하면 글쓴이가 글을 쓴 **목적**을 알 수 있고, 글의 내용을 좀 더 깊이 있게 **이해**할 수 있기 때문입니다.

㉮와 ㉯의 관점이 나타난 ~

26. ㉮와 ㉯의 관점이 나타난 작품평을 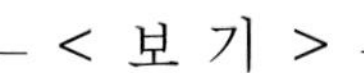 에서 골라 순서대로 배열한 것은?

< 보 기 >

ㄱ. 금방이라도 나무를 박차고 날 것 같은 독수리의 생명력이 느껴져.

ㄴ. 독수 에 그

수능에는 글쓴이의 관점에서 〈보기〉의 자료를 바르게 이해할 수 있는지를 묻는 문제가 나와요.

ㄷ. 독수리의 매서운 눈빛을 보니 마치 화가가 독수리가 된 듯한 경지에서

글쓴이의 태도가 담긴 표현을 찾아라

글쓴이가 사물이나 현상에 대해 생각하는 태도나 방향을 '글쓴이의 관점'이라고 합니다. 같은 사물이나 현상이라도 글쓴이의 관점에 따라 의도가 다른 글이 될 수 있습니다. 주로 글쓴이가 글에서 중점적으로 알려 주고 있는 내용, 글쓴이의 생각이나 태도를 나타내는 표현, 글의 제목을 그렇게 붙인 까닭 등을 파악하면 좀 더 쉽게 글쓴이의 관점을 찾을 수 있습니다.

글의 중심 내용을 이해한다. > 중심 내용에 대한 글쓴이의 태도가 드러난 표현을 찾는다. > 글쓴이의 관점과 의도를 파악한다.

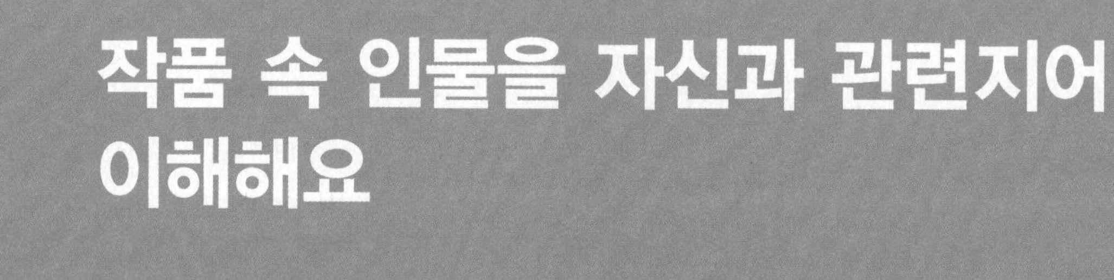

수능까지 연결되는 초등 독해

WEEK 6

작품 속 인물을 자신과 관련지어 이해해요

나도 슈바이처처럼 될 수 있을까

환희는 학교 숙제로 장래 희망에 대한 글짓기를 하기 위해 '슈바이처'란 책을 읽고 있습니다. 평소 곤경에 처한 친구를 잘 도와주는 환희는 어른이 되어서도 남에게 도움을 줄 수 있는 직업을 갖고 싶어 합니다. 환희는 작품 속 인물과 자신을 비교하며 어떤 생각을 하고 있나요?

환희는 슈바이처의 위인전을 읽고 평소 자신의 모습과 비슷한 점을 발견했어요. 그리고 어른이 되면 슈바이처와 같은 의사가 되겠다는 생각을 하게 되었습니다. 이처럼 **작품 속 인물의 생각과 행동을 보면 인물이 추구하는 가치가 무엇인지 알 수 있습니다.**

환희가 위인전을 읽고 작품 속 인물의 삶과 자신을 비교하며 장래 희망을 구체적으로 정한 것처럼, 글을 읽으며 작품 속 인물이 추구하는 가치를 여러분의 삶과 관련지어 생각해 볼 수도 있습니다. 자, 그럼 이제 다양한 글에 나오는 인물의 삶을 살펴보러 가 볼까요?

6 WEEK 1 DAY

월 일

맞힌 개수 개

실전 독해 훈련

삼촌의 직업 / 배추의 마음

가 남들은 우리 삼촌을 백수라고 부르지만
삼촌은 여름 내내 구슬땀을 흘린다
야외 결혼식 올리는 매미들에게
잘 살아라 주례사로 축복해 주고
세상 떠나는 매미들에게
일일이 장례식을 치러 준다
삼촌한테 백수라고 부르지 말았으면 한다
직업의 자유를 인정해 주었으면 한다

– 김민희, 〈삼촌의 직업〉

나 배추에게도 마음이 있나 보다
씨앗 뿌리고 농약 없이 키우려니
하도 자라지 않아
가을이 되어도 헛일일 것 같더니
여름내 밭둑 지나며 잊지 않았던 말
— 나는 너희로 하여 기쁠 것 같아
— 잘 자라 기쁠 것 같아.

늦가을 배추 포기 묶어 주며 보니
그래도 튼실하게 자라 속이 꽤 찼다.
— 혹시 배추벌레 한 마리
이 속에 갇혀 나오지 못하면 어떡하지?
꼭 동여매지도 못하는 ㉠사람 마음이나
배추벌레에게 반 넘어 먹히고도
속은 점점 순결한 잎으로 차오르는
㉡배추의 마음이 뭐가 다를까?
배추 풀물이 사람 소매에도 들었나 보다.

– 나희덕, 〈배추의 마음〉

• 내내
처음부터 끝까지 계속해서.

• 포기
뿌리를 단위로 한 초목의 낱개.

• 튼실하게
튼튼하고 실하게.

1

가 에서 알 수 있는 '삼촌'의 모습이 아닌 것은 무엇인가요? (   )

① 삼촌은 직업이 없다.
② 삼촌은 매미를 연구하는 사람이다.
③ 삼촌은 여름 동안 매미를 관찰하며 지냈다.
④ 삼촌은 자연의 생명체에 애정을 갖고 있다.
⑤ 사람들에게 삼촌은 할 일 없이 노는 사람으로 여겨진다.

2

가 에서 화자가 긍정적으로 생각하는 삶의 방식은 무엇인가요? (   )

수능에서는
화자의 태도나 정서를 묻는 문제가 자주 출제돼. 이때 시의 화자는 시인 자신일 수도 있고 시인이 창조한 어떤 인물일 수도 있어. 중요한 것은 시에서 화자가 긍정적으로 바라보는 것은 결국 시인이 추구하는 삶의 방식이라는 거야.

① 자연 속에서 여유롭고 편안한 삶을 사는 것
② 조금 힘들더라도 남을 위해 자신을 희생하며 사는 것
③ 누가 봐도 중요하다고 여길 수 있는 일을 하며 사는 것
④ 매일매일이 똑같은 생활의 반복일지라도 성실하게 사는 것
⑤ 각자의 처지와 상황에서 의미 있다고 생각하는 삶을 사는 것

3

다음은 나 의 ㉠과 ㉡의 공통점을 정리한 것입니다. ⓐ와 ⓑ에 들어갈 알맞은 말을 바르게 묶은 것은 무엇인가요? (   )

> 사람은 배추에게 농약도 주지 못하고 배춧속 배추벌레마저 걱정한다. 배추는 배추벌레에게 기꺼이 자신의 몸을 내어 주고도 자신을 키우는 사람을 위해 열심히 자랐다. 이러한 둘의 마음을 통해 우리는 작은 [ⓐ]도 소중히 여기며 상대방을 [ⓑ]하는 마음을 엿볼 수 있다.

	ⓐ	ⓑ
①	식물	사랑
②	존재	위로
③	이익	응원
④	생명	배려
⑤	관계	재촉

4

나 에서 알 수 있는 화자의 경험으로 알맞지 않은 것은 무엇인가요? (　　　)

① 배추벌레가 배추를 반이나 넘게 먹었다.
② 화자는 여름 내내 열심히 배추를 키웠다.
③ 농약 없이 키웠더니 배추가 결국 잘 자라지 않았다.
④ 화자는 배추를 키우며 배추에게 끊임없이 말을 건넸다.
⑤ 화자는 배추벌레를 생각하며 끝을 꼭 동여매지 않았다.

작품 속 인물을 자신과 관련지어 이해해요

한 편의 글이나 문학 작품에는 글쓴이가 독자에게 말하고 싶은 바가 담겨 있습니다. 이것을 주제라고 해요. 저학년에서는 작품의 주제를 파악하는 것을 배웠다면, 고학년에서는 주제를 통해 깨달은 바를 자신의 삶과 관련지어 생각해 봄으로써 작품의 의미를 더욱 깊이 이해할 수 있어야 해요!

저학년에서는 글의 주제를 파악해요		고학년에서는 작품 속 인물을 자신과 관련지어 이해해요

작품 속 인물을 자신과 관련짓기

5

가 와 나 를 자신의 삶과 관련지어 바르게 감상하지 못한 사람은 누구인가요? (　　　)

① **소현:** 방학 때 내가 잠만 잔다고 엄마는 야단치셨지만, 나는 가 의 삼촌처럼 나름대로 의미 있는 시간을 가진 거였어. 자는 동안 공부에 지친 몸을 회복했거든.
② **민우:** 가 의 삼촌은 일반적 기준에서는 일하지 않는 사람처럼 보이지만, 삼촌의 기준에서는 열심히 일하고 있던 거였어. 엄마의 기준에서는 내가 공부를 전혀 하지 않는 것처럼 보이겠지만, 내 기준에서는 최선을 다하고 있는 것처럼 말이야.
③ **경찬:** 나 의 화자를 보면서 상대를 진심으로 아끼고 걱정하는 것이 얼마나 큰 힘을 갖는지 배웠어. 나도 이제 친구를 사귈 때 진심으로 대해야겠다는 생각을 했어.
④ **대정:** 나 의 화자는 생명을 아끼는 마음이 큰 것 같아. 이 시를 읽으면서 단지 징그럽다는 이유로 벌레가 나타나면 무조건 죽이려고만 했던 내가 조금 부끄러워.
⑤ **로운:** 가 의 삼촌과 나 의 화자는 모두 일하는 기쁨을 느끼며 매일 규칙적으로 살아가고 있어. 나도 이제 좀 더 규칙적으로 생활해야겠어.

 한줄요약

6

빈칸에 알맞은 말을 넣어 이 글의 핵심 내용을 한 문장으로 요약하세요.

생명　　매미　　배추

가 는 직업은 없지만 여름내 [　　] 를 관찰하며 바쁘게 지내는 삼촌을 통해 '의미 있는 일'이란 무엇인지에 대해 다시 생각해 보게 하고 있으며, 나 는 [　　] 를 키우는 경험을 통해 [　　] 의 소중함을 말하고자 한다.

• 본문에 쓰인 낱말의 뜻을 칠판에 적어 놓았습니다. 그 뜻을 생각하면서 짧은 글을 지어 보세요.

[백수] 돈 한 푼 없이 빈둥거리며 놀고먹는 사람.
[구슬땀] 구슬처럼 방울방울 맺힌 땀.
[농약] 농작물에 해로운 벌레, 병균, 잡초 따위를 없애거나 농작물이 잘 자라게 하는 약품.
[동여매다] 끈이나 새끼, 실 따위로 두르거나 감거나 하여 묶다.

1 백수 ....

2 구슬땀 ....

3 농약 ....

4 동여매다 ....

• 낱말의 뜻을 참고하여, 다음 문장의 빈칸에 들어갈 알맞은 낱말을 완성하세요.

5 오늘 결혼식의 [ㅈ][ㄹ][사]는 무척 감동적이었어.
결혼식을 주재하는 사람이 신랑, 신부에게 해 주는 축하의 말.

6 할머니께서는 [ㅂ][ㄷ]을 걸어가시다 미끄러지셨다.
밭보다 약간 높이 올라와 밭의 경계가 되고 사람이 걸어 다닐 수 있도록 한 둑.

7 그 아이는 정말 [ㅅ][ㄱ]한 눈빛으로 나를 바라보았다.
잡된 것이 섞이지 아니하고 깨끗함.

8 산길을 걸어왔더니 바지에 [ㅍ][ㅁ]이 잔뜩 들었다.
풀에서 나오는 퍼런 물.

월 일
맞힌 개수 개

집을 수리한 이야기 _ 이규보

행랑채가 낡고 허물어져서 방 세 칸을 지탱할 수 없을 지경이 됐다. 나는 어쩔 수 없이 이를 모두 수리했다. 세 칸 중에서 두 칸은 지난 장마에 비가 샌 지 오래되었으나 그 사실을 알고 있으면서도 망설이다가 손을 대지 못했다. 그러나 나머지 한 칸은 비를 한 번 맞아 지붕이 샜을 때 서둘러 기와를 갈았다.

[A] 그런데 이번에 수리하기 위해 살펴보니 비가 샌 지 오래된 두 칸은 서까래, 기둥, 들보가 모두 썩어서 못 쓰게 되었으므로 수리비가 엄청나게 들었고, 한 번만 비를 맞았던 한 칸의 재목들은 완전하여 다시 쓸 수 있었으므로 비용이 많이 들지 않았다.

이에 나는 크게 느낀 바가 있었다. 사람의 경우도 마찬가지라는 사실이다. 잘못을 알고서도 바로 고치지 않으면 마치 나무가 썩어서 못 쓰게 되는 것처럼 곧 그 사람은 돌이킬 수 없이 나쁘게 된다. 그러나 잘못을 알았을 때 기꺼이 고치면 저 집의 재목을 다시 쓸 수 있었던 것처럼 더 이상 나빠지지 않고 다시 착한 사람이 될 수 있는 것이다.

나라의 정치도 이와 같다. 백성들에게 조금씩 자꾸 해를 입히는 무리들을 그냥 방치했다가는 백성들의 생활이 몹시 어렵고 비참한 상태에 처하고 결국에는 나라가 위태롭게 된다. 사태가 악화된 다음에 바로잡으려 하면 이미 썩어 버린 재목처럼 때가 늦은 것이다. 그러니 어찌 조심하지 않을 수 있겠는가.

• **지탱**
오래 버티거나 배겨 냄.

• **지경**
'경우'나 '형편', '정도'의 뜻을 나타내는 말.

• **재목**
목조의 건축물 · 기구 따위를 만드는 데 쓰는 나무.

1

이 글의 글쓴이에게 일어났던 일이 아닌 것은 무엇인가요? (　　　)

① 행랑채가 낡고 허물어져서 수리를 하게 되었다.
② 행랑채 두 칸은 예전부터 비가 샜으나 고치지 않았었다.
③ 행랑채 한 칸은 비가 한 번 샜을 때 바로 기와를 갈았다.
④ 바로 고치지 않았던 두 칸의 재목은 모두 썩어서 쓸 수 없었다.
⑤ 바로 기와를 갈았던 한 칸 역시 수리비가 많이 들었다.

작품 속 인물을 자신과 관련짓기

수능에서는
글의 내용을 이해한 후 구체적인 상황이나 다른 상황에 적용하는 문제가 많이 출제돼. 이때는 글의 내용부터 정확히 이해한 후 주어진 상황과 어떤 부분이 관련되는지를 살펴야 해.

2

다음은 이 글을 쓰기 전 글쓴이가 자신의 경험을 적용해 생각한 내용입니다. ⓐ와 ⓑ에 들어갈 알맞은 말을 찾아 쓰세요.

> 글쓴이는 자신의 경험을 [ⓐ]이/가 자신에게 부족하거나 잘못된 점을 알게 된 경우와 나라에서 [ⓑ]을/를 하는 사람이 백성을 괴롭히는 나쁜 무리가 있음을 알게 된 경우에 적용해 생각했다.

ⓐ (　　　　　　　　) ⓑ (　　　　　　　　)

3

이 글의 구조를 다음과 같이 정리할 때, 빈칸에 들어갈 알맞은 말을 쓰세요.

글쓴이의 경험	
행랑채가 낡아 ❶[ ]를 하려는데, 예전에 비가 새는 것을 고치지 않고 내버려 둔 방의 재목은 모두 썩어서 쓸 수 없었지만, 비가 새는 것을 알고 바로 고쳤던 방의 재목은 완전해 다시 쓸 수 있었다.	
깨달음 1	**깨달음 2**
❷[ ]을 알고도 바로 고치지 않는 사람은 돌이킬 수 없이 나쁘게 된다.	백성들을 괴롭히는 무리들을 그냥 방치하면 백성이 비참한 상태에 처하고 ❸[ ]도 위태롭게 된다.

❶ (　　　　　　) ❷ (　　　　　　) ❸ (　　　　　　)

작품 속 인물을 자신과 관련짓기

4 **다음 중 글쓴이의 깨달음을 자신의 삶에 적용한 예로 알맞은 것은 무엇인가요?** (   )

① 이번 겨울방학에는 친구들과 여행을 가야겠어. 나에게도 휴식이 필요해.
② 부모님께서 쉬지 않고 일하시는 건 모두 나를 위해서야. 부모님을 위해서라도 지금보다 열심히 살아야겠어.
③ 내가 계속 짜증을 내면 친구들이 언젠가는 나와 놀지 않으려 하겠지? 이제 친구들에게 짜증 내지 말아야겠어.
④ 이번 시험에는 정말 열심히 공부할 거야. 그러고도 성적이 잘 나오지 않는다면 난 공부가 적성에 맞지 않는 거겠지.
⑤ 그 친구가 어제 나에게 갑자기 화를 낸 건 뭔가 다른 이유가 있기 때문일 거야. 그 이유가 뭔지 나중에 물어봐야겠어.

5 **[A]의 상황을 드러내기에 가장 알맞은 속담은 무엇인가요?** (   )

① 다 된 죽에 코 빠뜨리기
② 닭 쫓던 개 지붕 쳐다보듯
③ 가랑잎으로 눈 가리고 아웅 한다
④ 빈대 잡으려고 초가삼간 태운다
⑤ 호미로 막을 것을 가래로 막는다

한줄요약

6 **빈칸에 알맞은 말을 넣어 이 글의 핵심 내용을 한 문장으로 요약하세요.**

방치 대가 잘못

[   ]된 것을 알고도 고치지 않고 그대로 [   ]하면 나중에는 돌이킬 수 없이 나빠지거나 바로잡기 위해 매우 큰 [   ]를 치러야 한다.

- **낱말이 한자로는 어떻게 쓰이는지 살펴보고, 예문을 참고해 빈칸을 채워 보세요.**

❶

材木

재목 [ㅈ]
나무 [목]

이 집의 [ㅈ][목]은 매우 비싼 것들이다.

❷

放置

놓을 [ㅂ]
둘 [치]

쓰레기를 길가에 [ㅂ][치]하면 벌레가 생기고 보기에도 좋지 않다.

❸

事態

일 [사]
모양 [ㅌ]

아직 [사][ㅌ]가 진정될 기미는 전혀 보이지 않는다.

- **낱말의 뜻을 참고하여, 다음 문장의 빈칸에 들어갈 알맞은 낱말을 완성하세요.**

❹ 이 한옥은 [ㅎ][ㄹ][채]의 규모가 매우 크다.

대문간 곁에 있는 집채.

❺ 한옥은 주기적으로 [ㄱ][ㅇ]를 갈아 주지 않으면 비가 새게 된다.

지붕을 이는 데에 쓰기 위하여 흙을 굽거나 시멘트 따위를 굳혀서 만든 건축 자재.

❻ 한옥에서 [들][ㅂ]가 튼튼하지 않으면 집이 쉽게 무너질 수 있다.

칸과 칸 사이의 두 기둥을 건너지르는 나무.

❼ 한 [ㅁ][ㄹ]의 사자가 먹이를 향해 달리기 시작했다.

사람이나 짐승, 사물 따위가 모여서 뭉친 한 동아리.

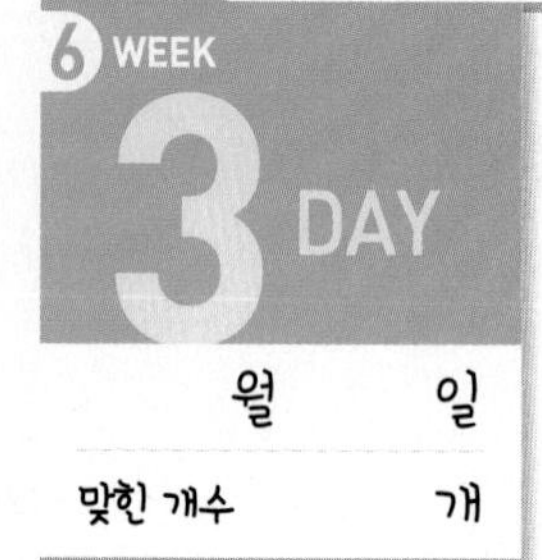

누에와 천재 _ 유달영

"예전 노인들이 그러시는데, 누에를 먹기만 하면 사람들도 비상한 재주가 생긴대. 그러나 그것을 어떻게 먹을 수가 있어야지."

나는 '비상한 재주'라는 한마디에 그만 귀가 번쩍 띄었다. 그래서 입속으로 "비상한 재주, 비상한 재주" 하고 뇌어 보았다. 그리고 '정말 그럴지도 몰라. 참말일 거야.' 하는 생각이 들었다.

"외숙모, 얼마나 큰 누에를 몇 마리나 먹으면 된대요?"

하고 내가 슬쩍 물어보았더니, 외숙모는,

"왜, 너 정말 누에를 먹어 보련?"

하시면서 나를 유심히 내려다봤다. 나는 얼떨결에,

"아아뇨, 그걸 징그럽게 어떻게 먹어요."

하고 딴전을 피웠다. 외숙모는 소리를 내어 킬킬 웃으면서,

"먹기로 한다면야 제일 큰 것으로 다섯 마리쯤은 먹어야 약이 될걸."

이렇게 말씀하셨다.

'제일 큰 것으로 다섯 마리.' 이것을 나는 똑똑하게 기억해 두지 않을 수가 없었다. 중요한 정보였다. 그리고 몇 번이고 '누에와 비상한 재주'에 대하여 속으로 되뇌어 보았다. (중략)

나는 결심을 했다. 잠박 위의 섶을 뒤지면서 누에를 이것저것 집어 들었다 되놓았다 하면서 골라 보았다. 그렇게 징글맞게 커 보이던 누에들이 어쩐지 집어 보면 모두 작은 것만 같았다. "더 큰 놈은 없을까?" 하고 한동안을 뒤적거렸다. 나는 제일 굵고 탐스러운 누에 한 마리를 우선 골라 추켜들었다.

'이런 것 다섯 마리만 먹어 놓는다면, 나는 힘 안 들이고 학기마다 첫째를 하고 우등상을 타게 될 것이다.'

이렇게 생각하니 용기가 솟아나고 앞이 환해지는 것 같았다. 내가 누에를 먹자는 결심은 이제 무엇으로도 돌릴 수가 없을 정도로 확고해 있었다. 누에 꽁지를 쥐고 쳐들어 입에다 넣으려고 하니, 머리를 내두르고 손가락으로 들러붙는 것이었다. 그러나 이미 결심이 이처럼 굳게 섰으니 놓아줄 수야 있겠는가? 눈을 꼭 감고 입을 크게 벌리고 누에를 입속으로 집어넣었다. 입속이 뜨겁고 컴컴해서인지 누에는 꿈

• **섶**
누에가 올라 고치를 짓게 하려고 차려 주는 물건.

• **필연코**
'필연(틀림없이 꼭.)'을 강조하여 이르는 말.

• **친화**
사이좋게 잘 어울림.

틀거리고, 뒤틀고 들러붙고 하면서 못 견디어 했다. 상상했던 것보다 딴판으로 야단을 치는 것이었다. (중략)

그런데 웬일인지 이렇게 힘들여서 먹은 누에의 효과는 도무지 나타나지를 않았다. '며칠 후부터는 비상한 재주가 나올는지 모르지. 아니 몇 달 후부터는 비상한 재주가 나올는지 모르지.' 하고 끈덕지게 기다려 보았으나 전에 없던 재주가 솟아나는 것 같지도 않고, 숙제도 꼬박꼬박 힘들여 해 가야 했다. 꾸준한 노력을 전과 똑같이 계속해 가야 했다.

지금도 섶에 올린 굵다란 누에를 볼 때마다 내 어릴 적의 철없던 일을 회상하고 혼자 웃는 일이 있다. 그리고 이런 생각을 해 본다. 만일 그 다섯 마리의 누에가 내 배 속에 들어가서 그들의 비상한 재주를 정말로 내게 주어서 내가 비상한 재주꾼이 되었었다고 가정해 보자. 나는 필연코 지금쯤은 그 재주를 믿고서 교만하고 게을러져서 어떤 어둡고 슬픈 골짜기 속에 떨어져 헤매고 있을지도 모른다. 스스로 둔함을 알고 모든 일에 노력해 보려는 이 작은 밑천마저 그 재주가 앗아 가지고 갔을 것이 틀림없다. 나이가 들어갈수록 나는 점점 ㉠'비상한 재주'에 대한 매력이 없어지고, 오히려 ㉡둔해 보이고 어리석어 보이는 사람들에게 존경과 친밀과 친화가 생긴다.

1

이 글에서 '나'의 경험과 일치하지 않는 것은 무엇인가요? (　　　)

① '나'는 외숙모에게서 누에를 먹으면 비상한 재주가 생긴다는 이야기를 듣게 된다.
② '나'는 외숙모에게는 징그러운 누에를 어떻게 먹겠냐고 하지만 속으로는 솔깃해한다.
③ '나'는 누에 중에서 제일 굵고 탐스러운 놈들을 골랐다.
④ '나'는 입속에서 꿈틀거리고 들러붙는 누에를 억지로 참아 가며 먹었다.
⑤ 누에를 먹은 뒤 '나'는 전과 달리 공부를 더 열심히 하게 되었다.

2

㉠과 ㉡에 대한 설명으로 알맞지 않은 것은 무엇인가요? (　　　)

① 어른이 된 '나'는 ㉡에게는 ㉠이 반드시 필요하다고 생각한다.
② 어린 시절의 '나'는 ㉡과 같은 사람들을 긍정적으로 생각하지 않았다.
③ '나'가 생각하는 ㉠은 공부를 하지 않아도 반에서 1등을 할 수 있는 재주이다.
④ '나'는 살아 있는 누에를 먹는 고통도 참을 수 있을 만큼 ㉠이 중요하다고 생각한다.
⑤ 어른이 된 '나'가 생각하는 ㉡은 힘든 것을 견디며 성실하게 노력하는 사람들을 의미한다.

3 '나'가 자신의 경험을 통해 깨달은 바를 다음과 같이 정리한다고 할 때, ⓐ와 ⓑ에 들어갈 알맞은 말을 쓰세요.

노력하지 않고도 쉽게 좋은 결과를 얻게 되면 사람은 [ⓐ]하고 게을러지게 된다. 무언가를 얻고자 한다면 열심히 [ⓑ]하는 것만이 최선이다.

ⓐ ( ) ⓑ ( )

작품 속 인물을 자신과 관련짓기

수능에서는
수필의 경우 글쓴이의 가치관을 묻는 문제가 출제되기도 해. 글쓴이가 자신의 경험을 통해 깨닫게 된 바가 비교적 직접적으로 드러나는 글이 수필이거든. 글쓴이의 깨달은 바가 결국 글쓴이의 가치관과 같다고 보면 돼.

4 이 글의 철없던 시절의 '나'와 비슷한 가치관을 가진 사람은 누구인가요? ( )

① **종식:** 이번 수행 평가는 도저히 끝낼 자신이 없어. 그냥 포기할래. 0점을 받아도 할 수 없지 뭐.

② **철호:** 영어 단어 외우는 게 너무 힘들어. 영어 단어를 한 번만 슥 봐도 시험 칠 때 뜻이 다 생각나면 얼마나 좋을까?

③ **은혜:** 내일 우리 동아리가 학교 대표로 춤 경연 대회에 출전해. 연습을 열심히 한다고 했는데……. 잘할 수 있겠지?

④ **나경:** 지난 시험에 성적이 좀 올라서 이번에 공부를 덜했더니 역시나 성적이 팍 떨어졌어. 정말 성적은 정직한 것 같아.

⑤ **민준:** 할머니 댁에서 두 시간 동안 깻잎을 땄는데, 따는 동안에는 죽을 것처럼 힘들었지만 막상 내가 딴 깻잎이 반찬으로 올라오니 정말 기분이 좋더라.

한줄요약

5 빈칸에 알맞은 말을 넣어 이 글의 핵심 내용을 한 문장으로 요약하세요.

노력 누에 재주

'나'가 어린 시절에 [ ]를 먹고 비상한 [ ]를 갖게 되었다면 스스로의 부족함을 알고 모든 일에 [ ]해 보려는 마음을 잃게 되었을 것이다.

• 본문에 쓰인 밑줄 친 낱말의 뜻을 찾아 바르게 연결하세요.

1 누에를 먹기만 하면 사람들도 비상한 재주가 생긴대.

2 "비상한 재주, 비상한 재주" 하고 뇌어 보았다.

3 "아아뇨. 그걸 징그럽게 어떻게 먹어요." 하고 딴전을 피웠다.

4 상상했던 것보다 딴판으로 야단을 치는 것이었다.

ㄱ 지나간 일이나 한 번 한 말을 여러 번 거듭 말함.

ㄴ 아주 다른 모양이나 반대의 상황.

ㄷ 어떤 일을 하는 데 그 일과는 전혀 관계없는 일이나 행동.

ㄹ 평범하지 아니하고 뛰어남.

• 낱말의 뜻을 참고하여, 다음 문장의 빈칸에 들어갈 알맞은 낱말을 완성하세요.

5 나는 [ㅇ][ㄹ][ㄱ]에 꽃다발을 받아 들었다.

뜻밖의 일을 갑자기 당하거나, 여러 가지 일이 너무 복잡하여 정신을 가다듬지 못하는 판.

6 누에를 기르기 위해서는 튼튼한 [ㅈ][박]이 필요하다.

누에를 치는 데 쓰는 채반(나뭇가지나 버들가지로 넓적하게 엮어 만든 그릇).

7 그는 창밖으로 내리는 비를 보며 [ㅎ][ㅅ]에 잠겼다.

지난 일을 돌이켜 생각함. 또는 그런 생각.

8 아는 노래를 다 부르고 나니 [ㅁ][ㅊ]이 다 떨어졌다.

어떤 일을 하는 데 바탕이 되는 돈이나 물건, 기술, 재주 따위를 이르는 말.

9 그와 나 사이에 [ㅊ][ㅁ]의 정도가 더욱 깊어 감을 느꼈다.

지내는 사이가 매우 친하고 가까움.

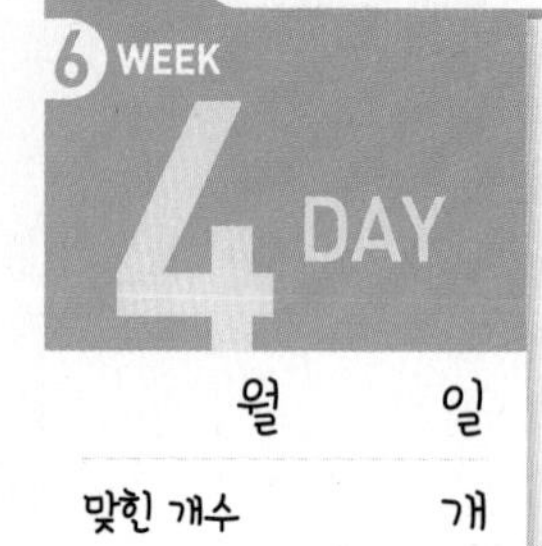

수일이와 수일이 _ 김우경

1장. 학원에 가기 싫어

수일이 졸린 듯 눈을 비비나 여전히 눈은 감고 있다.

수일 (눈을 반쯤 뜨며) 엄마, 오늘만 학원 안 가면 안 돼요?

엄마 그걸 말이라고 해? 며칠만 지나면 곧 시험이잖아. 얼른 일어나!

수일 아, 짜증 나. 매일 학원은! 나도 좀 쉬고 싶단 말이에요.

엄마 셋 셀 동안 안 일어나면 너 엄마한테 진짜 혼난다. 하나! 둘! 셋! (빗자루를 든다)

수일 (눈을 뜨며) 엄마 한 번만요, 엄마, 엄마!

엄마 네가 한두 번이야? (빗자루를 들고 때리려고 한다) 이 녀석이.

수일 왜 때리고 그래. 학원 가면 되잖아요! 아, 간다고요! (수일이 퇴장)

엄마 (수일이가 놓고 간 가방을 발견하고 황급히 뛰쳐나가며) 야! 정수일. 정수일. (한숨을 쉬며) 저 녀석은 누굴 닮아 저런 거야.

〈전화벨 소리〉

엄마 (전화를 받는다) 여보세요. 정우 엄마! 우리 수일이? 학원 갔지. 정우가! 백점? 정말이야? 축하해! 그럼 우리 수일이도 잘하지. 그럼. 끊어. (전화를 끊으며) 제 아들 백점 맞은 게 나하고 무슨 상관이야! 우리 수일이도 조금만 노력하면 될 텐데, 도대체 언제 철이 들는지.

수진 (들어오며) 엄마! 나 오늘 (시험지를 내밀며) 백점 맞았어!

엄마 와, 우리 딸 기특하다.

수진 당연하지 그럼 누구 딸인데.

엄마 네 오빠가 너 반만 닮았으면 소원이 없겠다.

수진 왜? 오빠가 또 사고 쳤어요?

엄마 아니다. 숙제는?

수진 학원 갔다 오기 전에 다 해 놨어요.

엄마 엄마가 맛있는 것 해 줄게. (중략)

수일 (엄마를 보며) 내가 엄마 때문에 못살아!

엄마 그게 왜 엄마 때문이야. 그러게 평소에 네가 학원에 잘 갔으면 이런 일이 왜 생겨?

• **여전히**
전과 같이.

• **허구한**
날, 세월 따위가 오랜.

수일 해도 해도 너무해. 학원 가라! 공부해라! 그리고 하면 얼마나 한다고 컴퓨터 선은 왜 뽑고 그래?

엄마 (말을 얼버무리며) 그, 그건. (다시 목소리를 높인다) 하라는 공부는 안 하고 허구한 날 컴퓨터 게임이지. 넌 도대체 잘하는 게 뭐니?

아빠 여보! 그만 좀 해요. 혈압 때문에 병원 다녀온 지 얼마나 됐다고. 수일아, 네가 참아라. 엄마가 그럴 수도 있지.

아빠 말을 귀담아듣지 않는다. 아빠, 조용히 퇴장한다.

수일 내가 왜 잘하는 게 없어. 우리 반에서 내가 제일 축구를 잘하고…….

엄마 축구가 밥 먹여 줘?

수일 축구 선수 돼서 돈 많이 벌면 되잖아요.

엄마 축구 선수는 아무나 하니?

수일 엄마는 아들이 아무나로 보여요?

엄마 옆집 정우는 수학 시험 백점 맞았다더라.

수일 아, 진짜 짜증 나. (방으로 들어간다)

엄마 너 그게 엄마한테 할 소리야? (방문을 열지만 잠겨 있다) 문 안 열어?

수일 싫어!

엄마 너, 이 문 안 열면 저녁밥 못 먹을 줄 알아!

1

이 글의 내용으로 알맞지 않은 것은 무엇인가요? (　　　)

① 수일이는 학원에 가고 싶어 하지 않는다.
② 엄마는 시험이 얼마 남지 않았으니 학원에 가야 한다고 윽박지른다.
③ 엄마는 옆집 아이는 백점을 맞는데 수일이는 공부를 못 하는 것이 속상하다.
④ 수진이는 수일이와 달리 공부를 잘하고 엄마 말을 잘 듣는다.
⑤ 아빠는 엄마와 수일이가 매일 싸우는 것이 싫어서 크게 화를 낸다.

2

이 글에서 인물의 심리를 파악할 수 있는 방법은 무엇인가요? (　　　)

수능에서는
다양한 문학 작품에서 인물의 심리를 파악하는 문제가 나와. 특히 희곡은 인물의 대사와 행동을 통해서만 사건이 전개되므로 대사와 행동을 통해 심리를 짐작해야 해.

① 인물의 대사와 행동을 통해 간접적으로 추측해야 한다.
② 다른 인물이 상대의 속마음을 이야기할 때 알 수 있다.
③ 해설자의 설명을 통해 각 인물의 심리를 이해할 수 있다.
④ 인물을 바라보는 다른 관찰자의 평가를 통해 파악해야 한다.
⑤ 인물과 인물 사이의 관계를 정리하여 간접적으로 파악해야 한다.

3

다음은 인물들의 생각을 정리한 것입니다. ㉮~㉰에 들어갈 알맞은 말을 쓰세요.

수일이는 공부보다 [㉮]을/를 좋아하고, 자신이 하고 싶은 일을 하며 살기를 원한다. 반면 엄마는 [㉯]을/를 잘하는 것이 가장 중요하다고 생각하며, 수진이는 그런 엄마의 생각에 잘 따르는 아이이다. 아빠는 자신의 주장을 내세우기보다는 모두가 [㉰] 지내기를 원한다.

㉮ (　　　　　　) ㉯ (　　　　　　) ㉰ (　　　　　　)

작품 속 인물을 자신과 관련짓기

4

각 인물의 가치관에 따라 생각할 수 있는 사례를 찾아 선으로 연결해 보세요.

❶ 수일이 •　　　• ㉠ 공부를 잘해야 행복하게 살 수 있어.

❷ 수일이 엄마 •　　　• ㉡ 내가 할 일은 내가 알아서 잘 해야지.

❸ 수일이 아빠 •　　　• ㉢ 하기 싫은 일을 억지로 하는 건 너무 고통스러워.

❹ 수진이 •　　　• ㉣ 화내지 않고 적당히 어울려서 사는 게 좋은 거야.

한줄요약

5

빈칸에 알맞은 말을 넣어 이 글의 핵심 내용을 한 문장으로 요약하세요.

공부　　야단　　학원

수일이는 [　|　]에 가기 싫어서 엄마와 싸우고, 자신이 하고 싶은 것은 무시하고 [　|　]만 강요하는 엄마에게 화를 내지만, 엄마는 수진이나 옆집 아이와 달리 공부를 싫어하고 철없이 놀려고만 하는 수일이가 답답해 계속 [　|　]을 친다.

• 본문에 쓰인 밑줄 친 낱말의 뜻을 찾아 바르게 연결하세요.

① 가방을 발견하고 황급히 뛰쳐나가며 •		• ㉠ 말하는 것이나 행동하는 것이 신통하여 귀염성이 있음.
② 와, 우리 딸 기특하다. •		• ㉡ 말이나 행동을 불분명하게 대충 함.
③ 말을 얼버무리며 •		• ㉢ 주의하여 잘 들음.
④ 아빠 말을 귀담아듣지 않는다. •		• ㉣ 몹시 급하며 한 가지 일에만 몰두하여 마음의 여유가 없음.

• 낱말의 뜻을 참고하여, 다음 문장의 빈칸에 들어갈 알맞은 낱말을 완성하세요.

⑤ 그는 누구의 관심도 받지 못한 채 쓸쓸히 무대에서 [ㅌ][ㅈ]했다.

연극 무대에서 등장인물이 무대 밖으로 나감.

⑥ 영수도 이제는 [ㅊ]이 들어서 무작정 엉뚱한 짓을 하지는 않을 거야.

사리를 분별할 수 있는 힘.

⑦ 일할 생각을 해야지, [ㅎ][ㄱ][ㅎ] 날 그렇게 누워 지내기만 할 거니?

날, 세월 따위가 오랜.

⑧ 할아버지께서는 [ㅎ][ㅇ]이 높으셔서 화를 내시면 안 된다.

심장에서 혈액을 밀어 낼 때, 혈관 내에 생기는 압력.

월 일

맞힌 개수 개

이달의 인문학 인물 – 이육사

꽃비가 내리는 4월, 따뜻하게 불어오는 봄바람에 기분도 덩달아 좋아집니다. 오늘 소개할 이달의 인물은 4월에 태어나 우리나라 역사에 한 획을 그은 아주 중요한 사람입니다. 그는 일제 강점하의 민족적 비운을 소재로 삼은 시를 통해 강렬한 저항 의지를 나타내고 꺼지지 않는 민족정신을 노래한 이육사입니다.

이원록과 264

이육사의 본명은 이원록입니다. 1904년 안동에서 태어난 그는 보문의숙을 거쳐 대구 교남학교에서 신학문을 배웠습니다. 1925년 이육사는 독립운동 단체인 '의열단'에 가입하여 그해 일본으로 건너갔다가 다시 북경으로 갔습니다. 1926년 장진홍의 조선은행 대구 지점 폭파 사건에 연루되어 3년형을 받고 감옥에 갇히게 되었습니다. 그리고 1929년에 출옥한 이후 무려 17회에 걸쳐 옥살이를 하면서도 여러 독립운동 단체에서 활동하며 오로지 독립을 위해 싸웠습니다.

'이육사'라는 이름은 1930년 그의 글에서 처음 사용되었습니다. 그는 1년 7개월 동안 이름이 아니라 264라는 번호로 불린 죄수로 살았습니다. 1935년 6월 이후부터는 거의 대부분 이육사라는 이름을 사용했습니다. 일제에 저항하는 뜻과 식민지 세상을 비웃는 그의 마음, 그리고 일제 강점하에서 영원한 죄인이라는 자조 섞인 웃음이 담긴 이름이 아닐까요?

민족의식을 일깨운 청포도

이육사는 시와 글을 통해 민족의식을 깨우치고 일제에 대한 저항 정신을 표현하기 위해 문인으로서 새 출발하기로 결심했습니다. ㉠<u>〈청포도〉</u>는 1939년 9월호 〈문장(文章)〉에서 발표한 이육사의 시로, 〈광야〉, 〈절정〉 등과 함께 그의 대표작이죠. 남성적이고 의지적인 어조를 주로 사용한 다른 작품과 달리 낭만적이고 서정적인 분위기의 시입니다. 청색과 백색의 선명한 색채 대비를 통해 밝고 희망적인 느낌을 주고 있으며, 전통적인 소재를 활용하여 정감 어린 고향의 모습을 표현하고 있습니다. 시인은 청포도라는 소재를 통해 밝고 선명한 분위기를 형성하여 나라를 잃고 먼 나라에서 조국을 그리는 안타까움과 향수, 그리고 암울한 민족 현실을 우리 민족이 희망으로 극복하길 바라는 간절한 마음을 나타내고 있습니다.

- **비운**
순조롭지 못하거나 슬픈 운수나 운명.
- **저항**
어떤 힘이나 조건에 굽히지 아니하고 거역하거나 버팀.
- **연루**
남이 저지른 범죄에 연관됨.
- **자조**
자기를 비웃음.
- **암울한**
절망적이고 침울한.

이육사의 일생은 고난과 역경 그리고 열의가 가득했습니다. 조국에 대한 그의 깊은 사랑과 광복에 대한 열망이 담긴 작품들은 모든 사람의 마음을 울렸고, 우리 민족에게 한없는 용기와 희망을 주었습니다.

1 **이 글의 특징으로 알맞은 것은 무엇인가요? (   )**

① 있음 직한 일을 상상하여 지어낸 글이다.
② 정확한 사실만을 객관적으로 나열하고 있다.
③ 자신의 경험을 바탕으로 느낀 점을 설명하고 있다.
④ 하나의 주제에 대한 자신의 생각을 주장하고 있다.
⑤ 사실을 정리하고 그에 대한 자신의 생각을 덧붙이고 있다.

2 **보기 는 ㉠의 시를 나타낸 것입니다. ㉠에 대한 설명으로 알맞지 <u>않은</u> 것은 무엇인가요? (   )**

수능에서는
시 작품의 경우 작품의 분위기에 영향을 미치는 어조의 쓰임에 대해서 살펴보는 문제가 나와. 어조는 쉬운 말로 말투, 말씨라고 하는데 작가의 태도와도 밀접하게 관련돼. 용어부터 알아 두도록 하자.

보기

내 고장 칠월은 / 청포도가 익어 가는 시절 //
이 마을 전설이 주저리주저리 열리고
먼 데 하늘이 꿈꾸며 알알이 들어와 박혀 //
하늘 밑 푸른 바다가 가슴을 열고 / 흰 돛단배가 곱게 밀려서 오면 //
내가 바라는 손님은 고달픈 몸으로 / 청포를 입고 찾아온다고 했으니 //
내 그를 맞아 이 포도를 따 먹으면 / 두 손은 함뿍 적셔도 좋으련 //
아이야, 우리 식탁엔 은쟁반에 / 하이얀 모시 수건을 마련해 두렴

① 낭만적이고 서정적인 분위기의 시이다.
② 청색과 백색의 선명한 색채 대비가 드러난다.
③ 남성적이고 의지적인 어조를 주로 사용했다.
④ 전통적인 소재를 활용하여 정감 어린 고향의 모습을 표현하고 있다.
⑤ 밝고 선명한 분위기를 형성하여 암울한 민족 현실을 희망으로 극복하길 바라는 마음을 나타내고 있다.

3 다음은 이육사의 삶과 글에 대한 평가입니다. ㉮~㉰에 들어갈 알맞은 말을 이 글에서 찾아 쓰세요.

> 이육사는 평생 나라의 [㉮]을/를 소망하며 수많은 고난과 역경을 이겨 냈습니다. 그가 시와 글을 쓴 것도 민족의식을 깨우치고 일제에 대한 [㉯]을/를 표현하기 위해서였습니다. 이러한 그의 삶은 당시 사람들에게도, 오늘날의 우리에게도 한없는 [㉰]와/과 희망을 주고 있습니다.

㉮ (　　　　　　) ㉯ (　　　　　　) ㉰ (　　　　　　)

작품 속 인물을 자신과 관련짓기

4 이 글에 대한 감상을 자신의 삶과 관련지어 이야기한 사람은 누구인가요? (　　　)

① **철수:** 이육사가 살았던 당시의 우리나라는 살기가 정말 무섭고 힘들었을 것 같아.

② **순이:** 이육사의 시를 그의 삶과 관련지어 생각해 보니 더욱 감동적이고 아름답게 느껴져.

③ **영희:** 나도 이육사처럼 목표를 이루기 위해서라면 아무리 힘들어도 포기하지 않고 노력해야겠어.

④ **진경:** 〈청포도〉라는 시를 처음 봤는데 정말 좋은 것 같아. 이육사가 쓴 다른 시도 찾아서 읽어 봐야겠어.

⑤ **미래:** 나는 이육사를 유명한 시인으로만 알고 있었는데, 감옥에 수차례나 갇히면서까지 독립운동을 계속한 분이었다니 정말 놀라워.

한줄요약

5 빈칸에 알맞은 말을 넣어 이 글의 핵심 내용을 한 문장으로 요약하세요.

> 소망　　극복　　옥살이　　청포도

이육사는 수없이 [　][　][　]를 하면서도 오로지 나라의 독립을 위해 싸웠으며, 〈[　][　][　]〉라는 시에도 민족의 암울한 현실을 [　][　]하고자 하는 이육사의 간절한 [　][　]이 담겨 있다.

• **낱말이 한자로는 어떻게 쓰이는지 살펴보고, 예문을 참고해 빈칸을 채워 보세요.**

❶ 悲運

슬플 [ㅂ]
운전할 [운]

이 소설은 [ㅂ][운]의 여주인공이 자신의 운명에 맞서는 내용이야.

❷ 自嘲

스스로 [자]
비웃을 [ㅈ]

그의 [자][ㅈ]적인 웃음이 슬프게 느껴진다.

❸ 鄕愁

시골 [ㅎ]
근심 [수]

외국에서 오래 지낸 사람들은 [ㅎ][수]를 달래기 위해 어린 시절에 먹던 음식을 먹는다.

• **낱말의 뜻을 참고하여, 다음 문장의 빈칸에 들어갈 알맞은 낱말을 완성하세요.**

❹ 그는 한 사건에 [ㅇ][루]되어 도망을 다니는 처지가 되었다.

남이 저지른 범죄에 연관됨.

❺ 그녀는 수많은 [ㅁ][ㅇ] 중에서도 매우 특별한 느낌을 주는 소설가였다.

글을 짓거나 글씨를 쓰는 일에 종사하는 사람.

❻ 어머니께서 방을 나가시자 아버지의 [ㅇ][조]가 갑자기 달라지셨다.

말의 가락. 말하는 투. 억양.

❼ 이 노래에서는 매우 [ㅅ][ㅈ]적인 분위기가 느껴진다.

주로 예술 작품에서, 자기의 감정이나 정서를 그려 냄.

❽ 그들은 수많은 [역][ㄱ]을 딛고 일어나 결국 행복한 삶을 되찾을 수 있었다.

일이 순조롭지 않아 매우 어렵게 된 처지나 환경.

작품 속 인물을 자신과 관련지어 이해하려면?

글의 주제를 파악해요 ▶ 4학년

❶ 글의 중심 내용 파악하기

글의 제목과 내용, 이야기의 제목과 내용을 통해 글쓴이가 전하고자 하는 중심 생각을 파악합니다.

❷ 글의 주제 파악하기

글의 중심 생각인 주제를 파악하면 글쓴이의 가치관도 알 수 있어요.

글쓴이가 전하고자 하는 중심 생각이 바로 주제로, 주제를 파악하면 한 편의 글에서 가장 중요한 내용이 무엇인지, 글쓴이가 추구하는 가치가 무엇인지를 알 수 있습니다.

- **작품 속에 드러나는 다양한 삶을 이해함.**
- **인물이 추구하는 가치를 파악함.**
- **인물이 추구하는 가치를 자신의 삶과 관련지어 생각함.**

작품 속 인물을 자신과 관련지어 이해해요 ▶ 6학년

❶ 인물의 성장 과정 파악하기

작품 속 인물에게 어떤 **사건**이 일어나는지 파악하고, 그러한 사건을 겪으며 인물이 어떻게 **성장**해 가는지를 감상해 봅니다.

❷ 인물의 성장 과정을 나의 삶에 비추어 성찰하기

인물의 성장 과정을 나의 삶에 비추어 성찰하기 위해서는 내가 마치 작품 속 인물이 된 것처럼 생각하며 작품을 감상해야 해요.

인물에게 일어나는 사건과 그로 인한 성장 과정을 나의 삶에 **적용**해 보고 나라면 그 상황에서 어떻게 했을지, 인물의 선택에 대해 나는 어떻게 생각하는지 등을 관련지으며 자신을 **성찰**해 봅니다.

윗글을 읽고 난 후의 반응으로 ~

36. 윗글을 읽고 난 후의 반응으로 적절하지 않은 것은?

① 맑고도 그치지 않는 물과 같이 순수함을 오래도록 잃지 않는 사람이 되고 싶어.
② 영원히 변함없는 바위와 같
③ 한겨울에도 꿋꿋한 소나무
사람이 되고 싶어.
④ 사철 내내 곧고 푸른 대나무와 같이 굳은 지조와 절개를 가진 사람이 되고 싶어.
⑤ 밤하늘에 높이 떠 있는 달과 같이 많은 사람들을 거느리는 사람이 되고 싶어.

수능에는 작품을 바르게 이해하고 이를 자신의 삶과 관련지어 바르게 감상했는지를 묻는 문제가 나와요.

내가 주인공이 되어 보자

작품 속 인물을 자신과 관련지어 이해하려면 무엇보다 작품을 읽을 때 자신이 마치 그 인물이 된 것처럼 생각해야 합니다. 내가 작품 속 주인공이 되어 그 상황에 처해 말하고 행동한다고 생각하면 그 인물을 좀 더 깊이 이해할 수 있게 되고, 그 과정에서 자연스럽게 자신과 관련지어 인물이 추구하는 가치를 파악하고 판단할 수 있게 되기 때문입니다.

작품 속 인물을 자신이라고 생각하며 작품을 감상하기 > 인물이 추구하는 가치를 파악하기 > 인물이 추구하는 가치를 자신과 관련지어 생각해 보기

수능까지 연결되는 초등 독해

WEEK 7

내용과 표현의 적절성을 판단해요

하루에 한 번만 먹어도!

인혁이는 길을 걷다가 한 광고를 보게 되었어요. 하루에 한 번만 먹어도 힘이 세지고 키가 쑥쑥 크는 약이 있다는 광고네요. 과연 이 광고의 내용을 그대로 믿어도 될까요?

위 광고 속 내용처럼 인혁이는 힘이 세지고 키가 쑥쑥 클까요? 광고나 뉴스를 볼 때에는 **표현의 적절성과 내용의 타당성을 비판적으로 판단**하는 것이 필요합니다. 광고나 뉴스에서 사용한 표현 중에는 과장하거나 감추는 내용이 있을 수도 있고, 활용한 자료들이 내용을 뒷받침하지 못하거나 가치 있는 내용이 아닌 경우도 있을 수 있기 때문이죠.

광고나 뉴스를 볼 때처럼 글을 읽을 때에도 마찬가지입니다. 자, 그럼 글에 제시된 내용의 타당성과 표현의 적절성을 판단하는 방법에는 어떤 것들이 있는지 구체적으로 살펴보러 가 볼까요?

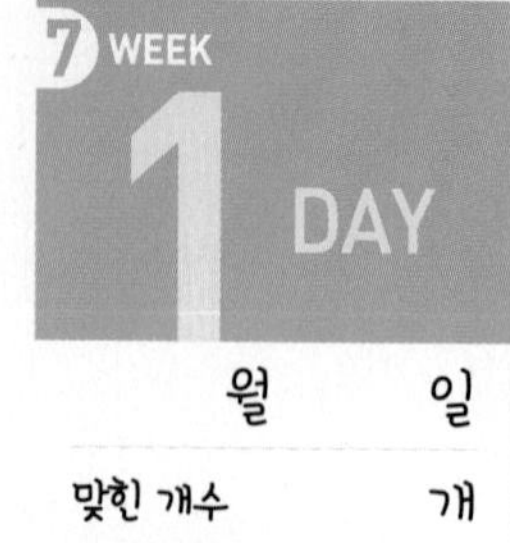

반려동물 인수제

진행자: 현재 우리나라에서 반려동물을 키우는 사람은 1,000만 명을 넘어섰고, '펫팸족'이라 하여 반려동물을 가족과 같이 귀중한 존재로 여기는 사람들을 칭하는 신조어도 생겨났습니다. 하지만 불법으로 버려지는 동물의 수 또한 늘어나 사회적 문제가 되고 있습니다. 이러한 상황을 해결하고자 '반려동물 인수제'를 도입하자는 논의가 활발해지고 있습니다. 어떤 이야기인지 알아보도록 하겠습니다.

기자: 농림 축산 식품부에 따르면 2016년 유기된 동물을 구조 및 보호하는 데 약 114억 원에 이르는 비용이 들었다고 합니다. 갈수록 유기 동물이 증가하고 재정적인 부담도 커지면서 이를 해결하기 위해 ㉠반려동물 인수제를 도입하자는 목소리가 나오기 시작했습니다. 반려동물 인수제는 반려동물 사육을 포기하는 사람이 일정 비용을 내고 동물 보호소에 위탁하면 정부에서 해당 동물을 관리하며 입양처를 연결해 주는 제도를 말합니다. 이 제도가 도입되면 동물을 불법으로 유기하는 것을 사전에 막을 수 있고 처리 비용도 절감할 수 있으며, 보호소에 위탁된 동물을 입양하는 사람에게 정부가 양육 비용 등을 지원하기 때문에 동물 입양이 활성화될 것으로 예상하고 있습니다. 하지만 ㉡반대의 목소리도 있습니다.

〈인터뷰〉 동물 보호 단체 김○○ 대표

"물론 반려동물 인수제가 동물의 입양을 어느 정도 활성화할 수는 있을 것으로 예상됩니다. 하지만 반려동물에 대한 인식 개선이 없이 이 제도가 도입되면 오히려 죄책감 없이 반려동물 사육을 쉽게 포기하는 사람이 늘어날 수 있으며, 반려동물을 인수하는 비용을 정부의 예산으로 해결하게 되면서 그에 따른 비용이 더 늘어날 수 있습니다."

기자: 반려동물 인수제에 대한 논의가 활발하게 진행되고 있는데요. 다양한 목소리를 잘 반영하여 실질적인 효과가 있는 제도 마련과 함께 반려동물에 대한 사람들의 인식을 바꿀 수 있는 노력을 지속적으로 하는 것이 중요해 보입니다.

- **반려**
  짝이 되는 동무.
- **귀중한**
  귀하고 중요한.
- **인수**
  물건이나 권리를 건네받음.
- **논의**
  어떤 문제에 대하여 서로 의견을 내어 토의함. 또는 그런 토의.
- **위탁**
  남에게 사물이나 사람의 책임을 맡김.

1 **이 보도에서 제시한 문제 상황은 무엇인가요? (　　　)**

① 반려동물을 인수하는 절차가 너무 복잡하다.
② 불법으로 유기되는 동물의 수가 증가하고 있다.
③ 반려동물을 키우는 사람들의 수가 급증하고 있다.
④ 반려동물을 입양할 때 정부로부터 지원받는 양육 비용이 적다.
⑤ 반려동물을 가족처럼 여기는 사람들을 부정적으로 보는 시선이 있다.

2 **보기 는 이 보도를 하기 전 세운 계획입니다. ⓐ~ⓔ 중 이 보도에 반영되지 않은 것은 무엇인가요? (　　　)**

보기
진행자의 도입: 반려동물 인수제 도입에 관한 논의 소개 ········· ⓐ
기자의 보도
– 반려동물 인수제의 개념과 도입 취지 제시 ········· ⓑ
– 반려동물 인수제 실시에 대한 반대 입장 소개 ········· ⓒ
– 반려동물 양육을 포기하는 사유 제시 ········· ⓓ
기자의 마무리: 강조할 내용 언급 ········· ⓔ

① ⓐ　② ⓑ　③ ⓒ　④ ⓓ　⑤ ⓔ

3 **이 보도에서 기자가 말하고자 하는 중심 생각은 무엇인가요? (　　　)**

① 반려동물 인수제를 도입하면 안 된다.
② 반려동물 인수제를 무조건 도입해야 한다.
③ 반려동물을 키우면 정서적 안정감을 느낄 수 있다.
④ 반려동물을 사육하기 위한 시설을 늘려 주는 것이 필요하다.
⑤ 반려동물 관련 제도 마련과 함께 인식을 개선하려는 노력도 필요하다.

4

㉠과 ㉡의 공통된 의견은 무엇인가요? (　　　)

① 반려동물 인수제를 도입하면 유기되는 동물의 수가 줄어들 것이다.
② 반려동물 인수제를 도입하면 동물의 입양이 활성화될 수 있을 것이다.
③ 제도를 마련하기 전에 반려동물에 대한 인식을 바꾸는 것이 필요하다.
④ 반려동물 인수제를 도입하면 반려동물에 대한 책임감을 갖게 될 것이다.
⑤ 반려동물 인수제를 도입하면 유기 동물을 보호하는 비용을 줄일 수 있다.

내용과 표현의 적절성을 판단해요

글쓴이의 의견을 파악하는 것은 주장하는 글을 읽을 때 특히 중요합니다. 저학년에서는 글쓴이의 의견을 파악하고 의견이 적절한지 판단하는 방법을 배웠다면, 고학년에서는 글의 중심 생각과 글쓴이의 의견은 물론 글의 내용이 타당한지, 표현이 적절한지까지 파악할 수 있어야 해요!

저학년에서는 의견이 적절한지 판단해요 → 고학년에서는 내용과 표현의 적절성을 판단해요

5

내용과 표현의 적절성 판단하기

수능에서는 자료의 신뢰도를 판단하는 문제가 나와. 신뢰도는 활용된 자료가 얼마나 믿을 만한 것인지를 평가하는 기준이야.

이 보도에서 뉴스의 신뢰도를 높이기 위해 사용한 방법을 모두 찾아 기호로 쓰세요.
(　　　　　　　　)

㉮ 자료의 출처를 밝히고 있다.
㉯ 간결한 문장으로 전달하고 있다.
㉰ 흥미 위주의 소재를 다루고 있다.
㉱ 전문가의 인터뷰를 제시하고 있다.

6

한줄요약

빈칸에 알맞은 말을 넣어 이 글의 핵심 내용을 한 문장으로 요약하세요.

유기　　인수　　개선

반려동물 [　　]제는 불법으로 [　　]되는 반려동물을 보호하기 위한 제도로, 제도의 도입도 중요하지만 반려동물에 대한 사람들의 인식을 [　　]하려는 노력이 중요하다.

• 낱말이 한자로는 어떻게 쓰이는지 살펴보고, 예문을 참고해 빈칸을 채워 보세요.

❶

伴侶 — 짝 [반] / 짝 [ㄹ]

애견은 우리와 함께 살아가는 [반][ㄹ]동물이자 가족이다.

❷

導入 — 이끌 [ㄷ] / 들 [입]

첨단 장비의 [ㄷ][입]으로 큰 발전을 이루었다.

❸

委託 — 맡길 [ㅇ] / 부탁할 [탁]

주인에게 그 물건을 [ㅇ][탁]받고 보관 중이다.

• 낱말의 뜻을 참고하여, 다음 문장의 빈칸에 들어갈 알맞은 낱말을 완성하세요.

❹ 다리를 다친 애완견이 [ㅇ][ㄱ] 되었다.

내다 버림.

❺ 나는 동생과 함께 토끼를 [ㅅ][ㅇ]하기로 했다.

어린 가축이나 짐승이 자라도록 먹이어 기름.

❻ 지구 보호를 위해 에너지를 [ㅈ][ㄱ]하는 방법을 연구할 필요가 있다.

아끼어 줄임.

❼ 친구와의 관계 [ㄱ][선]을 위해 노력하고 싶다.

잘못된 것이나 부족한 것, 나쁜 것 따위를 고쳐 더 좋게 만듦.

월 일
맞힌 개수 개

사이버불링

진행자: 최근 한 중학생이 SNS에서 자신을 비난하는 글들에 괴로워하다 극단적인 선택을 하고만 사건이 있었습니다. 이처럼 오프라인에서 행해지던 학교 폭력이 점차 온라인 공간으로 옮겨 가면서 그 양상이 더 교묘해지고 있는데요. 이에 대해 알아보도록 하겠습니다.

[A] **기자:** 스마트폰의 사용이 활발해지면서 사이버상의 폭력이 급증하고 있다고 합니다. 2014년 개정된 학교 폭력 예방 및 대책에 관한 법률에서 인터넷, 휴대전화 등의 정보 통신 기기를 이용해 특정 대상에게 반복적이고 지속적으로 심리적 공격을 가하거나, 특정 대상과 관련한 정보나 허위 사실을 유포해 상대방이 고통을 느끼도록 하는 모든 행위를 '사이버불링'으로 규정하고 있습니다. 사이버불링은 서로 대면하지 않고 일어나는 행위이기 때문에 여러 가지 특징을 갖기도 합니다. 우선 실시간으로 내용 공유가 가능하다는 점에서 여러 명의 가해자가 쉽게 폭력 행위에 가담할 수 있으며, 시간 및 공간상의 제약이 없어 매우 빠른 속도로 전파되고 복제될 수 있습니다. 또한 사이버상에 노출된 내용은 삭제가 어려워 평생 트라우마에 시달릴 수도 있습니다. 특히 10대 청소년은 사이버불링을 범죄로 인식하지 않고 일종의 놀이 문화나 유대감을 쌓는 행위로 인식하는 경우가 있어 더 큰 문제가 되고 있는데, 사이버불링 역시 법적으로 처벌이 가능한 범죄입니다.

〈인터뷰〉 학교 폭력 예방 연구소장 이○○

"사이버불링을 예방하기 위해서는 ㉠글을 쓸 때 세 번 이상 신중하게 생각해야 합니다. 특히 청소년들은 친구들의 영향에 민감하기 때문에 주변 사람들에 휩쓸려 무의식적으로 사이버불링에 가담하지 않도록 주의해야 합니다. 또한 개인 정보의 중요성에 대해 인식하고 다른 사람의 정보를 당사자의 동의 없이 사이버상에 공개하지 않도록 해야 합니다."

기자: 이 밖에도 사이버상의 괴롭힘은 대면 없이 이루어지므로 피해 정도를 정확하게 파악하는 것이 쉽지 않습니다. 따라서 사이버불링이 인지되면 바로 주변에 도움을 요청하여 적절한 대처를 하는 것이 중요합니다.

- **양상** 사물이나 현상의 모양이나 상태.
- **허위** 진실이 아닌 것을 진실인 것처럼 꾸민 것.
- **공유** 두 사람 이상이 한 물건을 공동으로 소유함.
- **트라우마** 정신에 지속적인 영향을 주는 격렬한 감정적 충격.

1

이 뉴스에서 알 수 있는 내용은 무엇인가요? (   )

① 사이버불링은 전파 속도가 오프라인에 비해 느리다.
② 오프라인에서의 학교 폭력이 사이버 공간에서보다 더 교묘해졌다.
③ 사이버 공간은 상대와 편하게 직접 대면할 수 있다는 특징이 있다.
④ 사이버불링은 가상 공간에서 벌어지는 행위이므로 법적인 처벌이 어렵다.
⑤ 사이버불링은 사이버상에서 상대방에게 고통을 느끼게 하는 모든 행위를 말한다.

2

[A]와 관련해 시청자의 이해를 돕기 위한 시각 자료의 활용 계획으로 알맞지 않은 것은 무엇인가요? (   )

① 시청자들이 더 정확하게 이해할 수 있도록 사이버불링의 개념을 자막으로 보여 주는 것이 좋겠어.
② 내용의 신뢰도를 높이기 위해 사이버상의 폭력이 급증하는 수치를 보여 주는 통계를 사용하는 것이 좋겠어.
③ 사이버불링도 범죄라는 것을 강조하기 위해 빨간 글씨로 법적 처벌이 가능하다는 자막을 보여 주는 것이 좋겠어.
④ 학교 폭력의 심각성을 강조하기 위해 교실에서 학생 여러 명이 모여 친구 한 명을 괴롭히는 사진을 보여 주는 것이 좋겠어.
⑤ 사이버불링에 대해 일종의 놀이로 생각하는 청소년들의 인터뷰 장면을 삽입해서 문제의 심각성을 보여 주는 것이 좋겠어.

3

이 뉴스에서 진행자와 기자의 말하기 방식으로 알맞은 것을 모두 골라 기호로 쓰세요.

수능에서는 말하기 방식을 말하기에 사용된 표현 방식을 가리키는 말로 사용해. 말하기 전략으로도 표현되며 방식과 그 효과를 함께 언급하는 경우가 많아.

㉮ 진행자는 사례를 통해 사람들의 관심을 끌고 있다.
㉯ 진행자는 기자의 보도 내용을 정리하여 요약하고 있다.
㉰ 기자는 진행자가 안내한 내용을 자세히 보도하고 있다.
㉱ 기자는 전문가 인터뷰의 내용을 요약하여 강조하고 있다.

(   )

내용과 표현의 적절성 판단하기

4

다음은 뉴스의 타당성을 판단하는 방법 중 어디에 해당하는지 보기 에서 찾아 기호로 쓰세요.

이 뉴스는 사이버상의 괴롭힘이 우리 사회에서 큰 문제가 되고 있기 때문에 이를 보도 내용으로 다루었어.

보기

ⓐ 자료의 출처가 명확한지 살핀다.
ⓑ 가치 있고 중요한 뉴스인지 살핀다.
ⓒ 활용한 자료들이 뉴스의 관점을 뒷받침하는지 살핀다.
ⓓ 뉴스의 관점과 보도 내용이 서로 관련 있는지 살핀다.

(　　　　　　)

5

㉠의 문장이 잘못된 이유와 올바른 수정 방안은 무엇인가요? (　　　)

① 글 전체 흐름에 맞지 않으므로 삭제한다.
② 의미가 모호하므로 '세 번 이상'은 삭제한다.
③ 의미가 중복되므로 '글을 쓸 때'를 '쓸 때'로 고친다.
④ 의미가 명확하지 않으므로 맨 앞에 '사이버상에서'를 추가한다.
⑤ 어휘가 어려우므로 '신중하게 생각해야'를 '고민해야'로 고친다.

한줄요약

6

빈칸에 알맞은 말을 넣어 이 글의 핵심 내용을 한 문장으로 요약하세요.

신중　　처벌　　폭력

사이버불링은 사이버상에서 일어나는 일종의 [　|　]으로, 법적인 [　|　]이 가능하므로 사이버 공간에서는 [　|　]한 태도가 요구된다.

- 다음 사다리 타기에 따라 ( ) 안에 들어갈 낱말의 뜻을 보기 에서 고르세요.

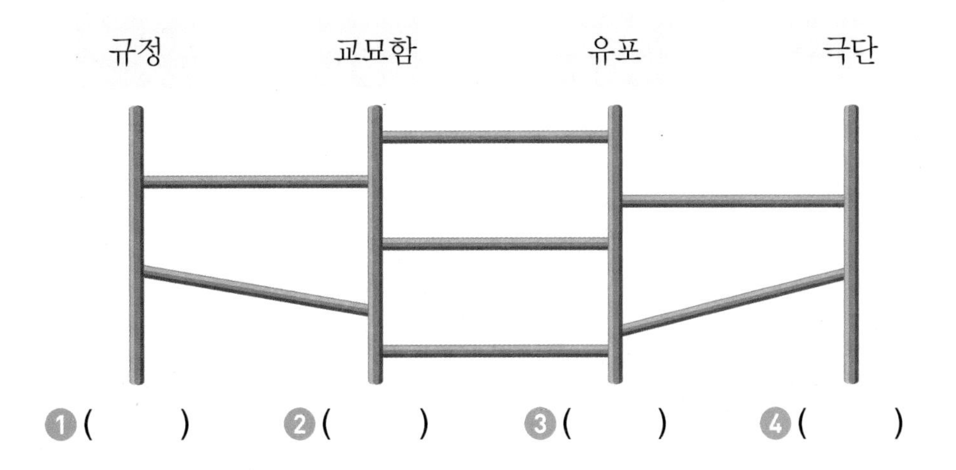

❶ (　　) ❷ (　　) ❸ (　　) ❹ (　　)

보기
ㄱ 세상에 널리 퍼짐. 또는 세상에 널리 퍼뜨림.
ㄴ 솜씨나 재주 따위가 재치 있게 약삭빠르고 묘함.
ㄷ 길이나 일의 진행이 끝까지 미쳐 더 나아갈 데가 없는 지경.
ㄹ 내용이나 성격, 의미 따위를 밝혀 정함. 또는 그 정하여 놓은 것.

- 낱말의 뜻을 참고하여, 다음 문장의 빈칸에 들어갈 알맞은 낱말을 완성하세요.

❺ 이번 싸움의 [ㄱ][ㄷ] 여부에 따라 그의 구속이 결정된다.
같은 편이 되어 일을 함께 하거나 도움.

❻ 비밀을 친구에게 털어놓으면 심적 부담을 덟과 동시에 친구와 [ㅇ][대][ㄱ]이 생긴다.
서로 밀접하게 연결되어 있는 공통된 느낌.

❼ 한번 결정하면 돌이킬 수 없으니 [ㅅ][ㅈ]하게 결정해라.
매우 조심스러움.

❽ 위급한 상황이라고 [ㅇ][ㅈ]하고 구조대에 신고했다.
어떤 사실을 인정하여 앎.

황룡사 9층 목탑

진행자: 황룡사 9층 목탑 복원을 두고 논란이 많은데요. 황룡사 9층 목탑은 과연 어떤 탑이었을까요?

기자: 지금으로부터 약 1,400년 전에 아파트 30층 정도 높이의 목탑이 세워졌습니다. 지금도 30층은 엄청난 높이인데, 그것도 나무로 만든 탑이라 하니 정말 대단한 건축물이라 할 수 있습니다. 그 탑이 바로 황룡사 9층 목탑입니다.

문화재 연구소 박사: 《삼국유사》의 기록에 보면, 신라 진흥왕 때 용궁 남쪽에 궁궐을 지으려 했는데 황룡이 그 땅에 나타나자 이를 고쳐서 절로 삼게 하고 황룡사라 이름을 지었다는 내용이 있습니다.

기자: 이처럼 황룡사는 원래 궁궐을 지으려던 자리였으므로 그 규모가 큰 것이 당연한데, 지금은 절은 없고 그 터만 남아 정확한 규모를 알기는 어렵습니다. 그런데 지금까지 발굴된 흔적만으로도 불국사의 약 8배 넓이에 이른다고 하니 당시 황룡사가 얼마나 큰 절이었는지를 알 수 있습니다. 황룡사 9층 목탑은 선덕 여왕의 호국 의지가 반영되어 만들어진 것인데, 완공 이후에 여러 번 벼락을 맞고 재건을 반복하다 고려 때 몽골의 침입에 의해 황룡사와 함께 전소되고 말았습니다.

시민 1: 남아 있는 터만 봐도 그 웅장함이 느껴지는데 실제로는 어땠을지 상상이 잘 안돼요.

시민 2: 지금까지 남아 있다면 가장 위대한 문화유산으로 여겨질 수도 있었을 것 같아요. 빨리 복원된 모습을 보고 싶어요.

문화재 연구소 박사: 문화유산은 어느 한 시대의 몫이 아닙니다. 문화유산이 보존될 수 있었던 것은 시대를 거치며 이를 유지하려는 노력이 끊임없이 이어졌기 때문입니다. 황룡사 9층 목탑도 마찬가지입니다. 빨리 복원하길 바라지만 현재 황룡사 9층 목탑에 대한 완전한 기록은 남아 있는 것이 없기 때문에 추측에 근거해서 복원하기는 어려운 상황입니다. 따라서 시간이 걸리더라도 충분한 연구를 토대로 복원해야 합니다.

기자: 황룡사 9층 목탑은 신라 문화의 정신적 유산인 만큼 신중한 접근이 필요합니다. 빨리 복원하는 것보다는 제대로 복원하려는 노력이 필요한 시점입니다.

- **흔적**
어떤 현상이나 실체가 없어졌거나 지나간 뒤에 남은 자국이나 자취.
- **호국**
나라를 보호하고 지킴.
- **완공**
공사를 완성함.

1

수능에서는
내용을 보완한다는 것이 글에서 언급하지 않은 내용을 보충한다는 의미로 쓰여. 실제 이렇게 내용 일치를 묻는 문제를 변형해 출제되기도 해.

이 뉴스를 보완하기 위한 계획으로 알맞지 않은 것은 무엇인가요? (　　　)

① 다른 대상과의 비교를 통해 황룡사의 규모를 짐작할 수 있게 해야겠군.
② 황룡사 터를 직접 본 기자의 경험을 제시하여 친숙함을 느끼게 해야겠군.
③ 황룡사 9층 목탑을 급히 복원하면 생겨날 수 있는 부정적 상황을 제시해야겠군.
④ 황룡사 9층 목탑 복원의 어려움을 보여 주기 위해 다른 나라의 사례를 보여 줘야겠군.
⑤ 통계 자료를 활용하여 황룡사 9층 목탑 복원에 대한 시민들의 생각을 제시해야겠군.

2

이 뉴스를 보고 알 수 있는 내용이 아닌 것은 무엇인가요? (　　　)

① 황룡사는 신라 진흥왕 때 지어졌다.
② 황룡사 9층 목탑은 여러 번 재건되었다.
③ 황룡사 9층 목탑은 아파트 30층 높이의 건축물이었다.
④ 황룡사 9층 목탑은 신라 시대에 몽골에 의해 불타 버렸다.
⑤ 황룡사 9층 목탑에 대한 정확한 기록은 남아 있는 것이 없다.

3

보기 는 뉴스를 본 후 나눈 대화입니다. 이를 바탕으로 뉴스의 제목을 작성하려고 할 때, 가장 알맞은 것은 무엇인가요? (　　　)

보기

선생님: 방금 본 뉴스의 내용으로 제목을 지어 볼까 합니다.
학생 1: 저는 기자의 마지막 말이 인상적이었습니다. 여기에서 핵심 어휘를 가져오면 좋을 것 같아요.
학생 2: 그리고 황룡사 9층 목탑이 지닌 의의가 드러나면 좋겠습니다.
선생님: 좋아요. 그러면 두 친구가 말한 것을 모두 반영한 제목을 만들어 볼까요?

① 위대한 문화유산 황룡사 9층 목탑, 복원이 어려운 이유
② 신라의 정신 황룡사 9층 목탑, 빠른 복원보다는 정확한 복원을
③ 엄청난 높이의 황룡사 9층 목탑, 현대의 기술로도 불가능한 기적
④ 반복된 고난을 겪은 황룡사 9층 목탑, 우리 모두가 지켜야 할 유산
⑤ 선덕 여왕의 염원이 담긴 황룡사 9층 목탑, 하루빨리 복원에 성공하길

내용과 표현의 적절성 판단하기

4

보기 의 내용을 기준으로 이 뉴스의 타당성을 바르게 판단한 것은 무엇일까요? ( )

보기
• 활용한 자료들이 뉴스의 관점을 뒷받침하는지 살피기

① 누구나 쉽게 이해할 수 있도록 명확한 언어를 사용하고 있군.
② 황룡사가 지어진 배경을 설명하기 위해 자료의 출처를 밝히고 있군.
③ 뉴스의 관점에 맞게 황룡사를 소개하고, 황룡사 9층 목탑이 세워진 배경을 설명하고 있군.
④ 황룡사 9층 목탑의 복원에 대한 보도를 위해 시민과 전문가와의 인터뷰 자료를 활용했군.
⑤ 문화유산을 잘 보존하는 것은 우리 사회에서 가치 있는 일이므로 이를 보도 내용으로 다루었군.

5

다음 빈칸에 들어갈 알맞은 말을 쓰세요.

황룡사는 원래 [ ][ ]을/를 지으려던 자리였는데, 황룡이 그 땅에 나타나자 이를 고쳐서 절로 삼게 하고 황룡사라 이름을 지은 것이다.

 한줄요약

6

빈칸에 알맞은 말을 넣어 이 글의 핵심 내용을 한 문장으로 요약하세요.

복원 신라 연구

황룡사 9층 목탑은 [ ][ ] 문화의 정신적 유산인 만큼 충분한 [ ][ ]를 토대로 [ ][ ]이 이루어져야 한다.

• 빈칸에 알맞은 낱말을 보기 에서 찾아 문장을 완성하세요.

보기

논란 전소 보존 토대

1 그 문서는 [|] 상태가 별로 좋지 않았다.

잘 보호하고 간수하여 남김.

2 소방차가 빨리 출동한 덕분에 건물은 [|]를 면했다.

남김없이 다 타 버림.

3 이번 협상을 계기로 세계로 발전할 수 있는 [|]가 마련되었다.

어떤 사물이나 사업의 밑바탕이 되는 기초와 밑천을 비유적으로 이르는 말.

4 국내 유명 동물원의 물개 쇼를 두고 찬반 [|]이 끊이지 않고 있다.

여럿이 서로 다른 주장을 내며 다툼.

• 낱말의 뜻을 참고하여, 다음 문장의 빈칸에 들어갈 알맞은 낱말을 완성하세요.

5 그 그림은 드디어 원형대로 [ㅂ | ㅇ]이 되었다.

원래대로 회복함.

6 장애인 복지를 위한 모금 운동이 전국적인 [ㄱ | ㅁ]로 확대되어 갔다.

사물이나 현상의 크기나 범위.

7 이곳에서 선사 시대의 유적이 발견되어 현재 [ㅂ | ㄱ]이 진행되고 있다.

땅속이나 큰 덩치의 흙, 돌 더미 따위에 묻혀 있는 것을 찾아서 파냄.

8 전쟁이 끝난 뒤에야 겨우 도시의 [ㅈ | ㄱ]이 이루어졌다.

허물어진 건물이나 조직 따위를 다시 일으켜 세움.

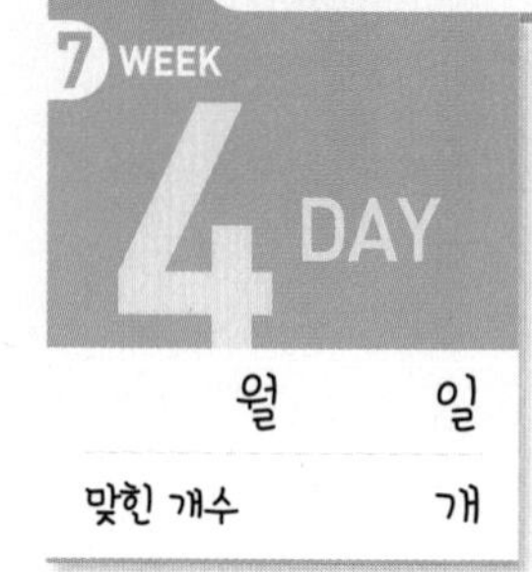

서스펜디드 커피

영어로 '서스펜드(suspend)'는 '보류하다'라는 의미를 지니고 있습니다. 따라서 '서스펜디드 커피'는 '미뤄 둔 커피'라는 뜻이며, 돈이 없어 커피를 마시지 못하는 노숙자나 불우한 이웃을 위해 미리 커피값을 지불해 맡겨 두는 커피를 말합니다. 커피를 이용한 일종의 기부 운동으로 '맡겨 둔 커피', '착한 기부 커피'라고도 불립니다.

서스펜디드 커피는 제2차 세계 대전 직후 이탈리아 남부 지역인 나폴리에서 '카페 소스페소'라는 이름으로 처음 등장했습니다. 카페 소스페소는 서스펜디드 커피와 같은 의미로, 당시 전쟁의 고통과 공포에 빠진 사람들을 위로하기 위해 시작되었습니다.

그 후 한동안 잊혔던 서스펜디드 커피는 2010년 이탈리아에서 '서스펜디드 커피 네트워크'라는 조직이 결성되면서 본격적으로 다시 시작되었으며, 미국, 영국, 호주, 캐나다 등 전 세계로 확산되었습니다. 또한 몇 년 전부터 심각한 경기 불황이 지속되고 있는 그리스에도 이 운동의 열기는 계속되고 있습니다. 형편이 어려운 사람들을 위해 커피값을 지불한 사람이 "힘내세요"와 같은 응원의 쪽지를 남기면, 커피를 마시고 싶은 사람이 그 쪽지를 확인하고 이미 값이 지불된 커피를 마실 수 있습니다. 처음에 네 곳으로 시작된 서스펜디드 카페는 이제 그리스 전역에 걸쳐 100개가 넘게 되었습니다.

이후 서스펜디드 커피는 다른 음식으로도 확산되는 중입니다. 캐나다에서는 '서스펜디드 밀', 즉 '맡겨 둔 식사'가 등장했고, 독일에는 각종 채소와 음식이 들어 있는 '나눔 냉장고'가 있으며, 우리나라에도 '달콤 창고'라는 물품 보관함이 생기기도 했습니다.

힘든 누군가가 생존을 위한 치열함 속에서도 커피 한잔의 여유를 갖길 바라는 마음이 모여 서스펜디드 커피라는 착한 소비를 가능하게 한 것입니다. 그리스의 서스펜디드 커피도 풍족할 때 시작된 것이 아니라 경제 위기를 겪고 있을 때 시작된 것입니다. 즉 풍족한 사람들이 베푸는 동정이 아니라 평범한 시민들의 관심으로부터 시작된 작은 선물이라는 점에서 더욱더 의미가 있는 운동이 아닐까 싶습니다.

- **불우한**
  살림이나 처지가 딱하고 어려운.
- **전역**
  어느 지역의 전체.

1 **서스펜디드 커피가 처음 시작된 계기는 무엇인가요? (   )**

① 커피 가게를 홍보하기 위해서
② 커피 산업을 활성화하기 위해서
③ 음식을 나누는 문화를 조성하기 위해서
④ 전쟁의 고통에 빠진 사람들을 위로하기 위해서
⑤ 기부를 통해 자신의 사회적 지위를 유지하기 위해서

2 **서스펜디드 커피의 의의를 다음과 같이 요약할 때, 보기 의 ⓐ~ⓔ 중 빈칸에 들어갈 알맞은 낱말로만 짝지어진 것은 무엇인가요? (   )**

서스펜디드 커피는 [ ] 이/가 아니라 관심에서 시작된 [ ] (이)라는 점에서 의미가 있는 운동입니다.

보기

ⓐ 동정　ⓑ 소비　ⓒ 선물　ⓓ 여유　ⓔ 만족

① ⓐ, ⓒ　② ⓐ, ⓔ　③ ⓑ, ⓒ　④ ⓒ, ⓓ　⑤ ⓓ, ⓔ

3 **이 글에서 언급한 내용이 아닌 것은 무엇인가요? (   )**

① 서스펜디드 커피의 의미
② 서스펜디드 커피의 영향력
③ 서스펜디드 커피의 한계점
④ 서스펜디드 커피의 등장 배경
⑤ 서스펜디드 커피의 참여 방법

[4~5] 다음 광고를 보고 4번과 5번의 두 물음에 답하세요.

따뜻한 마음 한잔 드실래요?
나에겐 가벼운 커피 한잔이 누군가에게는 생명수가 될 수 있습니다.
한 잔은 나를 위해, 한 잔은 타인을 위해 주문해 보세요.
당신이 맡겨 둔 커피는 커피 그 이상이 될 것입니다.

수능에서는
둘 이상의 대상을 서로 맞대어 반대되거나 대비되는 점을 찾는 것을 대조라고 해. 공통점을 찾아 설명하는 것은 비교라는 것 알지?

4 이 광고에 쓰인 표현 방법이 아닌 것은 무엇인가요? (　　　)

① 의문형으로 시작해 사람들의 호기심을 자극하고 있다.
② '커피'와 '생명수'를 대조해서 내용을 강조하고 있다.
③ 커피를 마음에 비유해 사람들에게 인상을 남기고자 하고 있다.
④ 같은 문장 구조를 반복하여 사람들이 잘 기억할 수 있도록 하고 있다.
⑤ 문장의 순서를 바꾸어 변화를 줌으로써 강한 인상을 남기고 있다.

내용과 표현의 적절성 판단하기

5 보기 의 관점에서 이 광고에 대해 평가한 내용으로 알맞은 것을 골라 기호로 쓰세요.

보기
커피가 누군가에게는 큰 위로가 될 수 있다는 의도는 알겠으나 생명수로 표현할 정도로 커피가 생존에 필수적인 것은 아니다.

㉮ 다소 과장된 표현이 있다.　　　㉯ 필요한 내용을 감추고 있다.

(　　　　　　)

한줄요약

6 빈칸에 알맞은 말을 넣어 이 글의 핵심 내용을 한 문장으로 요약하세요.

기부　　관심　　커피

서스펜디드 [　　]는 '맡겨 둔 커피'라는 의미로, 형편이 어려운 이웃을 위해 미리 커피값을 맡겨 두는 일종의 [　　] 운동이며, 작은 [　　]으로부터 시작된 운동이라 할 수 있습니다.

• 낱말이 한자로는 어떻게 쓰이는지 살펴보고, 예문을 참고해 빈칸을 채워 보세요.

❶ 保留 — 보전할 [ㅂ] 머무를 [류]

이 계획은 일단 [ㅂ][류]하기로 한다.

❷ 支拂 — 지탱할 [지] 떨칠 [ㅂ]

현금으로 [지][ㅂ]하시면 할인해 드립니다.

❸ 一種 — 하나 [일] 씨 [ㅈ]

아크릴은 플라스틱의 [일][ㅈ]으로 널리 쓰인다.

• 낱말의 뜻을 참고하여, 다음 문장의 빈칸에 들어갈 알맞은 낱말을 완성하세요.

❹ 이번 학기에는 새로운 학생회가 [ㄱ][ㅅ]될 것이다.

조직이나 단체 따위를 짜서 만듦.

❺ 전염병의 [ㅎ][ㅅ]을 막기 위해 최선을 다했다.

흩어져 널리 퍼짐.

❻ 작년 반도체 [ㅂ][ㅎ]으로 실적이 반으로 줄었다.

경제 활동이 일반적으로 침체되는 상태.

❼ 평준화되지 않은 지역에서는 고입 경쟁이 [ㅊ][ㅇ]하다.

기세나 세력 따위가 불길같이 맹렬함.

월 일
맞힌 개수 개

청소년의 화장품 사용

뽀얀 피부, 붉은 입술, 선명한 눈매의 예쁜 얼굴을 갖고 싶은 마음은 누구에게나 있습니다. 하지만 예뻐지기 위해 화장품을 얼굴에 바르는 것보다 더 중요한 것은 바로 건강한 피부를 유지하는 것입니다. 따라서 피부에 안전한 화장품을 고르는 것부터가 화장품 사용의 첫걸음이라고 할 수 있습니다.

그런데 화장품은 대표적인 이미지 산업으로 대부분 화려한 모델이 등장해 광고를 하는 경우가 많습니다. 이는 우리가 화장품과 관련된 정보를 정확하게 인식해 제품을 선택하는 것을 어렵게 합니다. 특히 청소년의 경우 자신이 좋아하는 연예인이 광고를 하면 무턱대고 구입한다든가, 예쁜 디자인의 용기만을 보고 구입하는 경우가 많습니다. 하지만 이렇게 화장품의 이미지에만 의존하여 제품을 선택할 경우, 자신의 피부와 맞지 않아 문제가 발생할 수 있습니다.

또한 화장품은 의약품이 아닙니다. 그렇기 때문에 화장품은 의약품과 달리 짧은 기간 동안 뚜렷한 치료적 효과를 기대하기 어렵습니다. 그러므로 매우 빠른 효과를 보장하거나 특정 질환을 치료해 주는 듯한 화장품의 허위·과장 광고에 현혹되지 않도록 해야 합니다.

따라서 화장품을 고를 때는 우선 본인의 피부 타입에 맞는 제품인지부터 생각해 봐야 합니다. 내가 사용할 수 있는 제품인지, 성별에 맞는 제품인지, 피부 상태에 맞는 제품인지, 사용하고자 하는 목적에 맞는 제품인지를 고려해야 합니다. 그리고 화장품의 겉면에 있는 성분 정보들을 꼼꼼하게 따져 보고 화장품의 성분들이 나의 피부에 맞는지 확인하는 과정이 필요합니다. 또 피부가 예민한 청소년은 얼굴에 제품을 사용하기 전에 다른 신체 부위에 테스트를 해 봄으로써 알레르기 반응이 있는지 미리 확인을 하는 것이 좋습니다.

오로지 예뻐지고 싶다는 생각으로 올바른 기준 없이 화장품을 사용하다가는 건강한 피부를 망칠 수 있습니다. 건강하지 않은 피부는 어떤 화장을 해도 예뻐 보이기 어렵습니다. 따라서 화장품을 올바로 선택함으로써 자신이 지닌 본래의 건강한 아름다움이 더 빛나 보이게 할 수 있는 노력이 필요합니다.

• **선명한**
산뜻하고 뚜렷하여 다른 것과 혼동되지 아니한.

• **유지**
어떤 상태나 상황을 그대로 보존하거나 변함없이 계속하여 지탱함.

• **질환**
몸의 온갖 병.

1

이 글에서 청소년의 화장에 대한 글쓴이의 관점은 무엇인가요? (　　　)

수능에서는
사물이나 현상에 대해 글쓴이가 생각하는 태도를 글쓴이의 관점이라고 해. 쉽게 말해 글을 쓴 의도, 글의 주제라고 생각하면 돼.

① 청소년이 화장을 하는 것은 피부에 해롭다.
② 청소년을 위한 화장품이 더 많아져야 한다.
③ 청소년이 화장을 하는 것은 개인의 자유이다.
④ 화장을 하려면 올바른 화장품 선택이 필요하다.
⑤ 외모보다는 내면의 아름다움을 기르는 것이 더 중요하다.

2

화장품을 고를 때 고려해야 할 사항이 아닌 것은 무엇인가요? (　　　)

① 피부 타입에 적절한 제품인가?
② 화장품에 함유된 성분이 안전한가?
③ 청소년이 사용할 수 있는 제품인가?
④ 사용하고자 하는 목적에 맞는 제품인가?
⑤ 용기의 디자인이 다른 제품과 차별화되었는가?

3

이 글에서 제시한 문제 상황으로 가장 알맞은 것은 무엇인가요? (　　　)

① 화장품을 인터넷으로 구매할 경우 피해를 보기도 한다.
② 광고의 모델만 보고 화장품을 구입하는 청소년이 많다.
③ 화장품 겉면에 표기된 성분들이 무엇인지 알기가 어렵다.
④ 청결하지 않은 화장품 사용으로 피부에 부작용이 생기기도 한다.
⑤ 청소년이 성인용 화장품을 사용할 경우 피부에 문제를 일으킬 수 있다.

[4~5] 다음 광고를 보고 4번과 5번의 두 물음에 답하세요.

#1 울퉁불퉁한 내 피부. 여드름 피부가 고민이신가요?
#2 일주일만 발라 보세요. 당신의 얼굴에 기적이 일어납니다.
#3 여드름과 피부 톤 개선에 탁월한 효과가 입증된 기적의 크림.
소비자 재구매율 1위! 유해 성분이 없는 착한 화장품!
#4 기적의 크림. 당신의 건강한 피부를 책임져 줄 단 하나의 아이템입니다.

4 **이 광고에서 말한 '기적의 크림'의 좋은 점을 두 가지 고르세요. (,   )**

① 여드름 개선에 효과가 있다.
② 용기의 디자인이 세련되었다.
③ 모든 유해 물질을 제거해 만들었다.
④ 가격이 저렴하여 구매에 부담이 없다.
⑤ 용량이 많아 오랫동안 사용할 수 있다.

내용과 표현의 적절성 판단하기

5 **이 광고를 보고 올바른 판단을 하고 있는 친구를 모두 고르세요.**

재희: 소비자 재구매율 1위라는 결과를 어디에서 확인할 수 있는 것인지 알 수가 없어. 그대로 믿으면 안 될 것 같아.
수아: 그런데 정말 화장품이 피부를 책임져 줄 수 있나? 좀 과장된 것 같아.
예은: 모든 유해 물질을 제거했다니 보나 마나 안전한 화장품이겠네.
민호: 화장품은 의약품이 아닌데 마치 단기간에 치료의 효과가 있는 것처럼 과장 광고를 하고 있어.

(   )

한줄요약

6 **빈칸에 알맞은 말을 넣어 이 글의 핵심 내용을 한 문장으로 요약하세요.**

피부   광고   노력

화려한 [ ][ ]에 현혹되지 말고 꼼꼼하게 따져 본인의 [ ][ ]에 맞는 화장품을 사용하려는 [ ][ ]이 필요합니다.

• 다음 사다리 타기에 따라 (   ) 안에 들어갈 낱말의 뜻을 보기 에서 고르세요.

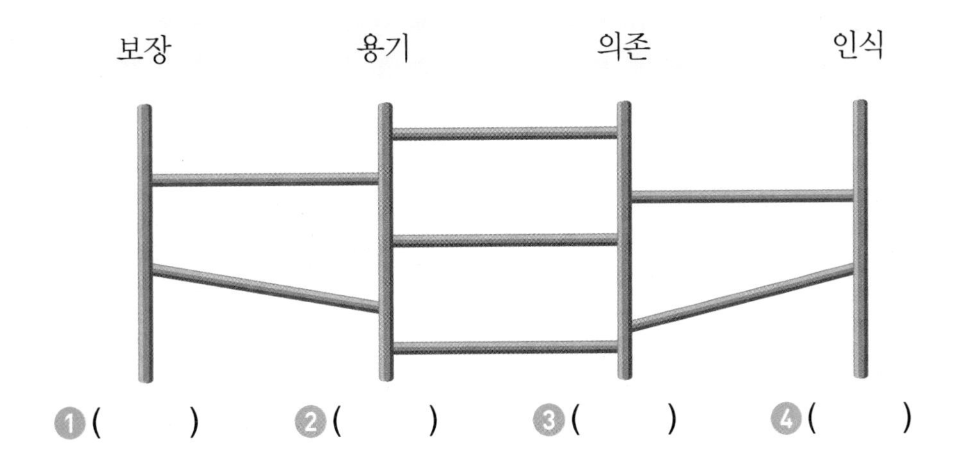

❶ (   ) ❷ (   ) ❸ (   ) ❹ (   )

보기
㉠ 물건을 담는 그릇.
㉡ 다른 것에 의지하여 존재함.
㉢ 사물을 분별하고 판단하여 앎.
㉣ 어떤 일이 어려움 없이 이루어지도록 조건을 마련하여 보증하거나 보호함.

• 낱말의 뜻을 참고하여, 다음 문장의 빈칸에 들어갈 알맞은 낱말을 완성하세요.

❺ 우리나라의 동물 애호는 개나 고양이 같은 [ㅌ][ㅈ] 동물에 치우쳐 있다.
특별히 지정함.

❻ 장사꾼의 말에 [ㅎ][ㅎ] 되어 물건을 한가득 샀다.
정신을 빼앗겨 해야 할 바를 잊어버림. 또는 그렇게 되게 함.

❼ 이 규칙은 개인적인 사정을 전혀 [ㄱ][ㄹ] 하지 않았다.
생각하고 헤아려 봄.

내용과 표현의 적절성을 판단하려면?

의견이 적절한지 파악해요. ► 4학년

❶ 글쓴이의 의견 파악하기

이야기 글에서는 인물의 말과 행동으로 의견을 파악하고, 주장하는 글에서는 글쓴이의 생각이 분명하게 나타난 문장을 찾아봅니다.

❷ 의견이 적절한지 판단하기 의견이 적절한지 판단하면 글쓴이의 생각을 비판적으로 이해할 수 있습니다.

의견이 적절한지 판단할 때는 먼저 의견이 주제와 관련되는지 살펴본 후, 근거가 의견을 적절히 뒷받침하고 있는지 따져 봐야 합니다.

- 글쓴이의 의견은 글 전체의 주제와 관련이 있음.
- 글쓴이의 의견을 파악했다면, 왜 그렇게 생각하는지 근거를 찾아야 함.
- 의견과 근거를 볼 때는 내용의 타당성과 표현의 적절성을 판단해야 함.

내용과 표현의 적절성을 판단해요 ► 6학년

❶ 내용의 타당성 판단하기 저학년 때는 글의 중심 내용을 파악하고 이해하는 것이 중점이었다면, 고학년 때는 능동적으로 의미를 구성하며 글을 비판적으로 이해할 수 있어야 합니다.

글에 나타난 **주장**이나 **내용**이 편견에 치우치지 않았는지, 활용된 **자료의 출처**가 명확한지, 글쓴이의 **관점**과 **내용**이 서로 관련이 있는지 등을 살펴봐야 합니다.

❷ 표현의 적절성 판단하기

글쓴이가 자신의 생각을 드러내기 위해 사용한 **표현**이 적절한지, 과장되거나 거짓된 표현은 없는지 등을 살펴봐야 합니다.

주장의 타당성을 평가하는 ~

17. 위 글을 읽고 주장의 타당성을 평가하는 활동으로 적절하지 않은 것은?

① 글쓴이의 주장이 독자의 흥미를 유발하는지 판단해 본다.
② 주장을 뒷받침하기 위해 사용한 기업들의 사례가 적절한지 판단해 본다.
③ 글에 제시된 보고서의 통계 ... 확인해 본다.
④ 글쓴이의 견해에 대해 기업의 입장에서 반론할 가능성이 있는지 판단해 본다.
⑤ 글쓴이의 주장이 신뢰를 중요하게 여기는 보편적 윤리에 어긋나지 않는지 검토해 본다.

수능에는 충분한 근거를 바탕으로 타당한 주장을 하고 있는지 평가하는 문제가 나와요.

글의 주제와 관점을 파악하자

내용의 타당성과 표현의 적절성도 결국에는 주제에 근거해 주제에서 어긋나지 않는지를 판단하는 것입니다. 따라서 글의 주제와 글쓴이의 관점을 파악하고 이를 토대로 내용이 구성되어 있는지, 관점에서 어긋나는 표현은 없는지 살펴보도록 합니다.

글의 주제와 관점을 파악한다. > 주제에 어울리는 내용인지, 관점에서 어긋나는 표현은 없는지 파악한다. > 맞지 않다면 그 이유를 생각해 본다.

수능까지 연결되는 초등 독해

WEEK 8

비유하는 표현을 이해해요

무엇을 닮았나요?

등대, 과자, 엄마의 얼굴은 보름달과 어떤 점이 비슷한가요? 이렇게 세 사람이 보름달을 보며 떠올린 이미지를 글로 표현하면 비유하는 표현이 돼요. **비유하는 표현**은 **어떤 현상이나 사물을 직접 표현하지 않고 다른 비슷한 현상이나 사물에 빗대어 표현하는 것**이랍니다.

비유적 표현을 이해하면 우선 대상을 실감 나게 느낄 수 있고, 장면도 쉽게 떠올릴 수 있어요. 글쓴이가 말하고자 하는 의도를 쉽게 파악할 수 있어 내용을 이해하는 것도 훨씬 쉬워진답니다. 자, 그럼 이제 비유의 세계로 다 같이 뛰어 들어가 볼까요?

돌담에 속삭이는 햇발 / 유성

가 돌담에 속삭이는 햇발같이
풀 아래 웃음 짓는 샘물같이
내 마음 고요히 고운 봄 길 위에
오늘 하루 하늘을 우러르고 싶다.

새악시 볼에 떠오는 부끄럼같이
시의 가슴에 살포시 젖는 물결같이
보드레한 에메랄드 얇게 흐르는
실비단 하늘을 바라보고 싶다.

– 김영랑, 〈돌담에 속삭이는 햇발〉

나 밤하늘은
별들의 운동장
오늘따라 별들 부산하게 바자닌다.
운동회를 벌였나
아득히 들리는 함성,
먼 곳에서 아슴푸레 빈 우렛소리 들리더니
㉠빗나간 야구공 하나
쨍그랑
유리창을 깨고
또르르 지구로 떨어져 구른다

– 오세영, 〈유성〉

• **살포시**
포근하게 살며시.

• **부산하게**
급하게 서두르거나 시끄럽게 떠들어 어수선하게.

• **아슴푸레**
빛이 약하거나 멀어서 조금 어둑하고 희미한 모양.

• **우렛소리**
천둥이 칠 때 나는 소리.

비유하는 표현 이해하기

1 가 와 나 에 나타난 '하늘'을 바르게 이해한 것은 무엇인가요? (　　　)

① 소리를 나타내는 말을 함께 사용했다.
② 시간적 배경을 나타내는 말로 사용했다.
③ 역동적인 느낌을 주는 시어를 사용했다.
④ 색깔을 나타내는 시어로 따뜻한 분위기를 형성했다.
⑤ 눈에 보이는 대상의 모습을 무언가에 빗대어 표현했다.

수능에서는
대상을 비슷한 다른 상황에 빗대어 말하고자 하는 바를 효과적으로 전달하는 경우가 많아. 이를 비유라고 해. 설명문에서 이러한 비유를 사용하면 유추라고 해.

2 가 에 대한 설명으로 알맞지 않은 것은 무엇인가요? (　　　)

① 시에서 느껴지는 계절적 배경은 봄이다.
② 햇발이 부드럽게 내리쬐는 느낌을 준다.
③ 시적 화자는 봄날 슬픈 생각을 하고 있다.
④ 전체적으로 따뜻한 분위기를 형성하고 있다.
⑤ 시적 화자는 실비단 하늘을 바라보고 싶어 한다.

비유하는 표현 이해하기

3 나 에서 ㉠이 비유하는 대상은 무엇인지 쓰세요.

(　　　　　　　　　)

비유하는 표현 이해하기

4 **가** 와 **나** 에 공통으로 쓰인 비유적 표현으로 알맞은 것은 무엇인가요? (　　　)

① 사람이 아닌 것을 사람인 것처럼 표현했다.
② '무엇은 무엇이다'의 형식으로 빗대어 표현했다.
③ 사물의 일부나 특징을 들어 그 전체를 표현했다.
④ 어떤 사물을 실제보다 지나치게 크거나 작게 표현했다.
⑤ '같이', '처럼', '듯이'와 같은 말로 비슷한 두 사물을 연결했다.

5 **가** 와 **나** 를 읽고 새로운 시를 쓴다고 할 때, 공통된 주제를 담을 수 있는 풍경으로 알맞지 않은 것은 무엇인가요? (　　　)

수능에서는
문학 작품에서 글쓴이가 전달하고자 하는 중심 생각, 주제를 묻는 문제가 반드시 나와. 글쓴이가 무엇에 대해 말하고 있는지를 파악해 봐. 그 화제에 대해 글쓴이가 어떻게 생각하는지가 주제가 되는 거야.

① 평화로운 농촌의 풍경
② 화려한 도시의 야경
③ 석양이 지는 저녁 하늘
④ 파도가 잔잔히 부서지는 백사장
⑤ 해가 서서히 떠오르는 아침의 모습

한줄요약

6 빈칸에 알맞은 말을 넣어 이 글의 핵심 내용을 한 문장으로 요약하세요.

별　　하늘　　유성　　봄

가 : [　] 의 [　　] 을 바라보며 평화롭고 따뜻한 마음을 갖길 소망한다.

나 : [　] 이 떨어지는 하늘을 바라보며 [　　] 의 아름다움을 느낀다.

• 주어진 낱말과 그 의미를 바르게 연결하세요.

❶ 살포시 •

❷ 보드레 •

• ⓐ 꽤 보드라운 느낌이 있다.
예 아기의 살결이 [ ][ ][ ]하다.

• ⓑ 포근하게 살며시.
예 어머니는 [ ][ ][ ] 아기를 감싸 안았다.

• 다음 문장을 읽고, 두 낱말 중 알맞은 것을 찾아 ○표 하세요.

❸ 온 하늘이 빛나는 보석으로 가득 찬 [고은 / 고운] 별밤이었다.

❹ 황소 한 마리를 두고 씨름판을 [벌였다 / 벌렸다].

• 낱말의 뜻을 참고하여, 다음 문장의 빈칸에 들어갈 알맞은 낱말을 완성하세요.

❺ 아침 [ㅎ][ㅏ ㄹ]이 눈을 부시게 한다.
사방으로 뻗친 햇살.

❻ 날씨가 맑아 하늘이 [ㄱ ㅣ ㄹ][ㅂ ㅣ][ㄷ]처럼 곱다.
가는 실로 짠 비단.

❼ 내 친구는 가끔 공연히 이리저리 [ㅏ][ㅈ][ㄴ ㅣ ㄴ][ㄷ].
'바장이다'의 옛말. 부질없이 짧은 거리를 오락가락 거닐다.

❽ 날씨가 흐린 날의 하늘에서는 달빛이 [ㅇ][ㅅ][ㅍ ㅜ][ㄹ] 보인다.
빛이 약하거나 멀어서 조금 어둑하고 희미한 모양.

살아 있는 냉장고 _ 오한숙

이사 와서 처음 맞는 가을, 밖에서 누가 부르는 소리에 나가 보니 옆집 푸른이 할머니였다. 손에 든 소쿠리에 작은 알밤들이 낙엽 부스러기와 함께 들어 있었다.

"어머, 웬 거예요."

"응, 집이 모가치여."

"네?"

"산에서 땄으니께 집이 모가치도 있는 것이여."

"그래도 애써서 따 오신 걸 이렇게 받아먹다니 죄송해서……."

"산에 난 것이지, 내 것이간디?"

그리고 얼마가 지났을까. 집 현관에서 역하게 구린 냄새가 났다. 은행에서 나는 것이었다. 은행이 담긴 찌그러진 양은 함지가 눈에 익었다. 보나 마나 서울이 할머니가 갖다 놓으신 것이다.

"은행 냄새가 고리지? 푸대 자루에 넣고 발로 밟으면 겉에 물렁한 살들이 다 터져 버려. 그러면 은행 알을 꺼내고 그걸 쌀뜨물에 씻으면 냄새 안 나. 뒀다가 어머니 구워 드려. 혈압에도 좋고 가래에도 좋아."

양은 함지를 찾으러 온 서울이 할머니는 생색은커녕 친절하게 은행 다듬는 방법까지 알려 주셨다. 알밤과 달리 은행은 냄새가 고약해서 줍는 게 고역인데 그런 것을 기꺼이 나눠 주다니 **여간 고마운 일이 아니다.** 그러나 고맙다는 인사에 돌아오는 **대답은 약속이나 한 듯이 똑같다.**

"이 동네에 열린 것이니 집이 몫이여."

동네의 것을 동네 사람 모두의 것으로 여기고, 자신을 자연의 심부름꾼, 배달부로 자임하는 **이 마음은 도대체 어디서 나오는 것일까.**

예전에는 이웃에 음식을 돌리는 일이 자연스러웠다. ㉠<u>음식은 그 집의 대소사와 경조사를 이웃에 알리는 연락꾼이었다.</u> 그것을 함께하는 이웃의 정은 음식을 가져온 그릇에 담겨서 전달되었다. 그런데 언제부터 음식 나누기가 끊어진 것일까.

감옥 생활을 오래 하신 신영복 선생으로부터 이런 이야기를 들은 적이 있다.

"냉장고가 발명되면서 사람들이 음식을 쌓아 놓고 혼자 먹기 시작한 것 같아요. 그전에는 **이웃 사람들의 배가 냉장고였거든요.** ⓐ<u>내가 있을 때 이 사람 저 사람</u>

- **소쿠리**
  대나 싸리로 엮어 테가 있게 만든 그릇.
- **쌀뜨물**
  쌀을 씻고 난 뿌연 물.
- **생색**
  다른 사람 앞에 당당히 나설 수 있거나 자랑할 수 있는 체면.
- **고역**
  몹시 힘들고 고되어 견디기 어려운 일.
- **자임**
  임무를 자기가 스스로 맡음.
- **대소사**
  크고 작은 일을 통틀어 이르는 말.

에게 나눠 주면 그 사람들이 언젠가 음식이 생겼을 때 내 몫을 챙겨 오잖아요."

갓 만든 맛난 음식을 얻어먹은 사람은 같은 종류의 음식을 먹을 때마다 그 생각이 난다. 여자들은 임신했을 때 먹고 싶은 것을 사 준 사람들을 평생 기억한다고 한다. 집에서 기르는 강아지도 자기에게 먹을 것을 주었던 손님은 기억했다가 반긴다고 한다. 썩어 없어질 음식으로 사람을 얻는 것, 얼마나 오래가는 냉장고인가. 얼마나 큰 냉동 음식고인가. 돌면서 정을 만든다. "빈 그릇을 주는 법은 없다."라고 뭐라도 담아 보낸다. 당장 담아 줄 게 없으면 "씻어서 주면 못 얻어먹는다."라고 그 자리에서 접시를 돌려주고 나중에 음식이 생기면 갚으면서 정이 오간다. 음식이 돌면서 사람 사이의 정에도 나이테가 늘어 간다. 전기가 아니라 정으로 돌아가는 냉장고, 우리가 살아 있는 한 계속 살아 있을 냉장고, 바로 사람. 그것을 믿기에 우리는 냉장고를 새로 사지 않는다.

1 **이 글의 내용과 일치하지 않는 것은 무엇인가요? (   )**

① 글쓴이는 이사를 오고 이웃에게 음식을 얻어먹은 경험이 있다.
② 글쓴이는 이웃에게 음식을 나누어 주었던 일을 평생 기억하고 있다.
③ 글쓴이의 이웃들은 자연에서 난 것들을 나누어야 한다고 생각한다.
④ 글쓴이는 과거에 비해 오늘날에는 '음식 나누기'가 줄었다고 생각한다.
⑤ 냉장고가 발명되면서 사람들은 음식을 오래 보관할 수 있게 되었다.

비유하는 표현을 이해해요

글쓴이는 글을 쓸 때 자신의 생각을 효과적으로 전달하기 위해 여러 가지 표현 방법을 사용합니다. 저학년에서는 설명하는 대상을 찾고 그 내용을 정확히 이해하는 것을 배웠다면, 고학년에서는 대상을 효과적으로 표현하기 위한 방법까지 파악하고 그 효과를 생각하며 읽어야 해요!

저학년에서는 설명하는 내용을 이해해요	→	고학년에서는 비유하는 표현을 이해해요

비유하는 표현 이해하기

2 **글쓴이가 ㉠처럼 표현한 이유로 가장 알맞은 것은 무엇인가요? (   )**

① 과거에는 대소사와 경조사가 많았기 때문이다.
② 푸른이 할머니가 알밤을 나누어 주었기 때문이다.
③ 오늘날에도 많은 사람이 이웃과 음식을 나누고 있기 때문이다.
④ 자연에서 난 음식이나 물건을 공유해야 하는 것으로 믿었기 때문이다.
⑤ 이웃이 보낸 음식을 통해 그 집에 무슨 일이 있는지 추측할 수 있었기 때문이다.

비유하는 표현 이해하기

3

다음은 이 글에 쓰인 문장의 일부입니다. 이 중 ㉠에 쓰인 비유적 표현을 활용한 것은 무엇인가요? (   )

① 그리고 얼마나 지났을까.
② 여간 고마운 일이 아니다.
③ 대답은 약속이나 한 듯이 똑같다.
④ 이 마음은 도대체 어디서 나오는 것일까.
⑤ 이웃 사람들의 배가 냉장고였거든요.

4

ⓐ의 상황에 가장 어울리는 속담은 무엇인가요? (   )

수능에서는
속담이나 격언을 이용해 상황을 비유하는 문제가 출제돼. 본뜻은 숨기고 비유하는 말만으로 숨겨진 뜻을 암시하는 비유법을 풍유법이라고 한다는 것도 알아 둬.

① 꿩 먹고 알 먹는다
② 되로 주고 말로 받는다
③ 말 한마디에 천 냥 빚도 갚는다
④ 가는 말이 고와야 오는 말이 곱다
⑤ 낮말은 새가 듣고 밤말은 쥐가 듣는다

한줄요약

5

빈칸에 알맞은 말을 넣어 이 글의 핵심 내용을 한 문장으로 요약하세요.

이웃　　냉장고　　음식

음식을 오랫동안 보관하는 바람직한 방법은 [| |]가 아닌 [|]과 [|]을 함께 나누는 것이다.

• 낱말이 한자로는 어떻게 쓰이는지 살펴보고, 예문을 참고해 빈칸을 채워 보세요.

❶ 苦役 괴로울 [ㄱ] 부릴 [역]

집에 혼자 가만히 있는 것도 [ㄱ][역]이다.

❷ 自任 스스로 [자] 맡길 [ㅇ]

나는 반 아이들의 심부름꾼을 [자][ㅇ]하고 있다.

❸ 大小事 큰 [ㄷ] 작을 [소] 일 [ㅅ]

사람들이 모여 마을의 [ㄷ][소][ㅅ]에 대해 의논했다.

• 낱말의 뜻을 참고하여, 다음 문장의 빈칸에 들어갈 알맞은 낱말을 완성하세요.

❹ 몇몇 친구의 [ㅁ][가][ㅊ]를 남기고 다 버렸다.

몫으로 돌아오는 물건.

❺ 장사꾼들은 [함][ㅈ]에 음식을 넣고 장사를 시작했다.

나무로 네모지게 짜서 만든 그릇.

❻ 그는 친구들의 [경][ㅈ][ㅅ]에 빠짐없이 참여했다.

경사스러운 일과 불행한 일.

❼ 나무의 단면에는 여러 개의 [ㄴ][이][ㅌ]가 있었다.

나무의 줄기나 가지 따위를 가로로 자른 면에 나타나는 둥근 테. 1년마다 하나씩 생기므로 그 나무의 나이를 알 수 있음.

헌혈은 뫼비우스의 띠

가 헌혈이란 혈액의 성분 중 한 가지 이상이 부족해 건강과 생명을 위협받는 다른 사람을 위해, 건강한 사람이 자유의사에 따라 아무 대가 없이 자신의 혈액을 기증하는 것이다. 혈액은 아직 사람의 힘으로 만들 수 있거나, 대체할 물질이 존재하지 않는다. 그렇기 때문에 우리가 하는 헌혈은 수혈이 시급한 환자의 생명을 구할 수 있는 유일한 수단이다.

나 헌혈은 다른 사람의 생명을 살리기도 하지만 나의 생명도 살릴 수 있다. 이렇게 소중한 헌혈은 일정한 나이 이상이 되면 누구라도 할 수 있으며 지금까지 많은 사람이 동참해 오고 있다. 하지만 최근에는 헌혈을 기피하는 청소년들이 많아지면서 혈액이 많이 부족해졌다.

다 오늘날 청소년들이 헌혈을 주저하는 이유는 무엇일까? 한 조사 결과에 따르면, 헌혈이 청소년의 성장을 저해한다거나 건강을 해칠 수 있다는 ㉠잘못된 인식, 그리고 헌혈 과정에서 전염병에 감염될 수도 있다는 ㉡불안감이 그 대표적인 이유라고 한다.

라 대한 적십자사 혈액 관리 본부에 따르면, 우리 몸에 있는 혈액량은 남자는 체중의 8%, 여자는 체중의 7% 정도이다. 예를 들어 체중이 60kg인 남자의 몸속에는 4,800mL 정도의 혈액이 있고, 체중이 50kg인 여자의 몸속에는 3,500mL 정도의 혈액이 있다. 전체 혈액량의 15%는 비상시를 대비해 여유로 가지고 있는 것으로, 헌혈 후 충분한 휴식을 취하면 건강에 아무런 지장을 주지 않는다고 한다. 또한 헌혈 과정에서 사용되는 모든 의료 기구는 무균 처리되어 있으며, 한 번 사용한 후에는 모두 폐기 처분하기 때문에 헌혈로 인해 질병에 걸릴 가능성은 없다.

마 ⓐ헌혈은 뫼비우스의 띠이다. 뫼비우스의 띠는 기다란 직사각형 종이를 한 번 비틀어 양쪽 끝을 맞붙여서 만든 띠이다. 이 띠는 안과 밖의 구분이 없는 것이 특징인데, 이 띠의 안을 '나' 밖을 '너'라고 생각해 본다면 '나'와 '너'의 구분이 사라지고 결국 남을 위한 일이 자기를 위한 일이 되는 것이다. 헌혈은 사랑의 실천이자, '나'와 '너'가 서로 생명을 나누는 뫼비우스의 띠인 것이다.

- **자유의사**
  남에게 속박이나 간섭을 받지 아니하고 자유로이 가지는 생각.
- **대체**
  다른 것으로 대신함.
- **시급한**
  시각을 다툴 만큼 몹시 절박하고 급한.
- **저해**
  막아서 못 하도록 해침.
- **지장**
  일하는 데 거치적거리거나 방해가 되는 장애.
- **폐기 처분**
  못 쓰게 된 것을 버리거나 처리하여 치움.

1 **이 글에 대한 설명으로 알맞지 않은 것은 무엇인가요? (　　　)**

① 혈액을 대체하는 물질이 존재한다.
② 오늘날 헌혈을 꺼리는 청소년들이 많아졌다.
③ 헌혈은 일정한 대가를 치르고 하는 행위가 아니다.
④ 헌혈은 일정한 나이 이상이 되면 누구라도 할 수 있다.
⑤ 헌혈은 청소년의 성장을 저해한다거나 건강을 해치지 않는다.

2 **나의 중심 내용을 다음과 같이 요약할 때, 빈칸에 공통으로 들어갈 알맞은 낱말을 완성하세요.**

헌혈은 다른 사람의 [　][　]은 물론이고 나의 [　][　]도 살릴 수 있는 수단이다.

3 **㉠과 ㉡에 대한 반박 내용으로 알맞은 것을 라를 참고하여 두 가지 고르세요.**
(　　　,　　　)

① 헌혈은 누구나 참여가 가능한 사랑의 실천 행동이다.
② 체중이 60kg인 남자의 몸속에는 4,800mL 정도의 혈액이 있다.
③ 헌혈 과정에서 사용되는 모든 의료 기구는 사용 후 모두 폐기 처분한다.
④ 우리 몸에 있는 혈액량은 남자는 체중의 8%, 여자는 체중의 7% 정도이다.
⑤ 전체 혈액량의 15%는 비상시 용도로, 헌혈 후 충분한 휴식을 취하면 괜찮다.

비유하는 표현 이해하기

4

이 글에 대한 설명으로 알맞은 것을 보기 에서 모두 골라 기호로 쓰세요.

보기
ㄱ. 비슷한 내용을 나열했다.
ㄴ. 대상의 의미를 풀어서 설명했다.
ㄷ. 글쓴이의 경험담을 소개했다.
ㄹ. 화제를 다른 대상에 빗대었다.
ㅁ. 현상이 벌어지게 된 원인을 제시했다.

( )

비유하는 표현 이해하기

5

ⓐ와 유사한 비유법이 사용된 것은 무엇인가요? ( )

수능에서는
표현하려는 대상(원관념)을 그것과 비슷한 다른 대상(보조 관념)에 빗대어 표현하는 방법인 비유법이 사용된 작품이 자주 나오니까 잘 이해해 둬.

① 등잔 밑이 어둡다.
② 내 마음은 호수요.
③ 별이 내게 속삭였다.
④ 냉장고가 숨을 쉬고 있다.
⑤ 구름에 달 가듯이 가는 나그네

한줄요약

6

빈칸에 알맞은 말을 넣어 이 글의 핵심 내용을 한 문장으로 요약하세요.

사랑 뫼비우스 헌혈

□□은 다른 사람을 위한 □□의 실천이면서 '나'와 '너'가 서로 생명을 나누는 □□□□의 띠이다.

• 낱말이 한자로는 어떻게 쓰이는지 살펴보고, 예문을 참고해 빈칸을 채워 보세요.

❶
同參 — 같을 [ㄷ] / 참여할 [참]

시민들의 [ㄷ][참]으로 모금 운동은 성공적으로 끝났다.

❷
沮害 — 막을 [저] / 해로울 [ㅎ]

나의 게으름은 자기 계발을 [저][ㅎ]한다.

❸
無菌 — 없을 [무] / 세균 [ㄱ]

그 의사는 환자를 [무][ㄱ]실에 머무르게 했다.

• 낱말의 뜻을 참고하여, 다음 문장의 빈칸에 들어갈 알맞은 낱말을 완성하세요.

❹ 노동의 [ㄷ][ㄱ]로 임금을 받다.

노력이나 희생을 통하여 얻게 되는 결과.

❺ 학교에 보낼 책을 [ㄱ][ㅈ]하다.

선물이나 기념으로 남에게 물품을 거저 줌.

❻ 가끔 몸이 흠칫거릴 정도의 [ㅂ][안][ㄱ]이 느껴지기도 한다.

마음이 편하지 않고 조마조마한 느낌.

❼ 여러분에게는 무한한 [ㄱ][능][ㅅ]이 있습니다.

앞으로 실현될 수 있는 성질이나 정도.

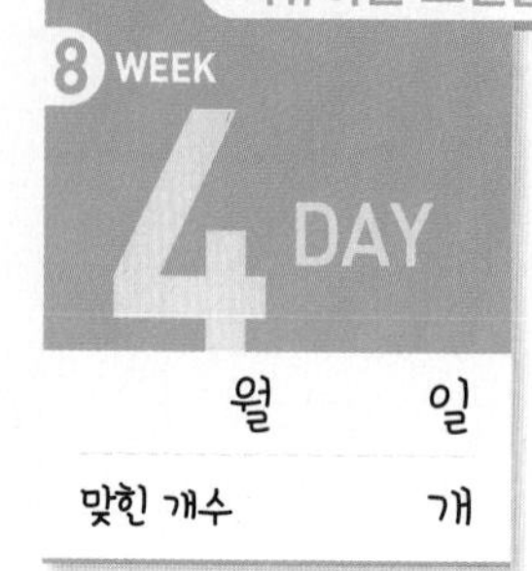

거품 현상

1634년 네덜란드는 무역과 산업이 발전하면서 국민들의 생활에 여유가 있는 부자 나라였습니다. 네덜란드에 사는 부유한 중산층에는 터키에서 들여온 튤립이 아름답고 대량 재배가 어렵다는 이유로 인기를 끌기 시작했습니다. 심지어 튤립을 많이 사서 정원에 심는 것으로 부를 과시하는 사람들이 늘면서 튤립값은 지속해서 오르기 시작합니다. 그 결과 1개월 만에 튤립값이 50배나 올랐고, 튤립 한 송이 값이 당시 근로자의 5년치 임금에 해당할 정도였습니다. 그러나 더 이상 가격이 오를 수 없다는 인식이 퍼지면서 결국 튤립값은 폭락하고 맙니다.

이처럼 뚜렷한 이유 없이 어떤 것의 가치가 일시적으로 높아졌다가 급격히 원래의 상태로 돌아가는 것을 ㉠'거품 현상'이라고 합니다. 이는 실체가 없으면서도 겉으로 크게 부풀어 오르는 거품의 성격을 경제 상황에 비유한 표현입니다. '거품 현상'이 생기는 이유는 물건값이 더 ㉡오를 것이라는 기대 심리 때문입니다. 그것이 꼭 필요하지 않더라도 가격 상승을 노리며 무리하게 구매하면 엄청난 손실이 따르는 것은 당연한 결과입니다.

1989년 일본에는 거품 현상이 절정으로 오를 당시 도쿄의 금전적 가치가 미국 전체 부동산 가격보다 높아지는 기현상이 벌어졌습니다. 그 후 1991년 거품이 붕괴되자, 그때 일본 정부가 손해를 본 금액이 무려 1,500조 엔에 달합니다.

일반적으로 거품이 꺼지기 전까지는 대부분의 사람이 그것이 거품이라는 사실을 알지 못하기 때문에 투자자들은 막대한 손실을 감당할 수밖에 없습니다. 그러한 손실 때문에 사람들은 소비를 하지 않게 되고, 소비가 줄어들면 나라의 경제가 휘청이는 결과를 가져오게 됩니다. ㉢이렇듯 '거품 현상'은 개인은 물론 기업과 국가 경제에도 큰 악영향을 끼칩니다.

- **무역**
  나라와 나라 사이에 서로 물품을 매매하는 일.
- **과시**
  자랑하여 보임.
- **절정**
  사물의 진행이나 발전이 최고의 경지에 달한 상태.
- **기현상**
  기이한 현상.
- **소비**
  돈이나 물자, 시간, 노력 따위를 들이거나 써서 없앰.

1

수능에서는
남의 말이나 글을 자신의 말과 글에 끌어 쓰는 인용과 그 효과를 연결 지어 이해하는 문제가 나와. 전문가의 말을 인용하면 자신의 의견을 더욱 잘 뒷받침할 수 있어.

이 글의 내용 전개 방식으로 알맞은 것은 무엇인가요? (　　　)

① 거품 현상이 주는 긍정적 효과를 설명하고 있다.
② 거품 현상이 일어난 사례를 들어 설명하고 있다.
③ 거품 현상을 다른 현상과 비교하며 설명하고 있다.
④ 전문가의 말을 인용하여 거품 현상의 원리를 설명하고 있다.
⑤ 거품 현상의 문제점을 지적하고 그 해결 방안을 함께 제시하고 있다.

2

이 글의 내용과 일치하지 않는 것은 무엇인가요? (　　　)

① 거품 현상은 빈부 격차에 의해 발생한다.
② 거품 현상은 뚜렷한 이유 없이 발생하는 경우가 많다.
③ 거품 현상 때문에 나라의 경제가 위태로워지기도 한다.
④ 사람들의 헛된 욕심이 거품 현상을 부추기는 요인이 된다.
⑤ 거품 현상은 속이 빈 거품의 속성에 빗대어 표현한 용어이다.

3

비유하는 표현 이해하기

㉠의 사례로 가장 알맞은 것은 무엇인가요? (　　　)

① 석유 수요가 지속적으로 늘어남에 따라 A 회사는 석유 가격을 인상했다.
② B 회사는 신기술을 개발해 기존보다 3배 높은 가격으로 휴대폰을 판매했다.
③ C국에서는 땅을 사 두면 돈을 많이 벌 수 있다는 소문 때문에 땅값이 치솟았다가 얼마 후 급격히 떨어졌다.
④ 폭염으로 딸기 출하량이 감소하자 딸기값이 50%나 올라, 딸기 한 상자가 6만 7천 원에 판매되었다.
⑤ 작년 봄에는 공급이 부족해서 배추 가격이 평소의 5배까지 올랐다가 가을이 되자 원래의 가격으로 다시 돌아왔다.

4 밑줄 친 '오르다'가 ⓛ과 같은 뜻으로 쓰인 것은 무엇인가요? ( )

① 왕위에 오르다.
② 금강산에 오르다.
③ 높은 나무에 오르다.
④ 대학 등록금이 오르다.
⑤ 사람들의 구설에 오르다.

5 ⓒ에 대해 나눈 대화 내용으로 알맞지 않은 것은 무엇인가요? ( )

① **지민:** 네덜란드는 튤립 파동 이후 튤립 한 송이 값이 당시 근로자의 5년치 임금이었다고 하니 그 피해가 얼마나 컸을지 충분히 짐작할 수 있겠군.
② **채은:** 맞아, 거품 현상은 투자자들의 탐욕이 불러온 재앙이라고 볼 수 있어.
③ **상연:** 투자자들의 탐욕을 이용한 업자들 역시 거품 현상을 부추기는 요인이지.
④ **예지:** 거품이 꺼진 후에야 그것이 거품이었다는 사실을 알 수 있으니 손실은 더욱 커질 수밖에 없을 거야.
⑤ **연정:** 하지만 거품 현상이 소비를 활성화해서 기업에 이득을 준다는 장점도 있기 때문에 악영향만 끼친다고는 볼 수 없어.

한줄요약

6 빈칸에 알맞은 말을 넣어 이 글의 핵심 내용을 한 문장으로 요약하세요.

가치 사회 거품

[ ] 현상은 어떤 것의 [ ]가 일시적으로 높아졌다가 급격히 원래의 상태로 돌아가는 현상으로, [ ]에 막대한 손실을 끼친다.

- **다음 메모지에 적힌 낱말 중 알맞은 것을 골라 빈칸을 채우세요.**

❶ 이 약은 심한 기침을 ☐☐ 적으로만 멎게 할 뿐이다.

❷ 경찰은 단속을 ☐☐ 해서 많은 폭력 조직을 검거했다.

❸ 그의 ☐☐ 가 만천하에 밝혀졌다.

- **낱말의 뜻을 참고하여, 다음 문장의 빈칸에 들어갈 알맞은 낱말을 완성하세요.**

❹ 식당 주인은 시장에서 값싸고 질 좋은 상품을 [ㄷ][ㄹ] 으로 구입했다.

아주 많은 분량이나 수량.

❺ 요새 숫값이 [ㅍ][ㄹ] 했다.

물건의 값이나 주가 따위가 갑자기 큰 폭으로 떨어짐.

❻ 전쟁은 인명과 재산에 막대한 [ㅅ][ㅅ] 을 입힌다.

잃어버리거나 축나서 손해를 봄. 또는 그 손해.

❼ 장마철에는 각종 [ㅂ][ㄱ] 사고에 유의해야 한다.

무너지고 깨어짐.

❽ 네가 하는 일이 친구들에게 [ㅇ][영][ㅎ] 을 끼쳐서는 안 된다.

나쁜 영향.

월 일
맞힌 개수 개

이데아의 세계

가 학교 교실에 있는 책상과 내 방에 있는 책상은 크기나 모양이 다릅니다. 그런데도 우리는 이 둘을 모두 '책상'이라고 부릅니다. 우리가 머릿속에 '책상'이라는 개념을 떠올릴 때의 책상은 학교 교실에 있는 책상도, 내 방에 있는 책상도 아니지만 세상의 모든 책상을 대표하는 어떤 것입니다. 고대 그리스의 유명한 철학자인 플라톤은 우리가 현실에서 보거나 듣고, 만질 수 있는 사물들은 모두 공통된 원래의 형태를 갖고 있다고 했습니다. 그리고 그 원래의 형태를 '이데아(idea)'라고 이름 붙였습니다. 플라톤은 우리가 살고 있는 세상처럼 눈으로 보고, 귀로 듣고, 손으로 만질 수 있는 세계가 있는가 하면, 눈으로 볼 수는 없지만 이데아의 세계도 있다고 보았습니다. 그리고 이데아의 세계를 ㉠진정한 진리의 세계라고 생각했습니다.

나 플라톤은 우리 인간이 태어날 때부터 동굴 안에 묶여 움직이지 못하고 한쪽 벽만을 바라보고 있는 죄수와 같다고 말했습니다. 묶인 죄수들은 다른 방향은 쳐다볼 수 없습니다. 죄수들 뒤로 동굴 밖 세계를 본뜬 여러 모양의 조각상들이 움직이게 설치되어 있고, 그 뒤에서 불빛을 비추어 줍니다. 그 불빛 때문에 죄수들이 바라보는 벽에는 움직이는 조각상들의 그림자가 지나갑니다. 하지만 죄수들은 조각상이나 불빛이 있다는 사실은 알지 못한 채 오직 자신들이 보고 있는 그림자만이 세상의 전부라고 생각합니다. 또한 동굴에서 들리는 모든 소리도 동굴 벽의 그림자가 내는 것이라고 믿게 되는 것이죠. 결국 동굴 안의 죄수들은 동굴 벽에 비친 그림자만을 유일한 진리로 여기고 살게 되는 것입니다.

다 만일 죄수들 중 한 사람이 동굴 바깥 세계를 경험하고 돌아와서 동굴 벽에 비친 세계는 진리가 아니라고 외친다면 어떻게 될까요? 자신들이 보고 있는 그림자는 허상에 지나지 않으며 동굴 바깥에 참된 세계가 있다고 주장한다고 해 봅시다. 동굴 안에서 오직 벽에 비친 그림자만이 진리라고 여기는 나머지 죄수들이 그의 말을 받아들일까요? 오히려 동굴 안에 있던 죄수들은 그를 비웃으며 진리를 왜곡하는 자로 여길 것입니다.

라 플라톤은 우리가 눈으로 보고, 귀로 듣고, 손으로 만지는 것들은 동굴 벽에 비친 그림자와 같은 것이어서 이것을 무조건 믿으면 안 된다고 했습니다. 감각적인 방법으로는 동굴 밖의 진짜 현실과 같은 이데아의 세계를 알 수 없기 때문에 이성

- **개념**
어떤 사물이나 현상에 대한 일반적인 지식.
- **진리**
참된 이치. 또는 참된 도리.
- **허상**
실제 없는 것이 있는 것처럼 나타나 보이거나 실제와는 다른 것으로 드러나 보이는 모습.
- **왜곡**
사실과 다르게 해석하거나 그릇되게 함.
- **감각**
눈, 코, 귀, 혀, 살갗을 통하여 바깥의 어떤 자극을 알아차림.

의 눈을 갖추고 진리의 세계를 파악해야 한다고 ㉡보았습니다. 사물을 올바로 판단하고 진실과 거짓, 좋은 것과 나쁜 것을 알 수 있는 능력인 이성으로 세계를 바라볼 때 진리를 깨달을 수 있다고 한 것입니다.

비유하는 표현 이해하기

1 **이 글에 쓰인 설명 방법으로 적절한 것은 무엇인가요? (　　　)**

① 주변에서 쉽게 볼 수 있는 예를 들어 설명하고 있다.
② 내용을 이해하기 쉽게 다른 상황에 빗대어 설명하고 있다.
③ 이름난 사람의 말을 옮겨 놓아 글쓴이의 주장을 뒷받침하고 있다.
④ 널리 옳다고 여기는 생각을 먼저 소개한 후에 이를 반박하고 있다.
⑤ 반대되는 두 가지 입장을 소개한 후에 장단점을 설명하고 있다.

2 **나~라를 이해한 내용으로 알맞지 않은 것은 무엇인가요? (　　　)**

① 동굴 밖의 세계는 죄수들의 감각만으로는 파악할 수 없다.
② 한쪽 벽만 바라보는 죄수는 우리 인간의 모습에 해당한다.
③ 그림자를 만들어 내는 조각상은 사물의 원형인 이데아에 해당한다.
④ 동굴 안 벽에 비친 그림자는 감각적으로 경험하는 것들을 의미한다.
⑤ 동굴 밖의 세계는 이성을 통해서 깨달을 수 있는 이데아의 세계에 해당한다.

3 **㉠을 파악하기 위한 플라톤의 방법을 정리한 것입니다. ⓐ와 ⓑ에 들어갈 말을 각각 쓰세요.**

> 플라톤은 진정한 진리의 세계는 [　　ⓐ　　]인 방법으로는 파악하기 어려우며, [　　ⓑ　　]으로 바라보아야 얻을 수 있다고 했다.

ⓐ (　　　　　　　) ⓑ (　　　　　　　)

4

수능에서는
글의 내용에 대해 읽는 사람이 어떤 생각을 하고 받아들이는가, 즉 독자의 반응을 묻는 문제가 나와. 따라서 글의 내용을 있는 그대로뿐 아니라 비판적으로 생각하며 읽는 태도가 필요해.

이 글과 보기 를 읽고 보인 반응으로 가장 알맞은 것은 무엇인가요? (　　　)

> **보기**
>
> 플라톤의 제자인 아리스토텔레스는 이데아가 다른 세계에 있는 것이 아니라 구체적인 사물 속에 담겨 있다고 보았어요. 학교 교실에 있는 책상이나, 내 방에 있는 책상은 크기나 모양은 다르지만 그 속에는 모두 책상의 이데아가 담겨 있다는 것입니다. 학교 교실이나 내 방 이외의 공간에 있는 모양과 색깔, 질감이 다른 책상들도 모두 책상의 이데아를 그 속에 포함하고 있기 때문에 우리는 책상이라는 개념을 파악할 수 있다는 것이죠.

① 플라톤과 달리 아리스토텔레스는 이데아의 세계가 따로 있다고 보지 않았어.
② 플라톤과 달리 아리스토텔레스는 감각을 통해 이데아를 파악할 수 있다고 보았어.
③ 아리스토텔레스와 달리 플라톤은 구체적인 사물들이 원래의 형태를 갖고 있다고 보았어.
④ 아리스토텔레스와 달리 플라톤은 개념을 떠올릴 때의 이데아가 구체적인 사물에 담겨 있다고 보았어.
⑤ 플라톤과 아리스토텔레스는 모두 우리가 살고 있는 세계가 진정한 진리의 세계가 아니라고 보았어.

5

밑줄 친 말 중 ㉡과 같은 의미로 쓰인 것은 무엇인가요? (　　　)

① 우리의 노력이 드디어 결실을 보았습니다.
② 이번 모임에서는 진희가 사회를 보았습니다.
③ 친구들도 우리 의견에 찬성할 것으로 봅니다.
④ 이런 행동은 우리나라에서는 흔히 보는 일입니다.
⑤ 이번 태풍으로 사과 농가가 큰 손해를 보았습니다.

6

한줄요약

빈칸에 알맞은 말을 넣어 이 글의 핵심 내용을 한 문장으로 요약하세요.

동굴　　이성　　진리

플라톤은 [　　] 안에 묶여 지내는 죄수들에 빗대어 이데아의 세계를 설명하고, [　　]을 통해 [　　]를 깨달을 수 있다고 보았다.

• **다음 사다리 타기에 따라 (　) 안에 들어갈 낱말의 뜻을 보기 에서 고르세요.**

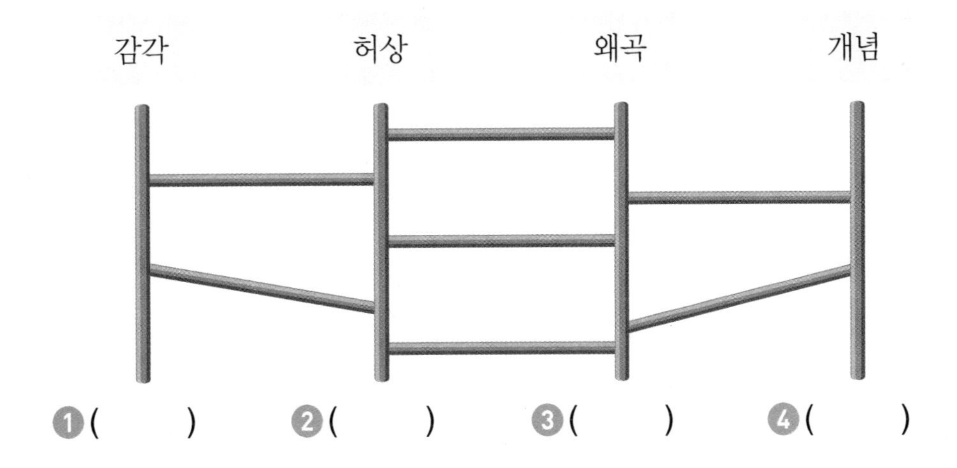

❶(　　) ❷(　　) ❸(　　) ❹(　　)

보기

㉠ 실제 없는 것이 있는 것처럼 나타나 보이거나 실제와는 다른 것처럼 보이는 모습.
㉡ 눈, 코, 귀, 혀, 피부를 통하여 바깥의 어떤 자극을 알아차림.
㉢ 어떤 사물이나 현상에 대한 일반적인 지식.
㉣ 사실과 다르게 해석하거나 그릇되게 함.

• **낱말의 뜻을 참고하여, 다음 문장의 빈칸에 들어갈 알맞은 낱말을 완성하세요.**

❺ 책은 나에게 [ㅇ][ㄹ]한 친구가 되었다.
오직 하나밖에 없음.

❻ 이번 일의 원인을 정확하게 [ㅍ][ㅇ]해야 한다.
어떤 대상의 내용이나 본질을 확실하게 이해하여 앎.

❼ 어느 쪽을 택해야 할지 [ㅍ][ㄷ]이 서질 않는다.
사물을 인식하여 논리나 기준 등에 따라 판정을 내림.

마무리

비유하는 표현을 이해하려면?

독해 원리 학습

설명하는 내용을 이해해요 ► 2학년

❶ **제목을 보고 어떤 내용인지 짐작하기** 대상을 표현하는 말을 찾아보고, 글쓴이의 생각을 짐작하면 말하고자 하는 바를 더 잘 알 수 있어요!

❷ **설명하는 대상의 특징 찾기**

❸ **설명하는 내용을 정확히 이해하기**

설명하는 글은 지식이나 정보를 전달하기 위해 쓴 글입니다. 설명하는 대상의 특징을 정리하며 읽으면 글의 내용을 정확히 이해할 수 있습니다.

- **설명하는 내용과 비유하는 표현 사이에 공통점이 있음.**
- **설명하려는 내용을 비슷한 다른 대상에 빗대어 나타낼 수 있음.**
- **어떤 대상을 더 효과적으로 드러내기 위해 유사한 다른 대상을 끌고 들어와 설명할 수 있음.**

비유하는 표현을 이해해요 ► 6학년

❶ **비유하는 표현의 뜻 알기** 자신의 생각을 직접 표현할 때보다 비유하는 표현을 쓸 때 훨씬 더 생동감 있게 느껴져요.

어떤 현상이나 사물을 **직접 표현하지 않고** 다른 비슷한 현상이나 사물에 **빗대어** 표현하는 것을 말합니다.

❷ **비유하는 표현의 장점 이해하기**

비유하는 표현을 알면 글의 내용을 **쉽게 이해**할 수 있고, 실감 나게 느껴져서 글쓴이의 **의도를 잘 파악**할 수 있습니다.

비유의 방식을 사용하여 ~

35. 윗글의 표현상 특징으로 적절하지 않은 것은?

① 대구의 방식을 활용하여 리듬감을 부여하고 있다.
② 대상을 점층적으로 강조하여 시적 긴장감을 높이고 있다.
③ 감각적 심상을 활용하여 대상을 생동감 있게 묘사하고 있다.
④ 비유의 방식을 사용하여 대상이 지닌 속성을 부각하고 있다.
⑤ 영탄법을 사용하여 ...

수능에는 작품에 대한 감상이나 표현상 특징을 묻는 문제를 통해 비유적 표현을 잘 이해하고 있는지 확인하는 문제가 나와요.

비유의 원리를 알아야 한다

비유하는 표현은 어떤 현상이나 사물을 직접 표현하지 않고 다른 비슷한 현상이나 사물에 빗대어 표현하는 것입니다. 이때 나타내고자 한 것과 비유한 것 사이에는 공통점이 있어야 합니다. 그리고 너무 뻔한 것에 비유하면 오히려 표현 효과가 떨어질 수 있으므로 새로운 대상에 빗대어 표현하는 연습을 해 보아야 합니다.

비유의 원리를 이해한다. > 비유하는 표현이 나타내는 대상을 이해한다. > 비유하는 표현과 그 효과를 바르게 연결했는지 확인한다.

Memo

상위권의 기준

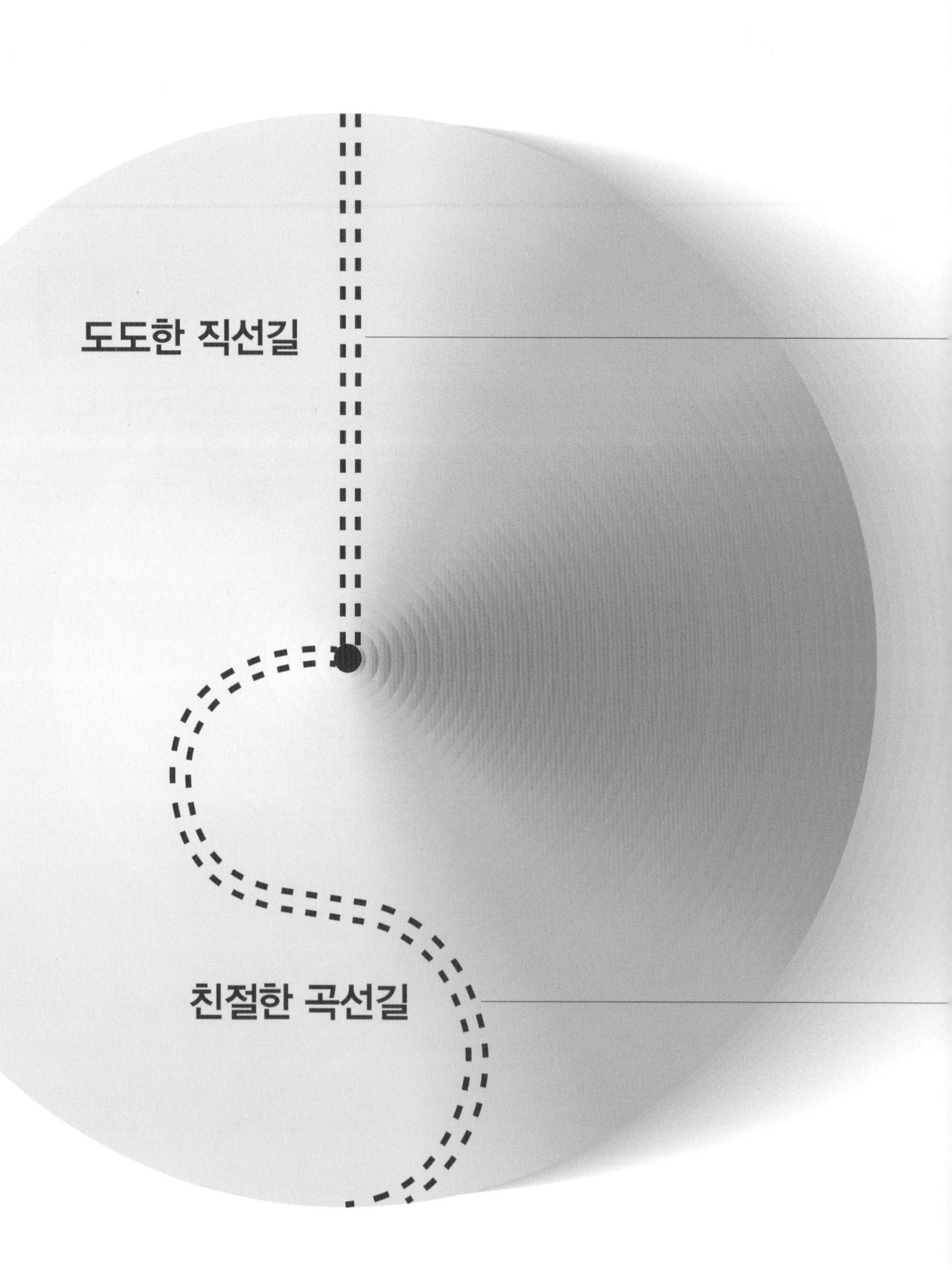

6

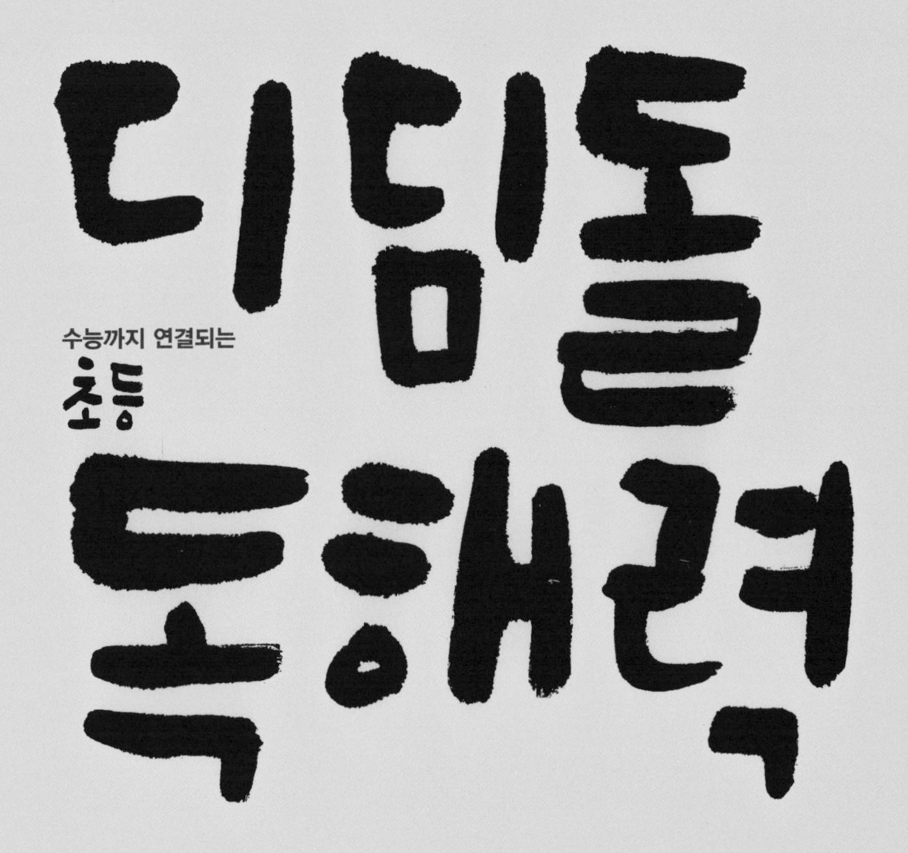

정답과 해설

WEEK 1

관용 표현의 뜻을 이해해요

10~13쪽

1 DAY 목구멍이 포도청

1 ④ 2 ③
3 ㉡, ㉣ 4 ②, ③, ⑤
5 ③ 6 범죄, 선처, 훈방

독해력을 기르는 어휘

❶ 선처 ❷ 부자 ❸ 지원 ❹ 적발
❺ 호소 ❻ 훈방 ❼ 포도청

글의 내용과 짜임 다시보기

● **글의 내용**

먹고살기가 어려워 어쩔 수 없이 도둑질을 한 부자의 사연을 보도한 뉴스 기사문입니다.

● **글의 짜임**

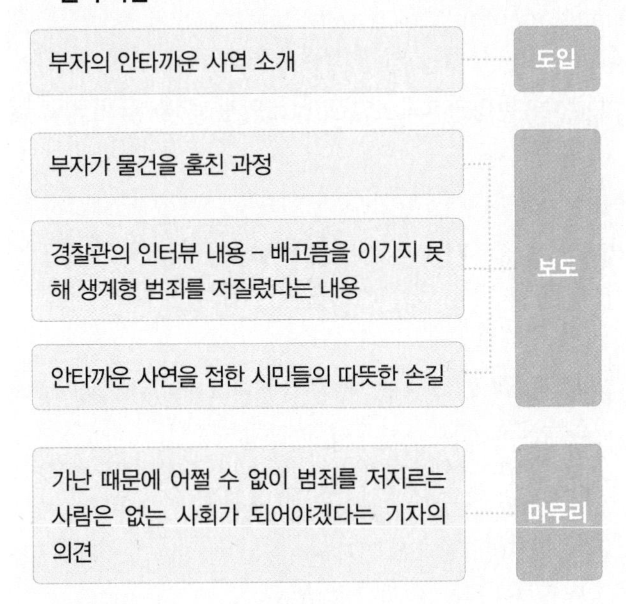

1 이 글은 배고픔을 이기지 못한 부자가 저지른 도둑질과 그 사연을 다룬 기사문입니다.

2 뉴스 진행자의 도입부에서는 뉴스에서 보도할 핵심 내용을 요약해 안내하고 있습니다.

3 나에는 기자가 직접 취재한, 사건 당시 출동한 경찰관의 인터뷰가 들어가 있습니다.

오답 피하기 ㉤ 사건을 바라보는 기자의 의견은 다에 나와 있습니다.

4 관용 표현을 활용하면 한두 개의 낱말 또는 짧은 문구나 문장으로도 효과적으로, 재미있게 자신의 생각이나 상황을 표현할 수 있어 듣는 사람의 관심을 불러일으킬 수 있습니다.

오답 피하기 ④ 관용어는 각각의 낱말이 합쳐져서 새로운 의미를 만든 것이기 때문에, 본래의 뜻으로만 이해하려고 하면 그 뜻을 제대로 알 수 없습니다.

5 '목구멍이 포도청'은 먹고살기 위해 해서는 안 될 짓까지 하지 않을 수 없음을 이르는 말입니다. 즉 잘못된 행동이지만 어쩔 수 없이 해야 한다는 말이므로, ③이 바르게 활용한 문장입니다.

6 이 글은 배고픔을 이기지 못해 마트에서 우유와 사과 등 먹을 것을 훔치다 적발된 아버지와 아들의 안타까운 사연을 다루고 있습니다. 굶주림에 어쩔 수 없이 범죄를 저지른 이들 부자의 사연을 듣고 경찰에서도 선처해 훈방되었다는 이야기입니다.

14~17쪽

2 DAY 상황에 알맞은 관용 표현

1 ㉠ 사람 ㉡ 기다리다 ㉢ 크다 ㉣ 일치 ㉤ 부끄러움
2 ①, ⑤
3 ④
4 얼굴이 두꺼웠어요.
5 ②
6 상황, 관용, 의사

독해력을 기르는 어휘

❶ 시장 ❷ 재료 ❸ 활동 ❹ 원활
❺ 기피 ❻ 자숙 ❼ 재개

글의 내용과 짜임 다시보기

● 글의 내용

가~다는 관용 표현을 제대로 이해하지 못한 담화 상황을 소개하고 있습니다.

● 글의 짜임

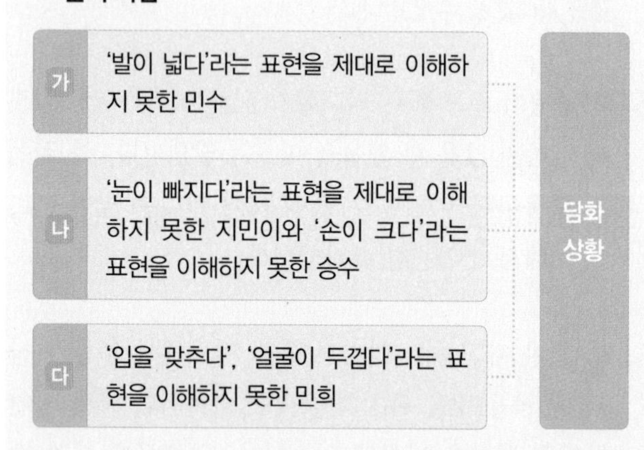

1 '발이 넓다'는 '사귀어 아는 사람이 많아 활동하는 범위가 넓다.'라는 의미이고, '눈이 빠지다'는 '몹시 애타게 오랫동안 기다리다.'라는 의미이며, '손이 크다'는 '씀씀이가 후하고 크다.'라는 의미이고, '입을 맞추다'는 '서로의 말이 일치하도록 하다. 또는 호흡을 맞추다.'라는 의미이며, '얼굴이 두껍다'는 '부끄러움을 모르고 염치가 없다.'라는 의미입니다. 그러므로 ㉠에는 '사람', ㉡에는 '기다리다', ㉢에는 '크다', ㉣에는 '일치', ㉤에는 '부끄러움'이 들어가는 것이 알맞습니다.

2 ①과 ⑤는 '발이 넓다'와 '얼굴이 두껍다'라는 관용 표현을 잘못 이해한 예입니다.

3 지민이와 승수는 모두 관용 표현을 이해하지 못하고 있습니다.

4 '얼굴이 두껍다'는 '부끄러움을 모르고 염치가 없다.'라는 의미이므로, 빈칸에 들어갈 관용 표현으로 알맞습니다.

5 ⓐ는 '글, 그림, 사진 따위를 책이나 신문 따위의 출판물에 내다.'라는 의미로 쓰였습니다. 이와 같은 의미로 쓰인 것은 ②입니다.

오답 피하기 ① '보나 논바닥에 물이 괴게 하다.'라는 의미로 쓰였습니다.
③ '물체나 사람을 옮기기 위하여 탈것, 수레, 비행기, 짐승의 등 따위에 올리다.'라는 의미로 쓰였습니다.
④ '사람이 어떤 곳을 가기 위하여 차, 배, 비행기 따위의 탈것에 오르다.'라는 의미로 쓰였습니다.
⑤ '다른 기운을 함께 품거나 띠다.'라는 의미로 쓰였습니다.

6 민수의 아버지는 발이 넓으셔서 아는 분이 많으시고, 지민이는 음식을 만드느라 승수와 만나기로 한 약속 시간에 늦었으며, 태연이는 2인조 발라드 그룹이었던 나스타와 김가수가 오랜만에 입을 맞췄다는 소식을 민희에게 전했습니다. 각각의 담화 상황은 관용 표현을 올바르게 이해하지 못해 의사소통이 원활히 이루어지지 못한 예입니다.

18~21쪽

3 DAY 창자가 끊어질 것 같다고?

1 ①
2 ②
3 ②
4 심장
5 ㄱ, ㄷ
6 창자, 단장, 유래

독해력을 기르는 어휘

① 단장 ② 정벌 ③ 항해 ④ 청취자
⑤ 초조 ⑥ 금세 ⑦ 상황

글의 내용과 짜임 다시보기

● 글의 내용

'애간장이 타다'라는 관용어와 '단장'이라는 한자어를 소개하며 그 뜻풀이와 유래에 대해 소개하는 글입니다.

● 글의 짜임

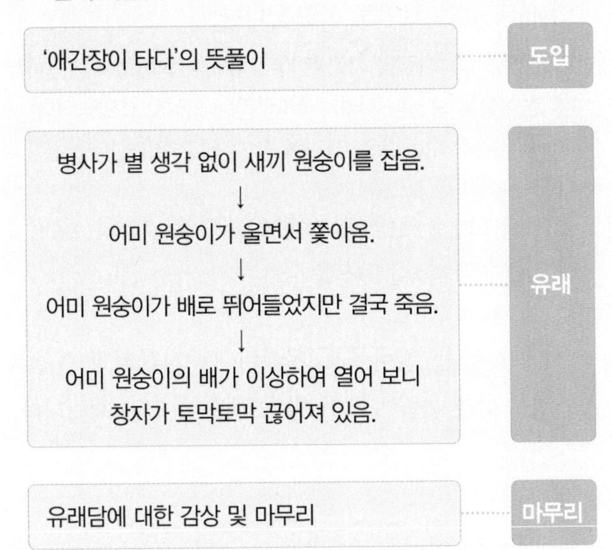

1 '혹시 '애간장이 타다'에서 '애'와 '간장'이 무엇인지 아시나요?'에서 질문을 통해 청취자의 흥미를 끌고 있습니다.

오답 피하기 ②~⑤에서 언급한 방법은 가에서 쓰이지 않았습니다.

2 다에서 병사는 별 생각 없이 잠깐 데리고 놀려고 새끼 원숭이를 잡았다고 언급하고 있습니다.

3 이 글에서는 속이 타고 초조한 상태를 의미하는 '애간장이 타다', '단장'을 소개하고 있습니다. '입에 침이 마르다'는 '다른 사람이나 물건에 대하여 거듭해서 아주 좋게 말하다'라는 뜻이므로, 이와 관련이 없습니다.

오답 피하기 ①의 '애가 썩다', ③의 '심장이 터지다', ④의 '애가 마르다', ⑤의 '가슴이 미어지다'는 모두 몹시 마음이 상해 견디기 힘든 상태를 이르는 관용어입니다.

4 병사는 자신이 별 생각 없이 잡은 새끼 원숭이 때문에 죽어 버린 어미 원숭이를 보고 마음 아파하고 있습니다. 이를 표현하기에 알맞은 관용어는 '마음이나 감정을 세게 자극하다.'라는 의미의 '심장을 찌르다'입니다.

5 가의 '오늘은 우리가 자주 쓰는 관용 표현에 대해 알아볼 거예요.'에서 앞으로 전개될 방향에 대해 언급하고 있습니다(ㄱ). 다에서는 어미 원숭이에게 일어난 일을 시간의 흐름에 따라 서술하고 있습니다(ㄷ).

오답 피하기 ㄴ. 나의 '그래서 ~ 이르는 말이랍니다.'에서 관용어의 개념을 정의하고 있지만, 관용어가 사용된 실제 사례를 들어 설명하고 있지는 않습니다.
ㄹ. 이 글은 주장하는 글이 아닙니다.

6 이 글은 '애간장이 타다'와 '단장'이라는 관용어의 뜻은 무엇이고, 어디에서 유래되었는지 이야기해 주는 라디오 대본입니다.

22~25쪽

4 DAY 《사자소학》

1 ③ 2 ③
3 ㉰ 4 ③
5 ① 6 일상, 예절, 인성

독해력을 기르는 어휘

❶ 기초 ❷ 예절 ❸ 인성 ❹ 일상
❺ 구체적 ❻ 수칙 ❼ 기본

글의 내용과 짜임 다시보기

- **글의 내용**

예절과 인성을 가르치는 어린이용 기본서 《사자소학》에 대해 설명하는 글입니다.

- **글의 짜임**

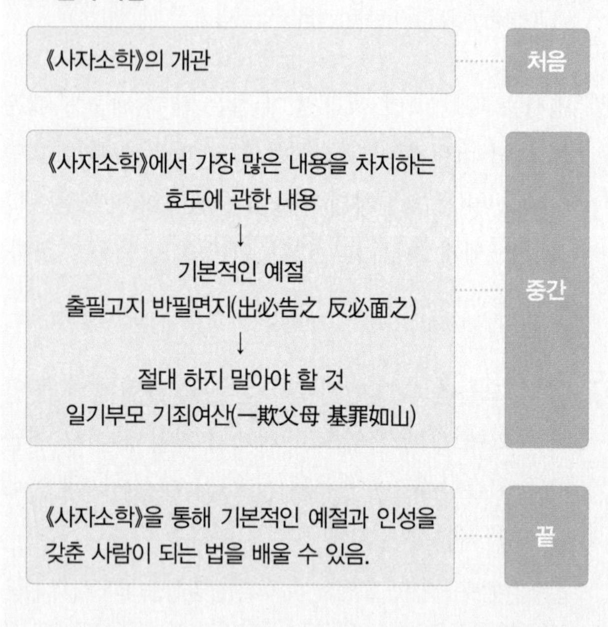

처음: 《사자소학》의 개관

중간: 《사자소학》에서 가장 많은 내용을 차지하는 효도에 관한 내용
↓
기본적인 예절
출필고지 반필면지(出必告之 反必面之)
↓
절대 하지 말아야 할 것
일기부모 기죄여산(一欺父母 基罪如山)

끝: 《사자소학》을 통해 기본적인 예절과 인성을 갖춘 사람이 되는 법을 배울 수 있음.

1 《사자소학》에서 효도보다 중요하게 여기는 것에 대한 내용은 이 글에서 확인할 수 없습니다.

2 이 글에서는 질문을 던지는 방식으로 독자의 호기심을 유발하거나 경험을 떠올리도록 유도하고 있습니다.

3 하지 말아야 할 것은 일기부모 기죄여산(一欺父母 基罪如山), 즉 거짓말입니다. 이는 한 번이라도 부모를 속이면 그 죄가 산과 같다는 의미입니다.

4 《사자소학》에서 지켜야 할 여러 가지 예절이 있지만, 그중에서도 가장 하지 말아야 할 것은 거짓말입니다. 이러한 거짓말을 한 사례는 ③입니다.

5 ㉠은 '습관 따위를 몸에 익게 하다.'라는 의미로 쓰였습니다. 아침에 일찍 일어나는 버릇을 들인다는 ①이 이와 같은 의미로 쓰였습니다.

오답 피하기 ② '사람을 가르쳐 키우다.'라는 의미로 쓰였습니다.
③ '동식물을 보살펴 자라게 하다.'라는 의미로 쓰였습니다.
④ '머리카락이나 수염 따위를 깎지 않고 길게 자라도록 하다.'라는 의미로 쓰였습니다.
⑤ '병을 제때에 치료하지 않고 증세가 나빠지도록 내버려 두다.'라는 의미로 쓰였습니다.

6 《사자소학》은 일상에서 지켜야 할 기본적인 예절과 인성을 갖춘 사람이 되는 법을 배울 수 있는 책입니다.

26~29쪽

5 DAY 가난을 무서워한 호랑이

1 ⑤
2 ⑤
3 ㉮, ㉯, ㉴
4 ⓐ 하늘 ⓑ 구멍
5 ④
6 가난, 존재, 소도둑

독해력을 기르는 어휘

❶ ㄴ ❷ ㄱ ❸ ㅁ ❹ ㄹ
❺ ㄷ ❻ 외양간 ❼ 두둑한 ❽ 전말

글의 내용과 짜임 다시보기

● 글의 내용

배가 고파 마을에 내려온 호랑이가 가난이 무서운 존재라는 말을 듣고 난 뒤, 등에 업힌 소도둑을 가난으로 오해해 겁에 질려 도망치고, 다른 동물들 앞에서는 무섭지 않은 척을 했다는 이야기입니다.

● 글의 짜임

호랑이가 마을로 내려옴.	발단
호랑이가 가난이 무섭다는 말을 들음.	전개
호랑이 등에 소도둑이 올라탐.	위기
열심히 도망치던 호랑이 위에 올라타 있던 소도둑이 탈출함.	절정
호랑이는 다른 동물들 앞에서 두렵지 않은 척했지만, 사실은 아직 가난을 두려워하고 있음.	결말

1 '자라 보고 놀란 가슴 솥뚜껑 보고 놀란다'는 어떤 사물에 몹시 놀란 사람은 비슷한 사물만 보아도 겁을 냄을 이르는 말로, 가난이 무섭다는 말을 듣고 소도둑을 가난으로 착각한 호랑이의 상황과 어울립니다.

오답 피하기 ① 일부만 보고 전체를 미루어 안다는 말입니다.
② 남이 한다고 하니까 분별없이 덩달아 나섬을 비유적으로 이르는 말입니다.
③ 자기가 남에게 말이나 행동을 좋게 해야 남도 자기에게 좋게 한다는 말입니다.
④ 아무리 훌륭하고 좋은 것이라도 다듬고 정리하여 쓸모 있게 만들어 놓아야 값어치가 있음을 비유적으로 이르는 말입니다.

2 호랑이는 초가집에 사는 사람들이 궁금해서가 아니라 배가 고파 먹을 것을 찾아 마을로 내려왔습니다.

3 호랑이는 가난에게 잡혔다고 착각해 두려움을 느꼈고(㉮), 소도둑은 호랑이를 소로 착각하고 잡은 순간에 기뻐했습니다(㉯). 그리고 동물들은 어떤 일이 있었는지 모두 알고, 호랑이를 곯려 주며 재미를 느꼈습니다(㉴).

오답 피하기 ㉱ 호랑이는 자기 등에 타고 있던 소도둑을 가난이라 여기고, 소도둑이 내리자 안도했습니다.

4 '하늘이 무너져도 솟아날 구멍이 있다.'는 아무리 어려운 경우에 처하더라도 살아 나갈 방도가 생긴다는 말입니다.

5 '허장성세'는 '실속은 없으면서 큰소리치거나 허세를 부림.'을 의미합니다. 그러므로 ④가 알맞습니다.

6 이 글은 배가 고파 먹을 것을 찾아 마을에 내려온 호랑이가 가난이 무서운 존재라는 말을 듣고 두려워하다 등에 업힌 소도둑을 가난으로 오해하고 도망쳤다는 이야기입니다.

WEEK 

주장과 근거의 타당성을 판단해요

34~37쪽

1 DAY 스마트폰 필요한가요

1 ②	2 ❶ 다, 라 ❷ 가, 나
3 나	4 필요하지 않다
5 ③, ④	6 나이, 의존, 증가

독해력을 기르는 어휘

❶ 소통 ❷ 중독 ❸ 관점 ❹ 활용
❺ 친밀 ❻ 대인 관계

글의 내용과 짜임 다시보기

● **글의 내용**

'초등학생에게 스마트폰이 필요한가.'라는 주제에 대해 찬성 측과 반대 측의 주장과 근거가 드러나는 글입니다.

● **글의 짜임**

토론 주제	초등학생에게 스마트폰이 필요한가.

	찬성 측	반대 측
주장	초등학생에게 스마트폰이 필요함.	초등학생에게 스마트폰이 필요하지 않음.
근거	• 스마트폰은 학습에 도움이 됨. • 스마트폰을 통해 친구들과 친밀한 관계를 유지할 수 있음.	• 스마트폰에 중독되기 쉬움. • 스마트폰은 눈 건강에 해로움.

1 호준, 연수, 예진, 준형이 발언의 첫 문장을 통해 토론 주제를 짐작할 수 있습니다.

2 호준이는 스마트폰이 학습에 도움이 된다는 근거를, 연수는 스마트폰을 통해 친구들과 친밀한 관계를 유지할 수 있다는 근거를 들어 '초등학생에게 스마트폰이 필요하다.'라는 찬성 주장을 펼쳤습니다. 반면에 예진이는 스마트폰에 중독되기 쉽다는 근거를, 준형이는 스마트폰은 눈 건강에 해롭다는 근거를 들어 '초등학생에게 스마트폰이 필요하지 않다.'라는 반대 주장을 펼쳤습니다.

3 '최근 초등학생 5명 중 1명이 비만이라는 연구 결과가 나왔습니다. 건강을 위해 운동을 꾸준히 해야 합니다.'는 스마트폰을 하면 학습에 도움이 된다는 근거와 관련이 없으므로 타당하지 않습니다.

오답 피하기 가 스마트폰이 학습에 도움이 된다는 내용은 주장을 뒷받침하므로 근거로 타당합니다.

4 보기 의 자료를 통해 초등학생이 보행 중에 스마트폰을 사용했을 때가 사용하지 않았을 때보다 사고율이 높다는 것을 알 수 있으므로, 이는 초등학생에게 스마트폰이 필요하지 않다는 주장을 뒷받침하는 근거 자료로 알맞습니다.

5 ③과 ④는 스마트폰의 긍정적인 면과 스마트폰의 부작용을 없앨 수 있는 방법을 말한 것이므로 '초등학생에게 스마트폰이 필요하다.'라는 찬성 측의 주장에 대한 근거 자료로 알맞습니다.

오답 피하기 ①, ②, ⑤는 '초등학생에게 스마트폰이 필요하지 않다.'라는 반대 측의 주장에 대한 근거 자료로 알맞습니다.

6 최근 스마트폰을 사용하는 나이가 점점 어려지고, 스마트폰에 의존하는 초등학생이 증가하고 있습니다. 이 문제에 대해 '초등학생에게 스마트폰이 필요한가.'라는 주제로 반 친구들이 찬성과 반대의 입장에서 서로 다른 주장과 근거를 들어 토론한 글입니다.

38~41쪽

2 DAY 식용 곤충

1 ④
2 ⑤
3 송이
4 ❷ ○ ❸ ○
5 ②, ③
6 곤충, 영양, 식량

독해력을 기르는 어휘

❶ 늘려 ❷ 비율 ❸ 인류 ❹ 개발
❺ 유망 ❻ 노동력 ❼ 절감 ❽ 함유
❾ 고갈

글의 내용과 짜임 다시보기

● **글의 내용**

곡물이나 가축만 키워서는 식량 생산량을 무한정 늘릴 수 없으므로, 식량으로서 여러 가지 장점이 있는 곤충을 미래 식량으로 개발하자고 주장하는 글입니다.

● **글의 짜임**

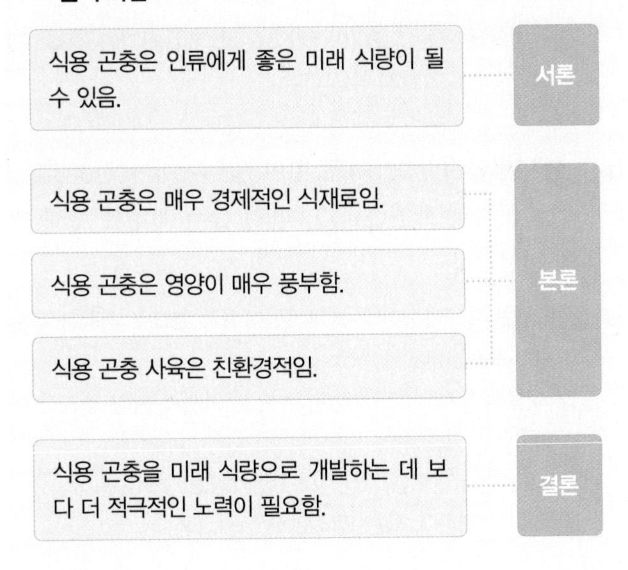

1 2문단에서 식용 곤충을 키우는 데 드는 노동력과 사료는 가축 사육에 비해 크게 절감된다고 했습니다.

2 글쓴이는 식용 곤충이 지닌 장점을 설명하면서 식용 곤충은 인류에게 좋은 미래 식량이 될 수 있으므로, 이를 개발하는 데 보다 더 적극적인 노력이 필요하다고 주장했습니다.

3 송이는 식용 곤충이 미래 식량이 될 수 있다는 글쓴이의 주장이 문제 상황을 해결할 수 있고, 세 가지 근거가 모두 객관적인 사실이므로 글쓴이의 주장도 타당하다고 알맞게 판단했습니다.

오답 피하기 민영이처럼 글쓴이의 주장이 내 생각과 같은지를 기준으로 판단하는 것은 알맞지 않습니다. 또한 글쓴이가 식용 곤충은 영양이 매우 풍부하다고 했으므로, 지훈이의 판단도 알맞지 않습니다.

4 가축을 키울 때보다 곤충을 키울 때 물의 양이 적게 든다는 ❷의 근거와 단백질을 가축 사육으로만 제공하지 말자는 ❸의 근거는 곤충이 미래 식량이 될 수 있다는 주장을 뒷받침하기에 알맞습니다.

오답 피하기 ❶ 육식보다는 채식을 하자는 주장을 뒷받침하기에 알맞은 근거입니다.

5 이 글에서는 식용 곤충을 미래 식량으로 개발하는 데 보다 더 적극적인 노력이 필요하다고 했습니다. 따라서 ②와 ③은 알맞은 반응이라고 할 수 없습니다.

6 식용 곤충은 경제적이면서도 영양이 풍부하고 친환경적이기 때문에 자원의 고갈과 환경 파괴의 위기 속에서 살아가야 하는 인류에게는 더할 나위 없이 좋은 미래 식량이 될 수 있다고 글쓴이는 주장하고 있습니다.

42~45쪽

3 DAY 지역 축제

1 ⑤ 2 ❷ ○
3 ④ 4 지선
5 ③ 6 문화, 경제, 축제

독해력을 기르는 어휘

❶ ㄱ ❷ ㄹ ❸ ㄴ ❹ ㄷ
❺ 개최 ❻ 차별화

글의 내용과 짜임 다시보기

- **글의 내용**

우리 고장에는 고장의 문화를 알릴 수 있는 지역 축제가 없으므로, 우리 고장에서도 지역 문화 발전을 위한 축제를 열어야 한다고 주장하는 글입니다.

- **글의 짜임**

우리 고장에서도 지역 문화 발전을 위한 축제를 열어야 함.	서론
지역 축제를 열면 우리 고장의 독특한 문화를 널리 알릴 수 있음.	본론
지역 축제를 열면 우리 고장의 경제를 발전시킬 수 있음.	본론
지역 축제를 계속 열다 보면 주민들의 공동체 의식을 높일 수 있음.	본론
우리 고장에서도 차별화된 축제 내용을 개발하여 고장의 문화를 알릴 수 있는 축제를 열 수 있도록 고장 전체가 힘을 모아야 함.	결론

1 1문단에서 우리 고장에는 고장의 문화를 알릴 수 있는 지역 축제가 없다는 문제 상황을 제시하고 있습니다.

2 지역 축제를 열면 우리 고장의 환경 오염을 줄일 수 있다는 ❷의 내용은 우리 고장에서도 지역 문화 발전을 위한 축제를 열어야 한다는 주장과 관련성이 떨어지므로 이를 뒷받침하기에 알맞지 않습니다.

3 글쓴이는 지역 축제를 성공적으로 열려면 그 지역의 전통문화나 특산물, 생태 환경 등 지역적 특성을 활용하여 다른 지역 축제와 차별화하는 것이 가장 중요하다고 했습니다.

4 이 글에서 제시한 도표는 몇 명을 조사했는지 조사 범위가 명확하지 않고, 자료의 출처가 나와 있지 않아 믿을 수 있는 자료라고 보기 어렵습니다. 따라서 근거 자료로 활용하기에 적절하지 않습니다.

오답 피하기 승호는 도표가 근거 자료로 활용하기에 적절하다고 보았으므로 알맞지 않습니다.

5 ㉠의 '벌어지다'는 '어떤 일이 일어나거나 진행되다.'라는 의미로 쓰였습니다. 이와 같은 의미로 쓰인 것은 ③입니다.

오답 피하기 ① '가슴이나 어깨, 등 따위가 옆으로 퍼지다.'라는 의미로 쓰였습니다.
② '식물의 잎이나 가지 따위가 넓게 퍼져서 활짝 열리다.'라는 의미로 쓰였습니다.
④ '사람의 사이에 틈이 생기다.'라는 의미로 쓰였습니다.
⑤ '차이가 커지다.'라는 의미로 쓰였습니다.

6 지역 축제를 열면 우리 고장의 독특한 문화를 널리 알릴 수 있고, 우리 고장의 경제를 발전시킬 수 있으며, 주민들의 공동체 의식을 높일 수 있으므로 우리 고장에서도 지역 문화 발전을 위한 축제를 열어야 한다고 주장하고 있습니다.

46~49쪽

아침밥

1 나, 다, 라　　2 ④
3 ⑤　　4 희수
5 ❷ ○ ❸ ○　　6 두뇌, 비만, 습관

독해력을 기르는 어휘

❶ 역할　❷ 쌀이는　❸ 핑계　❹ 거르면
❺ 근육　❻ 능률　❼ 섭취　❽ 과식
❾ 소모

글의 내용과 짜임 다시보기

• 글의 내용

요즘 아침밥을 먹지 않는 학생들이 많다는 문제 상황을 제시하고 그 해결책으로 아침밥을 먹으면 좋은 점을 근거로 들어 아침밥의 중요성을 주장하는 글입니다.

• 글의 짜임

가	요즘에 아침밥을 먹지 않는 학생들이 많음. / 건강한 생활을 위해 아침밥을 꼭 챙겨 먹는 습관을 들여야 함.	문제 상황 + 주장 (서론)
나	아침밥은 잠자고 있던 몸과 뇌를 깨움.	주장에 대한 근거 (본론)
다	아침밥은 두뇌 활동과 일의 능률을 높임.	
라	아침밥은 비만을 예방하고 체중 조절에 도움이 됨.	
마	건강한 삶을 위해 아침밥을 꼭 챙겨 먹어야 함.	주장 재강조 (결론)

1 글쓴이의 주장에 대한 근거와 그 근거를 뒷받침하는 내용은 논설문의 짜임 중 본론에 제시됩니다.

2 ㉠에 들어갈 서양의 격언을 찾으려면 ㉠ 뒷부분을 잘 읽어야 합니다. 같은 음식이라도 아침에 먹는 것이 더 이롭다는 의미의 말은 ④입니다.

오답 피하기 ① 아무리 약이 좋다고 하더라도 건강에는 밥을 잘 먹는 것이 우선이고 중요하다는 말입니다.
② 매우 쉬운 일을 비유할 때 쓰는 말입니다.
③ 자기에게 이로운 말을 싫어할 때 쓰는 말입니다.
⑤ 음식 종류에 따른 적절한 온도를 비유적으로 표현한 말입니다.

3 가와 마의 끝부분에 아침밥을 꼭 챙겨 먹자는 글쓴이의 주장이 나타나 있습니다.

4 ㉢은 아침밥이 두뇌 활동과 일의 능률을 높인다는 근거와 직접적인 관련이 없으므로, 희수의 판단은 적절합니다.

오답 피하기 연경: ㉡은 아침밥을 먹어야 하는 까닭이 될 수 있으므로 근거로 타당합니다.
재영: ㉣은 아침밥의 이로운 점을 제시한 것이므로 주장을 뒷받침하는 근거로 타당합니다.
승민: 해마다 아침밥을 거르는 학생들이 증가하는 상황에서 아침밥을 챙겨 먹자는 글쓴이의 주장은 현실에 맞고 타당합니다.

5 ❷와 ❸은 아침밥을 꼭 챙겨 먹자는 글쓴이의 주장을 뒷받침하는 근거 자료로 적절합니다.

오답 피하기 ❶ 불량 식품을 사 먹지 말자는 주장을 뒷받침하는 근거 자료로 적절합니다.

6 이 글에서는 아침밥의 이로운 점 세 가지를 근거로 들어 아침밥을 꼭 챙겨 먹는 습관을 들이자고 주장하고 있습니다.

50~53쪽

5 DAY 분리배출

1 ④ 2 ①, ④
3 ❸ ○ 4 ③
5 라 6 환경, 비용, 자원

독해력을 기르는 어휘

① 가 ② 다 ③ 나 ④ 라
⑤ 인체 ⑥ 절감 ⑦ 무분별 ⑧ 실정
⑨ 혼합

글의 내용과 짜임 다시보기

● 글의 내용

쓰레기 분리배출을 실천해야 하는 이유에 관한 근거를 들어 이제부터 쓰레기 분리배출을 적극적으로 실천하자고 주장하는 글입니다.

● 글의 짜임

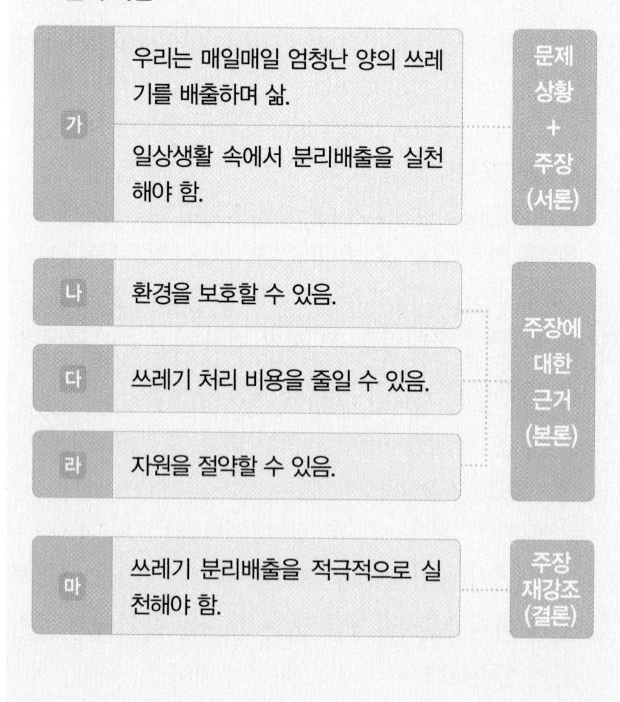

1 가를 통해 글쓴이가 이 글을 쓴 목적은 쓰레기 분리배출을 실천하자고 말하기 위한 것임을 알 수 있습니다.

2 나~라의 첫 문장에 주장에 대한 근거가 드러나 있습니다.

3 다에서는 쓰레기 처리 비용과 관련지어 분리배출을 해야 하는 이유를 제시하고 있습니다. 분리배출을 제대로 하면 연간 약 5억 매의 종량제 봉투를 절감할 수 있고, 약 3천억 원의 종량제 봉투 구매 비용을 절약할 수 있다고 합니다. 이는 글쓴이의 주장을 설득력 있게 뒷받침하고 있으므로 근거로 타당합니다.

오답 피하기 ❶ 나에서 쓰레기 분리배출을 하면 환경을 보호할 수 있다는 근거는 객관적인 사실로 주장과 관련 있으므로 타당합니다.
❷ 다에서 쓰레기 처리 비용에 대한 자료로 출처가 분명한 환경부 조사 보고서를 제시했으므로, 글쓴이의 주장을 뒷받침하는 자료로 적절합니다.

4 라에서는 비닐류를 무분별하게 다른 재활용품과 함께 배출했을 때의 문제점을 예로 들어 근거를 설명했습니다.

5 라에서는 비닐류를 무분별하게 다른 재활용품과 함께 배출하면 오염된 비닐이 다른 재활용품을 오염시켜 자원으로 활용할 수 없게 만든다면서 재활용 쓰레기에 오염 물질이 혼합되지 않게 배출해야 한다고 했습니다. 따라서 라의 뒷부분에 보기 의 내용이 이어지면 자원을 절약할 수 있다는 근거를 설득력 있게 뒷받침할 수 있습니다.

6 이 글에서는 환경 보호와 쓰레기 처리 비용 절감, 자원 절약을 위해 쓰레기 분리배출을 제대로 하자고 주장하고 있습니다.

WEEK 3 글을 읽으며 지식과 경험을 활용해요

58~61쪽

1 DAY 콘서트홀

1 ②	2 ②
3 ③	4 ②
5 음향 반사판	6 재료, 음향, 잔향

독해력을 기르는 어휘

❶ 잔향 ❷ 감쇠 ❸ 흡음 ❹ 청중
❺ 웅장한 ❻ 객석 ❼ 통기성

글의 내용과 짜임 다시보기

● **글의 내용**

콘서트홀은 홀의 크기나 사용한 재료, 음향 장치 등을 활용해 음이 지속되는 잔향 시간을 조절하는데, 이러한 잔향 시간을 조절하는 방법을 소개하는 글입니다.

● **글의 짜임**

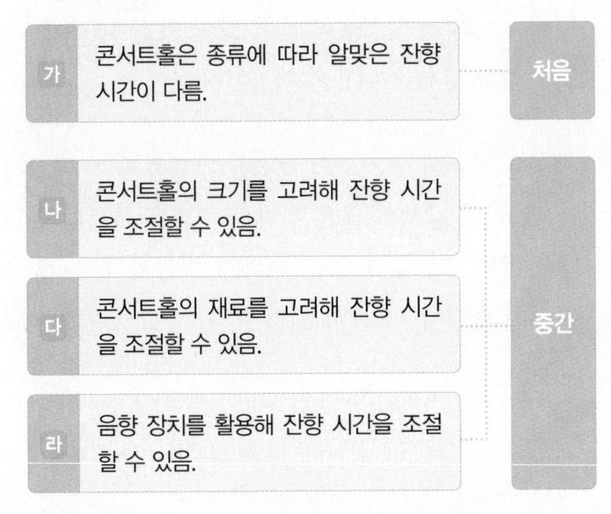

1 가에서는 콘서트홀의 잔향 시간에 대해 설명하고, 콘서트홀마다 알맞은 잔향 시간이 다름을 설명하고 있습니다.

오답 피하기 ② 음 에너지는 잔향 시간을 측정할 때 필요한 개념으로, 가만 읽고서는 음 에너지를 측정하는 구체적인 방법을 알기 어렵습니다.

2 이 글은 가에서 잔향 시간을 조절하는 다양한 방법이 있음을 소개하고, 나~라에서 이에 해당하는 방법을 구체적으로 설명하는 방식으로 구조화하고 있습니다. 따라서 문단의 내용 관계를 고려할 때 ②가 알맞게 구조화한 것입니다.

3 수현이는 클래식 음악을 좋아하시는 부모님을 따라 오페라, 오케스트라 공연을 자주 보러 갔던 자신의 경험을 활용하고 있습니다. 같은 작품도 볼 때마다 연주가 다르게 들린 이유를 이 글을 읽고 나서 알게 되었다고 했으므로, 수현이는 자신의 경험을 활용해 내용을 깊이 있게 이해한 것입니다.

4 다에서 제시한 합성 섬유, 돌, 합판 등은 모두 콘서트홀을 구성하는 재료에 해당합니다. 그러므로 ㉠~㉢에 공통으로 들어갈 말은 '재료'입니다.

5 라에서 피아노 독주처럼 작은 소리를 울리게 해야 할 때는 피아노 뒤편 무대에 음향 반사판을 병풍처럼 세우는 것이 잔향 시간을 늘리는 방법이라고 했습니다.

6 이 글에서는 콘서트홀의 크기 및 재료 또는 음향 장치를 활용해 잔향 시간을 조절할 수 있음을 밝히고, 구체적으로 어떻게 조절하는지 그 방법을 설명하고 있습니다.

62~65쪽

2 DAY 괜찮아

1 ② 2 ④

3 다리가(몸이) 불편하다는

4 괜찮아(괜찮다, 괜찮아요)

5 ③ 6 사람, 배려, 격려(격려, 배려)

독해력을 기르는 어휘

❶ 공기놀이 ❷ 술래잡기 ❸ 고무줄놀이 ❹ 소외감 ❺ 박탈감 ❻ 쩔렁이며 ❼ 선의

글의 내용과 짜임 다시보기

• **글의 내용**

신체적 장애를 가진 글쓴이가 세상에 대해 긍정적인 시각을 갖게 된 어린 시절의 일화를 소개하는 수필입니다.

• **글의 짜임**

가	어머니는 '나'가 집에 혼자 있는 것보다는 친구들과 함께하는 걸 좋아하셨음.	처음
나	친구들은 몸이 불편한 '나'가 놀이에서 소외되지 않도록 배려해 주었음.	처음
다	'나'는 친구들 덕에 소외감이나 박탈감을 느끼지 않고 함께 놀 수 있었음.	처음
라	깨엿을 파는 아저씨가 골목에 앉아 있는 '나'에게 깨엿 두 개를 내밀며 "괜찮아"라고 말했음.	중간
마	깨엿을 파는 아저씨가 건넨 말 한마디 덕에 '나'는 세상이 살 만한 곳이라고 믿기 시작했음.	중간

1 지식을 활용해 글을 읽으면 내용 이해에 도움을 받을 수 있습니다. 보기 의 자료는 민속놀이 중 사방치기에 대한 설명입니다. 요즘 아이들에게는 익숙하지 않은 놀이이기에 이러한 자료를 통해 지식을 획득하면 나의 글을 읽는 데 도움이 됩니다.

2 나를 보면 '나'는 몸이 불편해서 다양한 놀이에 제대로 참여할 수 없었지만 공기놀이에는 참여했음을 알 수 있습니다.

3 '목발'은 다리가 불편한 사람이 겨드랑이에 끼고 있는 지팡이를 가리킵니다. 이 용도를 고려할 때 '나'는 다리가(몸이) 불편하다는 것을 알 수 있습니다.

4 ㉡ 뒤에 이어지는 마의 첫 문장 '무엇이 괜찮다는 건지 몰랐다.'를 통해 깨엿 장수 아저씨가 한 말이 무엇인지 알 수 있습니다. ㉡과 ㉢에 공통으로 들어갈 말로는 아저씨가 골목에 혼자 앉아 있는 '나'에게 '괜찮아'라고 말하는 내용이 어울립니다.

5 수필은 글쓴이가 자신의 경험을 자유롭게 쓴 글입니다. 이러한 갈래의 글은 각자의 경험을 떠올리며 읽으면 훨씬 더 깊이 있는 이해가 가능합니다. ③은 자신의 경험과 이 글의 주제가 모두 잘 드러난 감상입니다.

6 이 글은 글쓴이의 경험을 통해 다른 사람에 대한 배려와 격려가 사람을 어떻게 변화시키는지를 보여 주는 수필입니다.

66~69쪽

3 DAY 황소에 대한 오해

1 ③　　2 큰 수소
3 ⑤　　4 ③
5 황소, 오해, 역사

독해력을 기르는 어휘

❶ 예 토종 농산물을 많이 이용해야 한다.
❷ 예 할아버지는 지붕을 짚으로 얼기설기 엮으셨다.
❸ 예 농부들은 품종 개량을 위해 노력했다.
❹ 순우리말　❺ 서기　❻ 고분 벽화　❼ 품질

글의 내용과 짜임 다시보기

● **글의 내용**

많은 사람이 황소를 누런 소라고 오해하는 것에 얽힌 우리 토종 한우의 슬픈 역사에 대해 설명하는 글입니다.

● **글의 짜임**

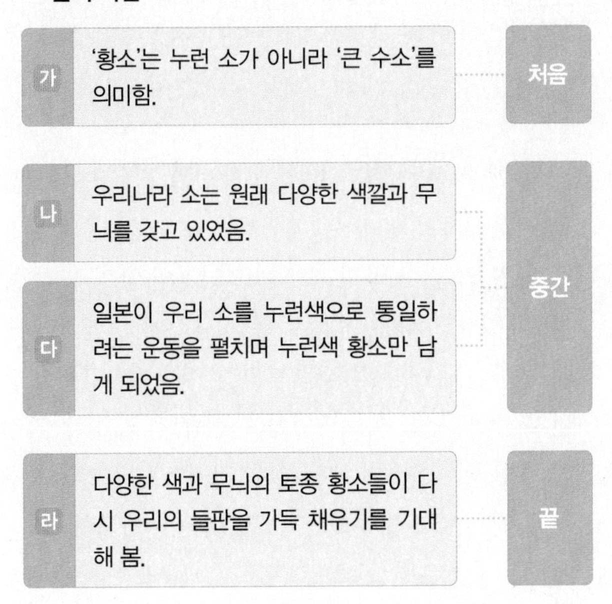

가	'황소'는 누런 소가 아니라 '큰 수소'를 의미함.	처음
나	우리나라 소는 원래 다양한 색깔과 무늬를 갖고 있었음.	중간
다	일본이 우리 소를 누런색으로 통일하려는 운동을 펼치며 누런색 황소만 남게 되었음.	중간
라	다양한 색과 무늬의 토종 황소들이 다시 우리의 들판을 가득 채우기를 기대해 봄.	끝

1 가에서 우리가 흔하게 보는 황소가 대부분 누런 소여서 사람들이 황소를 누런 소로 착각하고 있다는 내용을 확인할 수 있습니다.

2 가에서 사전을 찾아보면 황소는 누런 소가 아니라 '큰 수소'라고 황소의 진짜 의미를 잘 설명하고 있습니다.

3 다에서 일제 강점기인 1920년대 말부터 일본이 우리 소를 누런색으로 통일하려는 운동을 펼치면서 다른 색깔 한우가 사라지게 되었다고 했습니다. 또한 그 이후에 진행된 한우 개량 사업을 통해 누런 소만 남게 된 것입니다.

4 황소 중에 누런 소만 남은 이유는 일제 강점기에 일본이 우리 소를 누런 소로 통일하려고 했기 때문입니다. 다에서 이러한 내용을 확인할 수 있으므로, ⓑ는 다와 관련된 메모로 알맞습니다.

오답 피하기 ① ⓐ의 적절성을 판단하기 위해서는 나를 참고해야 합니다.
② 호랑이 무늬 같은 짙은 줄무늬가 있는 황소도 존재했음을 나를 통해 확인할 수 있습니다.
④ 라는 글의 내용을 정리하는 문단으로, ⓑ와 ⓒ의 적절성을 확인할 수 있는 문단이 아닙니다.
⑤ '얼룩송아지'는 실제로 존재했던 소로, 토종 황소인 칡소라는 것을 나에서 확인할 수 있습니다.

5 이 글에서는 많은 사람이 황소를 누런 소라고 생각하고 있지만 사실 황소는 '큰 수소'를 의미하며, 이러한 오해가 생긴 데는 우리 토종 한우의 아픈 역사와 관련이 있음을 설명하고 있습니다.

70~73쪽

4 DAY 면역력과 항상성

1 ⑤
2 ②
3 ①
4 ②
5 ④
6 면역력, 항상성(순서 무관), 건강

독해력을 기르는 어휘

❶ 면역 ❷ 후천적 ❸ 인공적 ❹ 선천적
❺ 획득 ❻ 유지 ❼ 수축

글의 내용과 짜임 다시보기

● **글의 내용**

인간이 건강한 삶을 살기 위해 필요한 면역력과 항상성의 개념과 특징을 설명하는 글입니다.

● **글의 짜임**

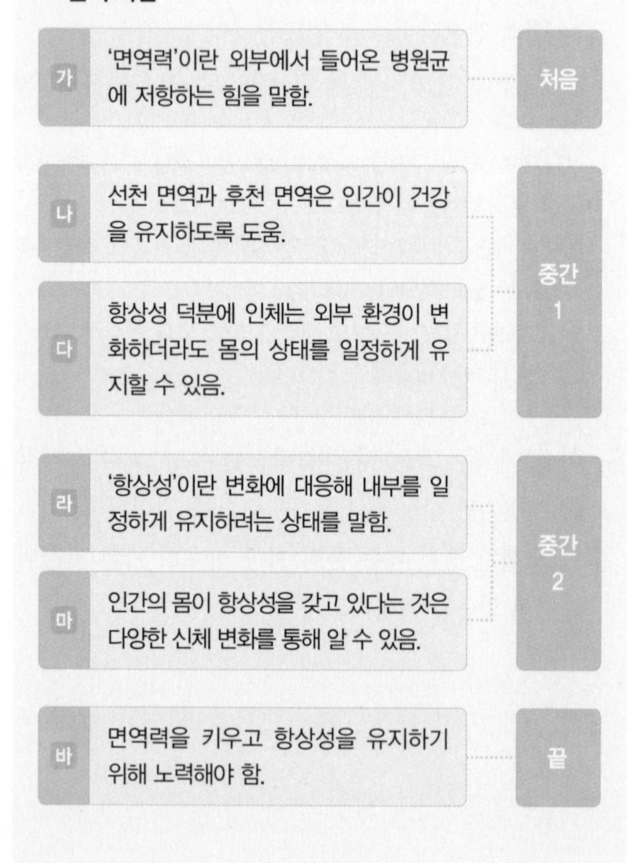

1 가에서는 면역력의 개념과 면역력의 두 가지 종류인 선천 면역과 후천 면역에 대해 소개하고 있습니다.

2 보기 는 선천 면역에 대한 설명입니다. 나에 따르면 선천 면역은 엄마에게서 태어날 때부터 받은 것으로, 이 때문에 신생아는 천연두나 홍역에 잘 걸리지 않는다고 했습니다. 그러므로 빈칸에 들어갈 적절한 문단은 나입니다.

3 면역력은 외부에서 들어온 병원균에 저항하는 힘을 말합니다. 인간은 면역력을 갖고 있기 때문에 여러 가지 병균이 몸에 들어와도 건강을 유지할 수 있습니다. 그러므로 ㉠에 들어갈 면역력의 기능으로는 ①이 가장 알맞습니다.

4 마에서는 구체적인 예를 들어 항상성에 대해 설명하고 있는데, 이는 설명 방법 중 '예시'에 해당합니다. 이와 같은 예시의 방법을 활용하고 있는 것은 ②입니다.

오답 피하기 ① 인과, ③ 대조, ④ 분류, ⑤ 정의

5 보기 에 제시된 읽기 방법은 자신의 지식이나 경험을 떠올리며 글을 읽는 것입니다. 그러면 글의 내용을 훨씬 더 잘 이해할 수 있고, 읽기의 흥미 또한 높일 수 있다고 했습니다. ④는 지난주에 면역력을 높이는 방법에 대한 강의를 듣고 난 뒤 글을 읽어서 그런지 내용이 잘 이해되었다고 했습니다. 이는 자신의 경험을 떠올리며 글을 읽은 것이므로, 보기 에 제시된 읽기 방법에 따라 글을 잘 읽은 것입니다.

6 인간은 다양한 위험 상황에 처할 수 있지만, 면역력과 항상성을 갖고 있어서 일정한 상태를 유지하며 건강하게 살 수 있습니다.

74~77쪽

5 DAY 용묵법

1 ①　　2 ⑤
3 ④　　4 선염
5 ③　　6 농도, 표현, 기법

독해력을 기르는 어휘

❶ 방법　❷ 나누는　❸ 표현　❹ 증발
❺ 여백　❻ 원근감　❼ 윤곽선　❽ 농담

글의 내용과 짜임 다시보기

• **글의 내용**

수묵화에서 먹을 이용해 다양한 표현 효과를 내는 용묵법의 다양한 기법을 소개하는 글입니다.

• **글의 짜임**

문단	내용	구성
가	먹을 이용해 다양한 표현 효과를 내는 것을 용묵법이라고 함.	처음
나	용묵법을 먹의 농도에 따라 분류하면 초묵, 농묵, 담묵 등이 있음.	중간
다	용묵법을 표현 효과에 따라 분류하면 선염, 파묵, 발묵 등이 있음.	중간
라	용묵법을 이해하면 수묵화를 더욱 깊이 있게 감상할 수 있음.	끝

1 이 글에서는 용묵법의 다양한 기법을 몇 가지 기준에 따라 분류해 설명하고 있습니다.

2 나에서는 먹의 농도에 따라 분류한 용묵법의 기법을 소개하고 있습니다. 초묵이 가장 진한 상태, 농묵이 그다음, 담묵이 가장 연한 상태 즉 먹에 물이 가장 많이 섞인 상태를 가리킵니다. 이를 바탕으로 할 때, 농묵은 먹의 농도에 따라 분류하면 초묵처럼 진한 먹색을 가리킵니다. 그러므로 ⑤의 설명은 알맞지 않습니다.

3 용묵법은 수묵화에서 사용하는 용어로, 이 글을 더 잘 이해하기 위해서는 우리나라 전통 수묵화를 자료로 활용하는 것이 좋습니다. ④의 그림은 '어몽룡 묵매도'로, 농묵과 담묵을 효과적으로 사용한 수묵화로 평가받는 작품입니다.

오답 피하기 ① 벼루를 사용해 먹을 갈지만 벼루 이미지를 제시하는 것이 글의 내용 이해에 도움을 준다고 볼 수는 없습니다.
③ 송시열 초상화는 동양화의 일종이기는 하지만, 용묵법을 잘 드러내 보여 주는 그림이라고 볼 수는 없습니다.
②, ⑤ 서양화로 이 글의 내용과는 관련이 없습니다.

4 다를 바탕으로 할 때, 보기 의 설명에 해당하는 것은 '선염'입니다.

5 민우는 수묵화에 관련된 글을 읽고 난 후 수묵화 전시회에 갔더니 평소에는 관심도 없었던 동양화가 재미있게 느껴졌고, 작품 이해에도 도움을 주었다고 했습니다. 이를 통해 글을 읽으며 획득한 배경지식은 관련 분야에 대한 이해를 높여 준다는 것을 알 수 있습니다.

6 수묵화에서 먹을 이용해 다양한 표현 효과를 내는 용묵법은 먹의 농도에 따라 초묵, 농묵, 담묵 등으로 나뉘고, 표현 효과에 따라 분류하면 선염, 파묵, 발묵 등으로 나눌 수 있음을 설명한 글입니다.

WEEK 4 글에 드러나지 않은 내용을 추론해요

82~85쪽

1 DAY 숫자 '3'과 '100'

1 ⑤ 2 ㉯, ㉰
3 ④ 4 ①
5 ❶ 가득 참 ❷ 완전함, 완성
6 민족, 숫자, 의미

독해력을 기르는 어휘

① 신화 ② 시조 ③ 만점 ④ 신성
⑤ 최상 ⑥ 완성 ⑦ 특별

글의 내용과 짜임 다시보기

- **글의 내용**

단군 신화에 나오는 숫자인 '3'과 '100'을 바탕으로, 우리 민족이 이 두 수에 대해 어떤 특별한 의미를 붙여 사용하고 있는지를 설명하는 글입니다.

- **글의 짜임**

'3'의 사용 예		'3'의 의미
단군 신화 속 숫자 '3'		신성함, 최상, 완전함
'하늘-땅-사람', '처음-중간-끝', '과거-현재-미래'	→	완성된 하나(전체)
삼칠일		완성

\+

'100'의 사용 예		'100'의 의미
• 단군 신화 속 숫자 '100' • 백일잔치, 백일기도, 100점 만점	→	완성, 완전함, 가득 참

↓

우리 민족은 '3'과 '100'을 단순히 숫자로만 생각하지 않고 특별한 의미를 담아 사용함.

1 2문단에서 숫자 '3'이 '신성함'을 의미하는 수라고 설명하고 있지만, 우리 민족이 왜 '3'을 신성한 수로 생각하는지에 대해서는 설명하고 있지 않습니다.

2 우리 민족이 숫자 '3'과 '100'에 의미를 붙여 사용한 것에서, 다른 나라에서도 이처럼 숫자에 특별한 의미를 붙여 사용하는지 더 알아볼 수 있습니다(㉯). 그리고 이 글에서는 '삼칠일(21일)'의 '3'의 의미만 나와 있으므로, '7'과 '21'에는 어떤 상징적 의미가 있는지 알아볼 수 있습니다(㉰).

오답 피하기 ㉮ 2~4문단을 통해 '3'과 '100'은 '완성'과 '완전함'이라는 공통 의미가 있음을 확인할 수 있으므로, 심화 학습의 주제로는 알맞지 않습니다.
㉱ 이 글에서 확인할 수 있는 주제입니다.

3 [A]에서 단군 신화에 나오는 숫자에 대해 이야기하면서 '우리 민족에게 이들 숫자가 갖는 의미를 살펴보자.'라고 했습니다. 따라서 [A]가 하는 역할은 이 글에서 다룰 중심 화제를 소개하는 것입니다.

4 '삼 곱하기 삼은 구이다.'에서 사용된 '삼'은 단순히 숫자를 나타내는 것이므로, 특별한 의미를 붙여 사용한 말로 보기 어렵습니다.

5 '백 일을 채움.'에서 '100'은 모두 채워진 수라고 볼 수 있으므로, '가득 참'의 의미로 생각할 수 있습니다. 그리고 '백 일'이 지나면 불완전한 것이 완전한 것이 되어 인간이 되므로, 여기서 '100'은 '완전함', '완성'의 의미로 볼 수 있습니다.

6 이 글에서는 우리 민족이 '3'과 '100'을 어떤 의미를 가진 숫자로 생각하고 사용했는지를 설명하고 있습니다.

86~89쪽

2 DAY 동물들의 겨울잠과 여름잠

1 ⑤
2 ㉯, ㉱
3 ①
4 ⑤
5 ㉮ 겨울잠 ㉯ 먹이
6 에너지, 먹이, 겨울잠

독해력을 기르는 어휘

❶ 박동 ❷ 항온 ❸ 변온 ❹ 보금자리
❺ 횟수 ❻ 절약 ❼ 건조

글의 내용과 짜임 다시보기

● **글의 내용**

먹이를 구하기 힘든 추운 겨울 또는 뜨겁고 건조한 여름에 동물들이 겨울잠이나 여름잠을 자며 환경을 견뎌 내고 있음을 설명하는 글입니다.

● **글의 짜임**

- 겨울잠
  - 항온 동물
    - 먹이를 구하기 힘든 겨울에 몸의 에너지를 절약하기 위해 겨울잠을 잠.
    - 겨울잠을 자기 전에 먹이를 충분히 먹어 에너지를 모아 둠.
    - 겨울잠을 자는 동안에는 호흡이나 심장 뛰는 횟수를 줄임.
  - 변온 동물
    - 겨울에 체온이 0도 이하가 되지 않게 하려고 겨울잠을 잠.
    - 호흡이나 심장 박동이 거의 없는 상태로 잠.
    - 체액을 얼지 않게 하는 물질이 몸 안에 있어 얼어 죽지 않음.
- 여름잠
  - 여름이 되면 더위와 건조함을 피하려고 여름잠을 자는 동물들도 있음.

1 1문단에서 신체 활동은 물론, 체온 유지, 호흡, 심장 박동 등의 기초적인 생명 활동을 하는 데도 에너지가 필요하다고 했습니다. 그런데 신체 활동과 기초적인 생명 활동 중 어느 것에 더 많은 에너지가 사용되는지는 이 글만으로는 알 수 없습니다.

오답 피하기 ① 항온 동물, 변온 동물 모두 온도 변화가 거의 없는 장소에서 겨울잠을 잡니다.
② 추운 겨울이냐 덥고 건조한 여름이냐에 따라 동물들이 살아가는 방법이 다릅니다.
④ 항온 동물들이 겨울잠을 자기 전에 먹이를 많이 먹어 두는 이유입니다.

2 겨울잠을 자는 동안 항온 동물은 호흡이나 심장 박동의 횟수를 줄이지만, 변온 동물은 호흡이나 심장 박동이 거의 없습니다(㉯). 변온 동물은 에너지를 절약하기 위해서가 아니라 얼어 죽지 않기 위해서 겨울잠을 잡니다(㉱).

3 항온 동물은 먹이를 통해 체온 유지를 위한 에너지를 만듭니다. 그런데 변온 동물은 바깥 온도에 따라 체온이 조절되므로 체온 유지를 위한 에너지를 얻기 위해 먹이를 먹을 필요는 없습니다.

4 페어류는 뜨겁고 건조해서 여름잠을 자는 것이므로, 이들이 살기 좋은 환경은 이와 반대되는 '뜨겁지 않고 습기가 많은' 환경임을 짐작할 수 있습니다.

5 곰과 같은 항온 동물은 먹이를 구하기 힘들어지면 겨울잠을 자는데, 동물원에 사는 곰은 먹이를 스스로 구하지 않아도 되므로 겨울잠을 잘 필요가 없습니다.

6 먹이를 통해 살아가는 데 필요한 에너지를 만드는 동물들은 먹이를 구하기 힘들거나 살기 힘든 계절이 되면 겨울잠 또는 여름잠을 잡니다. 이 글에서는 겨울잠을 자는 동물을 항온 동물과 변온 동물로 나누어 설명하고, 동물들의 여름잠을 덧붙여 설명하고 있습니다.

90~93쪽

3 DAY 나비 박사 석주명

1 ㉯, ㉰, ㉱ 2 ④
3 ⑤ 4 ⑤
5 ⑤ 6 조선, 나비, 생물

독해력을 기르는 어휘

❶ ㄱ ❷ ㄷ ❸ ㄴ ❹ ㄹ
❺ 평생 ❻ 독특 ❼ 채집

글의 내용과 짜임 다시보기

● **글의 내용**

조선적 생물학자인 나비 박사 석주명을 소개하고, 조선의 나비를 채집하여 연구하고, 역사 자료에서 나비에 관한 내용을 찾아내며, 나비에 우리말 이름을 붙인 석주명의 업적을 설명하는 글입니다.

● **글의 짜임**

조선적 생물학	조선의 연구가가 조선 땅의 생물을 직접 연구하여 조선의 독특한 생물의 모습을 있는 그대로 밝힘.

업적		
	생물학	• 20여 년 동안 전국을 돌아다니며 75만 마리의 나비를 채집하여 연구함. • 일본 곤충학자들이 조선의 나비에 대해 잘못 연구한 것을 바로잡음. • 나비 연구의 결과를 모아 영문으로 펴낸 ≪조선산 접류 총 목록≫은 이후 생물학의 귀한 자료가 됨.
	국학	• 역사 자료에서 나비에 관한 기록이나 그림을 찾아냄. • 나비에 우리말 이름을 지어 붙임.

1 ㉯는 2문단의 석주명이 일본 곤충학자들이 조선의 나비에 대해 잘못 연구한 것들을 바로잡았다는 것에서, ㉰는 3문단의 일제 강점기에 주변에서 흔히 볼 수 있는 일부 나비에 우리말 이름이 있었다는 것에서, ㉱는 4문단을 통해서 알 수 있습니다.

오답 피하기 ㉮ 석주명이 조선적 생물학자임은 알 수 있지만, 일본 학자들에게도 조선적 생물학자로서 인정을 받았는지는 이 글을 통해 알 수 없습니다.

2 3문단을 통해 석주명이 옛 기록이나 자료에서 찾으려고 했던 것은 나비에 관한 것들이었음을 알 수 있습니다.

3 석주명은 까치나 맹꽁이 등이 조선에만 있듯이 각 나라에는 그 나라만의 '고유'한 생물이 있다고 보았습니다. 그리고 '생물학'은 '생물'을 연구하는 학문으로 자기 나라의 '고유'한 생물을 연구할 수 있는 학문이므로, '조선'에 있는 생물을 연구하는 조선의 생물학도 가능하다고 생각한 것입니다.

4 2문단에서 석주명은 조선의 연구가가 조선의 생물을 직접 연구하여 있는 그대로를 밝히는 것이 조선적 생물학이라고 했습니다. 또 그는 자신의 연구물을 '영문' 책으로 펴냈습니다. 이로 볼 때, 연구 결과를 영문으로 발표했어도 ⑤가 조선적 생물학에 포함됨을 알 수 있습니다.

5 3문단에서 석주명이 '역사 속에 존재하는 나비'를 조사했다고 했는데, 그 뒤에 ≪조선왕조실록≫과 같은 기록이나 옛 자료에 나오는 나비 이름을 찾아보고 나비 그림을 그린 화가도 소개했다는 내용이 이어집니다. 이로 볼 때, ⓐ는 우리의 옛 기록이나 자료에 등장하는 조선의 나비임을 알 수 있습니다.

6 이 글에서는 조선의 나비를 채집하여 연구하고, 나비에 관한 옛 자료를 조사하는 것은 물론 나비에 우리말 이름을 붙인 석주명의 업적을 소개하고 있습니다.

94~97쪽

4 DAY 비밀을 푸는 열쇠, 운석

1 ①　　2 ⑤
3 ❶-㉰ ❷-㉯ ❸-㉮　　4 ③
5 산맥　　6 운석, 유성, 지구

독해력을 기르는 어휘

❶ 진화　❷ 발견　❸ 탐사　❹ 암석
❺ 초기　❻ 비밀

글의 내용과 짜임 다시보기

● **글의 내용**

대기권에 들어온 유성에서 타지 않고 남아 땅에 떨어진 운석과 운석이 땅에 떨어질 때 만들어지는 충돌구를 소개하고, 태양계와 지구의 비밀을 푸는 자료가 되는 운석의 가치 등을 설명하는 글입니다.

● **글의 짜임**

유성체가 운석이 되기까지의 과정	우주에 떠다니는 암석이나 그 조각들(유성체) → 지구의 중력에 이끌려 대기권으로 들어와 타게 됨.(유성) → 타지 않고 남은 덩어리가 땅에 떨어짐.(운석)

↓

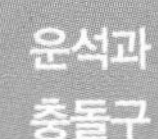

운석과 충돌구	운석이 떨어지는 속도 때문에 땅에 충돌구가 생김.

↓

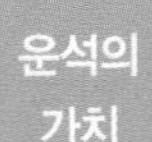

운석의 가치	지구에 떨어진 운석은 태양계가 처음 만들어질 때 생겨난 운석과 태양계가 만들어지고 난 후 생겨난 운석이 있음. → 태양계와 지구 연구의 중요한 자료가 됨.

1 3문단에서 지구에 떨어지는 운석에는 태양계가 처음 만들어질 때 생겨난 운석과 태양계가 만들어지고 난 후에 생겨난 운석이 있다고 했습니다. 그리고 이들 운석에 들어 있는 물질을 통해 태양계와 지구를 연구할 수 있음을 밝혔습니다. 하지만 운석을 이루고 있는 구체적인 물질들을 나열하지는 않았습니다.

2 3문단을 통해 지구에 떨어지는 운석에는 어떤 것들이 있는지 알 수 있지만, 태양계가 처음 만들어질 때 생겨난 운석이 지구 운석의 대부분을 차지하고 있는지는 알 수 없습니다.

오답 피하기 ①, ④ 2문단을 통해 알 수 있습니다.
② 3문단을 통해 알 수 있습니다.
③ 4문단에서 우리나라는 남극 운석 탐사대의 활동 결과 2014년 기준으로 총 282개의 남극 운석을 가진 나라가 되었다고 했습니다. 따라서 남극에 있는 운석은 가장 먼저 발견한 나라의 소유가 됨을 추론할 수 있습니다.

3 1문단에서 우주에 떠다니는 것은 유성체, 지구 대기권에 들어와 타면서 불빛을 내는 것은 유성, 그중 타지 않고 남은 덩어리가 땅에 떨어진 것은 운석이라고 했습니다.

4 3문단에서 운석은 태양계가 처음 만들어지던 때에 어떤 일이 있었는지, 행성의 초기 상태나 진화 과정, 지구의 핵을 구성하는 물질 등을 연구하는 데 중요한 자료가 된다고 했습니다.

5 산맥에 가로막혀 움직이지 못하게 된 빙하들이 쌓여 있다가 녹으면서 빙하 속에 있던 운석이 나오게 됩니다. 따라서 남극에 있는 산맥 주위의 빙하 지역에서 운석이 많이 발견되었을 것이라고 짐작할 수 있습니다.

6 이 글에서는 유성체가 운석이 되기까지의 과정과 운석 때문에 충돌구가 만들어지는 과정, 그리고 운석이 태양계와 지구 연구에 중요한 자료가 됨을 설명하고 있습니다.

98~101쪽

5 DAY 엘니뇨와 라니냐

1 ⑤　　2 ④

3 ㉮ 가뭄 ㉯ 폭우나 홍수

4 ⑤　　5 ⑤

6 무역풍, 엘니뇨, 라니냐

독해력을 기르는 어휘

❶ ㉮-㉡　❷ ㉯-㉠　❸ ㉰-㉠　❹ 한파

❺ 폭우　❻ 주기

글의 내용과 짜임 다시보기

● 글의 내용

적도 부근 태평양 동쪽에 있는 페루 앞 바닷가에서 엘니뇨와 라니냐가 나타나는 과정과 그것이 기후에 미치는 영향을 설명하는 글입니다.

● 글의 짜임

평상시 적도 부근 태평양의 모습

- 무역풍: 동쪽에서 서쪽으로 불고 있음.
- 바닷물의 흐름: 동쪽의 따뜻한 물이 서쪽으로 이동하고, 페루 앞바다에서는 바닷속 찬물이 올라옴.
- 수온: 서쪽의 평균 온도 〉 동쪽의 평균 온도
- 기후: 서쪽 지역–비의 양↑, 동쪽 지역–맑고 건조함.

	엘니뇨 발생	라니냐 발생
무역풍	평소보다 약해짐.	평소보다 강해짐.
바닷물의 흐름	서쪽으로 가는 양↓, 올라오는 찬물 양↓	서쪽으로 가는 양↑, 올라오는 찬물 양↑
수온	서쪽↓, 동쪽↑	서쪽↑, 동쪽↓
근거	서쪽 지역–가뭄 동쪽 지역–폭우, 홍수	서쪽 지역–폭우, 홍수 동쪽 지역–가뭄

1 4문단에서 엘니뇨 현상이 나타나면 동남아시아에 가뭄이 생긴다는 것을 알 수 있습니다.

오답 피하기 ② 엘니뇨와 라니냐는 반대되는 현상으로, 모두 적도 부근 태평양에서 일어나기 때문에 같은 시기에 발생하기는 어렵습니다.

④ 깊은 바닷속 찬물에 영양분이 많아 이 물이 바다 위로 올라오면 물고기도 늘어나 어업에 도움이 됩니다.

2 이 글은 먼저 평상시의 적도 부근 태평양의 모습을 소개한 후, 무역풍으로 인해 바다의 흐름에 변화가 생기면서 엘니뇨와 라니냐가 일어나는 과정을 원인과 결과가 드러나도록 설명하고 있습니다.

3 [A]를 참고하면, 따뜻한 바닷물이 많이 모여 수온이 올라간 곳에는 비의 양이 많아져 폭우나 홍수가 일어나고, 바닷속 찬물로 인해 수온이 내려간 곳은 건조하여 가뭄이 듭니다. 이로 보아 인도양 동쪽의 따뜻한 바닷물이 서쪽으로 옮겨지면서 수온이 내려간 동쪽 지역은 가뭄이, 수온이 올라간 서쪽 지역은 폭우나 홍수가 발생할 수 있습니다.

4 라니냐가 발생하면 페루 앞바다의 따뜻한 물이 서쪽으로 더 많이 이동하고, 그로 인해 페루 앞바다에는 깊은 바닷속 찬물이 더 많이 올라오게 됩니다. 그러면 적도 부근 태평양 서쪽은 기온이 더 많이 올라가고 동쪽은 기온이 더 많이 내려가게 되므로 서쪽과 동쪽의 기온 차는 커집니다.

5 ⓔ의 '이 현상'은 엘니뇨 현상입니다. 엘니뇨가 발생하면 페루 앞바다의 따뜻한 바닷물이 이동하는 양이 적어지므로, 평년보다 바닷물 온도가 높아집니다.

6 이 글에서는 평상시 적도 부근 태평양의 모습을 설명한 후, 엘니뇨와 라니냐가 발생하는 과정과 그로 인한 영향을 설명하고 있습니다.

106~109쪽

1 DAY 과일 가격이 문제야!

1 증가, 하락　　2 ③
3 ⑤　　4 ③
5 ⑤　　6 가격, 수입, 하락

독해력을 기르는 어휘

① ㉠　② ㉡　③ ㉣　④ ㉢
⑤ 평년　⑥ 하락　⑦ 공세

글의 내용과 짜임 다시보기

● **글의 내용**

하락한 과일 가격에 대한 상반된 두 관점을 보여 주고 있는 기사문입니다.

● **글의 짜임**

	가	나
표제	"여름 과일 먹을 맛나네." …… 참외·수박값↓	고개 못 드는 참외·수박값
부제	출하량 증가로 평년보다 가격 낮아져	작황 좋아 생산량 늘고 오렌지·체리 등 외국산 과일 공세 계속
전문	일찍 찾아온 더위와 재배 면적 증가 등으로 과일 가격이 낮게 형성되어 소비자들이 고품질의 과일을 합리적인 가격에 만나 볼 수 있음.	날씨가 따뜻해지면서 과일 생산량이 증가해 과일 가격이 하락하고 있음. 공급량이 증가한 상황에서 외국산 과일 수입이 증가하고 있어 국산 과일 가격의 하락을 부추기고 있음.

1 가에서는 참외와 수박 출하량이 증가하면서 가격도 평년보다 낮게 형성되고 있다는 내용을 다루고 있고, 나에서도 참외와 수박 생산량이 늘어나 가격이 하락했다는 내용을 다루고 있습니다.

2 과일을 찾는 소비자가 많이 줄어들었다는 내용은 가와 나에서 모두 찾을 수 없습니다.

오답 피하기 ①은 가와 나 모두에서, ②와 ⑤는 나에서, ④는 가에서 확인할 수 있습니다.

3 나의 글쓴이는 과일 가격의 하락을 부정적으로 보고 있습니다.

4 ㉢ '참외·수박 등 제철을 맞은 국내 과일 가격이 맥을 못 추고 있다.'에서 '맥을 못 추다.'는 '기운이나 힘 따위를 못 쓰거나 이성을 찾지 못하다.'라는 뜻으로, 과일 가격 하락을 부정적으로 보는 글쓴이의 관점을 알 수 있습니다.

오답 피하기 ㉠, ㉡, ㉣, ㉤은 모두 사실에 해당하는 문장입니다.

5 문맥상 ⓐ는 가격 하락을 더 심하게 만든다는 의미이므로, '어떤 감정이나 싸움, 상태의 변화 따위를 더욱 부추기다.'가 ⓐ의 의미로 알맞습니다.

6 가와 나는 과일 가격 하락에 대한 상반된 관점을 보여 주고 있습니다.

110~113쪽

2 DAY 소리 없는 암살자

1 ③ 2 ①
3 ③ 4 세호
5 ⑤ 6 드론, 용도, 선택

독해력을 기르는 어휘

❶ 착안 ❷ 파악 ❸ 투입 ❹ 개발
❺ 진압 ❻ 활용 ❼ 살상

글의 내용과 짜임 다시보기

• **글의 내용**

무인 비행기인 '드론'을 주제로 드론의 양면성을 서술하고, 드론을 어떤 방향으로 사용할 것인지에 대한 선택과 집중이 필요하다는 글쓴이의 생각을 서술한 글입니다.

• **글의 짜임**

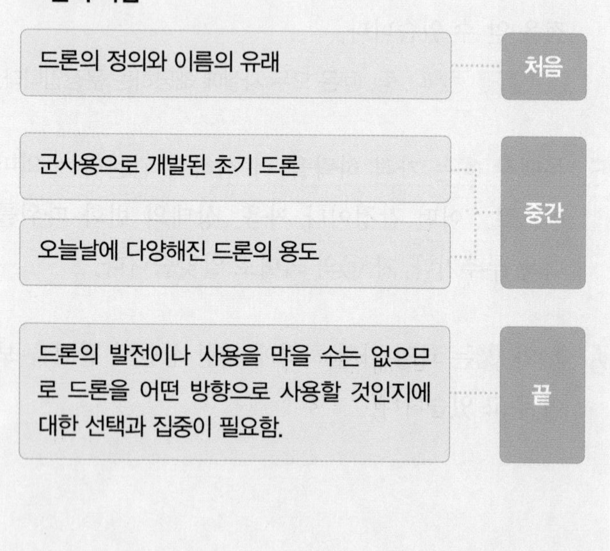

1 2문단에서 드론은 몸체가 작고 레이더를 피해 저공으로 고속 비행하기 때문에 탐지가 어렵다는 내용을 확인할 수 있습니다.

오답 피하기 ①과 ⑤는 2문단에서, ②는 3문단에서, ④는 1문단에서 확인할 수 있습니다.

2 라에서 드론은 긍정적인 면과 부정적인 면을 모두 갖고 있어 어떻게 사용해야 할지 고민이 필요하다고 말하고 있습니다. '양날의 검'은 양쪽에 날이 있는 칼을 의미합니다. 어떻게 사용하느냐에 따라 자신에게 득이 되기도 하고 때로는 해가 되기도 하는 대상을 가리키므로, ㉠에 들어갈 말로 알맞습니다.

오답 피하기 ② 아주 적은 양을 비유적으로 이르는 말입니다.
③ 궁지에서 벗어날 수 없는 처지를 비유적으로 이르는 말입니다.
④ 겉보기에는 먹음직스러운 빛깔을 띠고 있지만 맛은 없는 개살구라는 뜻으로, 겉만 그럴듯하고 실속이 없는 경우를 비유적으로 이르는 말입니다.
⑤ 넓은 세상의 형편을 알지 못하는 사람을 비유적으로 이르는 말입니다. 또는 견식이 좁아 저만 잘난 줄로 아는 사람을 비꼬는 말입니다.

3 '적을 파악하고 폭격하는 일'은 일상생활이 아니라 군사용으로 드론이 사용되는 예입니다.

4 글쓴이는 드론의 발전이나 사용을 막을 수는 없고, 드론을 어떤 방향으로 사용할 것인지에 대한 선택과 집중이 필요하다고 했습니다. 이와 같은 관점에서 의견을 제시한 사람은 세호입니다.

오답 피하기 재석이는 드론을 부정적으로만, 정국이는 긍정적으로만 바라보고 있습니다.

5 글쓴이는 드론의 활용 방향에 대한 선택과 집중이 필요하다고 했으므로, 드론의 올바른 사용 방향에 대해 함께 고민하기 위해 이 글을 썼음을 알 수 있습니다.

6 이 글은 다양한 분야에서 활용하고 있는 드론을 어떤 방향으로 사용할 것인지에 대한 고민이 필요하다는 글쓴이의 관점을 담고 있습니다.

114~117쪽

3 DAY 칭찬의 효과

1 ㉮, ㉯	2 ⑤
3 ①	4 ⑤
5 ⑤	6 결과, 과정, 포기

독해력을 기르는 어휘

❶ 강조 ❷ 긍정 ❸ 부정 ❹ 과정

글의 내용과 짜임 다시보기

● **글의 내용**

칭찬에 대한 실험을 통해 칭찬의 부정적인 효과에 대해 생각해 보고, 칭찬의 효과를 높이는 방법은 재능보다 노력을 칭찬하는 것임을 알려 주는 글입니다.

● **글의 짜임**

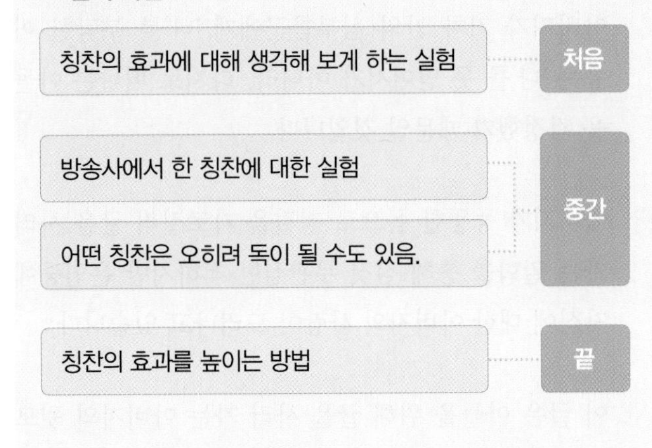

1 이 글은 심리학자의 말을 통해 재능에 대한 칭찬은 독이 될 수도 있다는 글쓴이의 주장을 뒷받침하고 있으며(㉮), 실제 실험의 구체적인 사례를 통해 독자의 이해를 돕고 있습니다(㉯).

2 이 글에서 칭찬의 효과를 높이는 방법은 결과보다 과정을 칭찬하는 것이라고 했습니다. ⑤는 넘어져도 포기하지 않고 달린 과정을 칭찬한 것입니다.

3 '질책하다'는 '꾸짖어 나무라다.'라는 뜻으로, '칭찬하다'와 반대의 의미를 가진 낱말입니다.

오답 피하기 ② '칭찬하여 일컫다.'라는 뜻입니다.
③ '사물의 가치나 수준 따위를 평하다.'라는 뜻입니다.
④ '지시, 명령, 물품 따위를 다른 사람이나 기관에 전하여 이르게 하다.'라는 뜻입니다.
⑤ '오는 사람을 기쁜 마음으로 반갑게 맞다.'라는 뜻입니다.

4 이 글의 소재는 '칭찬'입니다. 글쓴이는 칭찬에는 긍정적인 효과만 있는 것이 아니라, 무조건적인 칭찬은 오히려 독이 될 수도 있음을 실험을 통해 보여 주고 있습니다. 그리고 결과보다는 과정에 대한 칭찬, 포기하지 않는 자세에 대한 칭찬이 올바른 칭찬임을 말하고 있습니다.

5 ㉠~㉣은 있는 그대로의 사실에 해당하고, ㉤은 칭찬의 올바른 자세에 대한 글쓴이의 생각을 서술하고 있으므로 의견에 해당합니다.

6 이 글에서는 결과보다는 과정에 대한 칭찬, 포기하지 않는 자세에 대한 칭찬이 올바른 칭찬의 자세라고 주장하고 있습니다.

118~121쪽

아버지의 뒷모습

1 ③
2 귤
3 어리숙함, 사랑
4 ①
5 ②
6 아들, 모습, 사랑

독해력을 기르는 어휘

❶ 새끼 ❷ 손가락 ❸ 피 ❹ 가지
❺ 웃돈 ❻ 흥정 ❼ 플랫폼 ❽ 여간
❾ 그다지

글의 내용과 짜임 다시보기

● **글의 내용**

타지에서 유학하는 아들을 배웅하는 아버지의 뒷모습을 보고, 자식에 대한 아버지의 헌신적인 사랑에 대해 느낀 점을 쓴 수필입니다.

● **글의 짜임**

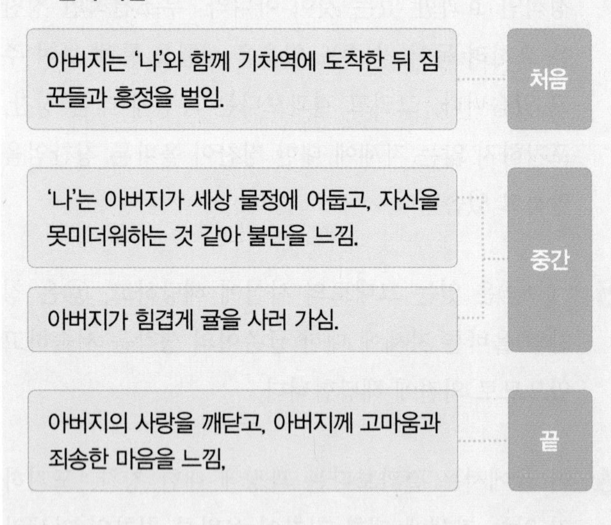

1 이 글에서는 아버지가 아들에게 감기에 걸리지 말라고 주의를 주는 내용만 알 수 있을 뿐, 아들이 감기에 걸렸다는 내용은 확인할 수 없습니다.

2 철로를 건너서 플랫폼에서 뛰어내린 다음, 다시 저쪽 플랫폼에 올라가는 과정은 몸이 뚱뚱한 아버지에게는 힘든 일이었음에도 불구하고, 아들에게 줄 귤을 사러 가는 모습에서 아버지의 헌신적인 사랑을 느낄 수 있습니다.

3 '나'는 아버지가 짐꾼들과 흥정하고, 기차 안의 심부름꾼에게 '나'를 부탁하는 모습을 보며 아버지의 '어리숙함'을 비웃었습니다. 하지만 힘겹게 귤을 사러 가시는 아버지의 모습에서 아버지의 헌신적인 '사랑'을 깨닫고 눈물을 흘리고 있습니다.

4 아버지가 기차 안의 심부름꾼에게 '나'를 부탁한 이유는 '나'를 못 믿어서가 아니라, 타지로 떠나는 아들을 걱정했기 때문일 것입니다.

5 아버지가 뚱뚱한 몸으로 철길을 가로질러 귤을 사러 가는 일화를 통해 짐짓 무관심한 척하지만 은연중에 자식에 대한 아버지의 사랑이 드러나고 있습니다.

6 이 글은 아들을 위해 귤을 사러 가는 아버지의 뒷모습을 보고, 자식에 대한 아버지의 헌신적인 사랑에 대해 느낀 점을 쓴 수필입니다.

122~125쪽

5 DAY 까마귀를 바라보는 시선

1 가 백로, 까마귀 나 까마귀, 백로
2 ①
3 ④
4 나
5 ⑤
6 까마귀, 백로, 대조

독해력을 기르는 어휘

❶ 골짜기 ❷ 기껏 ❸ 개혁 ❹ 부류
❺ 자객 ❻ 유신 ❼ 배신 ❽ 입장
❾ 비판

글의 내용과 짜임 다시보기

- **글의 내용**

'까마귀'와 '백로'에 대한 상반된 관점을 가진 시조와 그 시조에 대해 설명하는 글입니다.

- **글의 짜임**

	가	나
말하는 사람	까마귀를 비판하는 사람	백로를 비판하는 사람
시적 상황	화자는 까마귀가 싸우고 있는 곳에 가서 어울리면 백로가 더러워질까 우려하고 있음.	백로가 까마귀를 보고 검다며 웃자 까마귀가 자신은 내면은 검지 않지만 백로는 내면이 검다고 비판함.
정서	근심, 걱정, 우려	적대적 감정, 언짢음

1 가 에서는 까마귀가 싸우는 마을에 가려는 백로를 누군가가 말리는 모습을 통해 백로는 깨끗한 존재로, 까마귀는 더럽고 부정적인 존재로 그려지고 있습니다. 나 에서는 까마귀를 비웃는 백로에게 까마귀가 독설을 날리는 모습을 통해 까마귀는 겉은 검으나 속은 흰 긍정적인 존재로, 백로는 겉은 희지만 속은 검은 이중적인 존재로 그려지고 있습니다.

2 가 와 나 에서 모두 시간의 흐름은 확인할 수 없습니다.

오답 피하기 ②, ④ 사람이 아닌 백로와 까마귀를 사람처럼 표현하여 말을 건네고 있습니다.
③ 시대가 바뀌어 나라를 지배하는 새로운 탐욕의 무리와 변절한 자들 사이에서 곧은 지조와 의리를 갖춘 사람이 자칫 휩쓸리지는 않을까 걱정하는, 현실 상황을 반영한 글입니다.
⑤ 까마귀의 검은색과 백로의 흰색의 대조로 소인과 군자를 비유하고 있습니다.

3 나 에서 작가는 고려 유신의 한 사람으로, 새 왕조의 개국 공신으로 벼슬까지 했습니다. 두 왕조를 섬긴 자신을 스스로 '까마귀'에 비유하여 속까지 검지는 않다고 함으로써 자신의 양심은 부끄럽지 않음을 강조하고 있습니다.

4 가 는 까마귀를 부정적인 관점으로, 나 는 긍정적인 관점으로 바라보고 있습니다. 보기 는 평소 사람들이 까마귀를 불길한 새로 생각하지만 사실은 효심이 깊은 새라는 내용을 통해 까마귀를 긍정적으로 바라보고 있으므로, 나 의 관점과 비슷합니다.

5 ⓐ는 '얕보거나 흉보다.'라는 의미로 쓰였고, ⓑ는 '손가락으로 가리키다.'라는 의미로 쓰였습니다.

6 가 는 까마귀를 부정적인, 백로를 긍정적인 존재로, 나 는 까마귀를 긍정적인, 백로를 부정적인 존재로 대조적인 관점에서 나타내고 있습니다.

WEEK 

작품 속 인물을 자신과 관련지어 이해해요

130~133쪽

1 DAY 삼촌의 직업 / 배추의 마음

1 ② 2 ⑤
3 ④ 4 ③
5 ⑤ 6 매미, 배추, 생명

독해력을 기르는 어휘

❶ 예 사람들은 백수라고 하면 일단 부정적으로 생각한다.
❷ 예 농부들이 구슬땀을 흘리며 열심히 일하고 있다.
❸ 예 요즘 사람들은 농약을 사용하지 않고 재배한 채소와 과일을 더 좋아한다.
❹ 예 그는 끈으로 다친 다리를 단단히 동여맸다.
❺ 주례사 ❻ 밭둑 ❼ 순결 ❽ 풀물

글의 내용과 짜임 다시보기

● **글의 내용**

가 〈삼촌의 직업〉은 일정한 직업이 없는 삼촌의 모습을 어린아이의 새로운 시각에서 바라보고 있는 시입니다.
가 〈배추의 마음〉은 사랑과 배려로 정성스럽게 배추를 키우는 '나'의 마음을 노래한 시입니다.

● **글의 짜임**

가 **〈삼촌의 직업〉**

사람들은 삼촌을 백수라고 부름.	삼촌의 처지
삼촌은 여름내 매미들과 교감하느라 구슬땀을 흘림.	'나'가 바라본 삼촌의 모습
삼촌을 백수라고 부르지 않기를 바람.	'나'의 바람

나 **〈배추의 마음〉**

'나'는 농약을 뿌리지 않고 여름내 배추와 대화하며 배추를 사랑으로 키움.	1연
'나'는 혹시나 배춧속 배추벌레가 못 나올까 봐 늦가을에 조심스럽게 배추 포기를 묶음.	2연

1 사람들은 삼촌을 '백수'라고 부르는데, 이는 삼촌이 뚜렷한 직업이 없는 사람임을 드러내는 것입니다. '나'의 입장에서는 삼촌이 매미와 열심히 교감하는 것처럼 보이지만, 일반적인 입장에서는 딱히 할 일이 없어 매미를 바라보고 있는 것입니다.

2 가에서 화자는 자신의 삼촌을 '백수'라고 부르지 말았으면 좋겠다고 하면서 삼촌 역시 '매미와 교감하는 중요한 일'을 하는 사람이므로, 직업의 자유를 인정해 달라고 말하고 있습니다. 이는 화자가 아무리 사소한 일이라 하더라도 각자의 처지와 상황에서 의미 있다고 생각하는 삶을 사는 것을 긍정적으로 여기고 있음을 보여 줍니다.

오답 피하기 ③ 매미와 교감하는 일은 객관적인 기준에서는 누가 봐도 중요하다고 여길 수 있는 일은 아닙니다.
④ 화자는 삼촌이 매일매일 똑같은 일을 성실하게 해서 긍정적으로 보고 있는 것이 아니라, 삼촌이 하는 일도 의미가 있기 때문에 긍정적으로 생각하는 것입니다.

3 배추를 키우는 사람도 배추도 모두 생명을 가진 존재를 소중히 여기며 상대방을 배려하고 있습니다.

4 화자는 농약 없이 키웠더니 배추가 잘 자라지 않아서 여름내 배추에게 말을 건네며 정성스럽게 키웁니다. 그랬더니 늦가을에 본 배추는 튼실하게 자라 속이 꽤 찼다고 말합니다.

5 가에서 삼촌은 일반적인 시각에서 보았을 때 매일 규칙적으로 생활하는 사람이라기보다는 여름내 나무 아래에서 그저 시간을 보냈을 뿐입니다. 그 모습을 본 화자가 삼촌이 하는 일을 새로운 시각에서 해석한 것이고, 이 시는 이러한 화자의 시각에 초점을 맞추어 감상하는 것이 중요합니다. 따라서 ⑤와 같이 감상한 것은 적절하다고 볼 수 없습니다.

6 가는 화자가 백수인 삼촌이 여름내 매미를 관찰하는 모습을 새롭게 해석하여 의미 있는 삶에 대해 다시 생각해 보게 하고 있으며, 나는 배추를 키우는 과정을 통해 생명의 소중함을 말하고 있습니다.

134~137쪽

2 DAY 집을 수리한 이야기

1 ⑤
2 ⓐ 사람 ⓑ 정치
3 ❶ 수리 ❷ 잘못 ❸ 나라
4 ③
5 ⑤
6 잘못, 방치, 대가

독해력을 기르는 어휘

❶ 재목 ❷ 방치 ❸ 사태 ❹ 행랑채
❺ 기와 ❻ 들보 ❼ 무리

글의 내용과 짜임 다시보기

● 글의 내용

행랑채를 수리한 글쓴이의 경험과 그것을 통해 얻은 깨달음을 자유로운 형식으로 전달하고 있는 수필입니다.

● 글의 짜임

글쓴이의 경험	행랑채 세 칸을 수리하려고 보니, 예전에 비가 샐 때 바로 수리하지 않았던 두 칸은 재목이 모두 썩었고, 바로 수리했던 한 칸의 재목은 다시 쓸 수 있었음.

↓

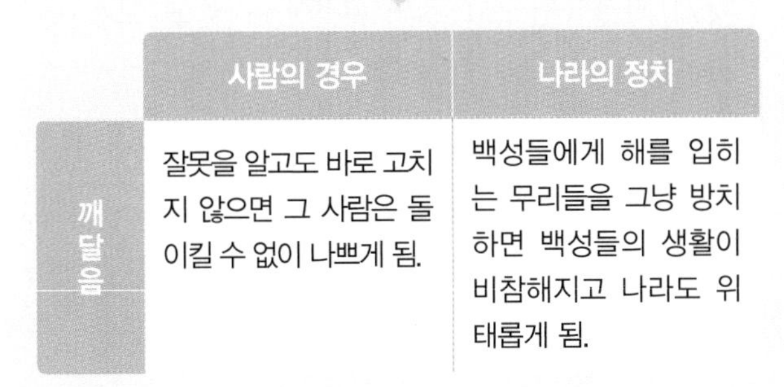

	사람의 경우	나라의 정치
깨달음	잘못을 알고도 바로 고치지 않으면 그 사람은 돌이킬 수 없이 나쁘게 됨.	백성들에게 해를 입히는 무리들을 그냥 방치하면 백성들의 생활이 비참해지고 나라도 위태롭게 됨.

↓

잘못을 알았을 때 바로 고쳐야 함.

1 비가 샜을 때 바로 기와를 갈았던 방 한 칸의 재목은 모두 다시 쓸 수 있었기 때문에 수리비가 별로 들지 않았다고 했습니다.

2 글쓴이는 행랑채를 수리하는 과정에서 얻게 된 깨달음을 사람의 경우와 나라의 정치에 적용해 생각하고 있습니다.

3 글쓴이는 행랑채를 수리하면서 비가 샜을 때 바로 고치지 않은 방 두 칸은 재목이 썩어서 아예 못 쓰게 되었지만, 바로 고쳤던 방 한 칸은 재목을 다시 쓸 수 있었다고 했습니다. 그리고 이것이 사람의 경우와 나라에서 하는 정치의 경우에도 똑같이 적용된다는 것을 깨닫고 있습니다.

4 ③에서는 자신의 잘못이 무엇인지 알고 그것이 나중에 어떤 상황을 가져올 것인지도 생각해서 그런 잘못된 행동을 바로 고치려 하고 있습니다. 이는 잘못된 것을 알았을 때 바로 고쳐야 한다는 글쓴이의 깨달음을 자신의 삶에 적용한 것입니다.

5 비를 맞은 지 오래된 재목은 못 쓰게 되어 더 많은 비용이 들었다고 했으므로, '커지기 전에 처리했으면 쉽게 해결되었을 일을 방치해 두었다가 나중에 큰 힘을 들이게 된 경우'를 뜻하는 ⑤가 [A]의 상황을 드러내기에 가장 알맞습니다.

오답 피하기 ① 다 이루어져 가던 일을 갑자기 망쳐 실패로 돌아갔을 때 쓰는 말입니다.
② 애써 하던 일이 실패로 돌아가거나 남보다 뒤떨어져 어찌할 도리가 없이 됨을 비유적으로 이르는 말입니다.
③ 얕은수로 남을 속이려 한다는 말입니다.
④ 손해를 크게 볼 것을 생각하지 않고 자기에게 마땅치 아니한 것을 없애려고 그저 덤비기만 하는 경우를 비유적으로 이르는 말입니다.

6 글쓴이는 잘못을 알고도 그대로 방치하면 나중에는 더 크게 나빠지거나 바로잡기 위해 큰 대가를 치러야 한다고 말하고 있습니다.

138~141쪽

3 DAY 누에와 천재

1 ⑤
2 ①
3 ⓐ 교만 ⓑ 노력
4 ②
5 누에, 재주, 노력

독해력을 기르는 어휘

❶ ㉣ ❷ ㉠ ❸ ㉢ ❹ ㉡
❺ 얼떨결 ❻ 잠박 ❼ 회상 ❽ 밑천
❾ 친밀

글의 내용과 짜임 다시보기

● **글의 내용**

글쓴이가 어린 시절에 누에를 먹으면 비상한 재주를 얻는다는 외숙모의 말에 살아 있는 누에 다섯 마리를 먹었던 경험을 이야기하고, 그에 대한 자신의 생각을 밝히고 있는 수필입니다.

● **글의 짜임**

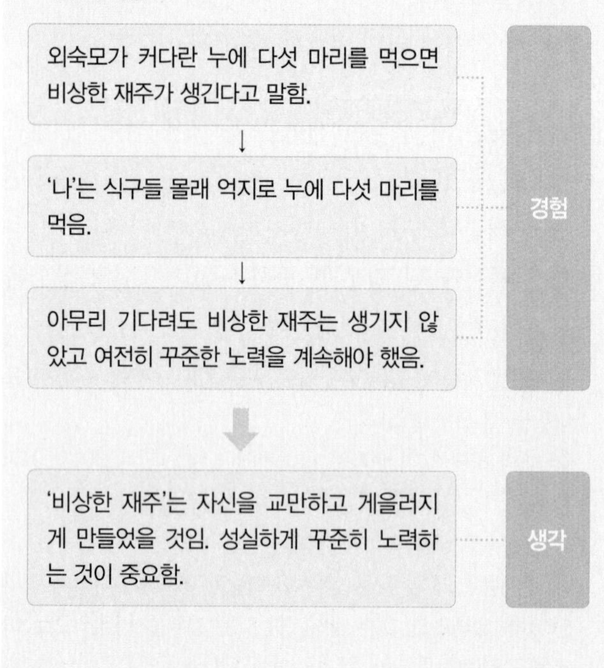

1 글쓴이는 누에를 먹고도 꾸준한 노력을 전과 똑같이 계속해야 했다고 말하고 있습니다.

2 글쓴이는 어린 시절에 원했던 '비상한 재주'(㉠)가 결국 사람을 교만하고 게을러지게 만든다고 말하고 있습니다. 반면 나이가 들어갈수록 존경심이 생기는 '둔해 보이고 어리석어 보이는 사람들'(㉡)은 힘든 일을 견디며 성실하게 꾸준히 노력하는 사람들을 의미합니다. 이렇게 볼 때, ㉡에게는 ㉠이 필요하지 않습니다.

3 글쓴이는 노력하지 않고도 쉽게 좋은 결과를 얻는 '비상한 재주'는 사람을 교만하고 게을러지게 만든다고 말합니다. 결국 글쓴이가 추구하는 가치는 꾸준하고 성실하게 노력하는 태도입니다.

4 철없던 시절의 '나'는 공부를 하지 않고도 공부를 잘하기를 바랐습니다. 이와 비슷한 생각을 가진 사람은 철호로, 영어 단어를 한 번만 슥 봐도 시험칠 때 뜻이 다 생각나기를 원하고 있습니다.

5 '나'가 만약 어린 시절에 누에를 먹고 비상한 재주를 갖게 되었다면 스스로의 부족함을 알고 모든 일에 노력해 보려는 마음을 잃게 되었을 것입니다.

142~145쪽

4 DAY 수일이와 수일이

1 ⑤ 2 ①

3 ㉮ 축구 ㉯ 공부 ㉰ 사이좋게

4 ❶ ㉢ ❷ ㉠ ❸ ㉣ ❹ ㉡

5 학원, 공부, 야단

독해력을 기르는 어휘

❶ ㉣ ❷ ㉠ ❸ ㉡ ❹ ㉢

❺ 퇴장 ❻ 철 ❼ 허구한 ❽ 혈압

글의 내용과 짜임 다시보기

● 글의 내용

공부하기 싫어하는 수일이와 무조건 공부만을 강요하는 수일이 엄마 사이의 갈등을 다루고 있는 희곡입니다.

● 글의 짜임

수일이는 학원에 안 가고 쉬고 싶어 하지만 엄마는 수일이를 야단치며 학원으로 보냄.	발단
엄마는 옆집에 사는 수일이 친구 정우가 수학을 백점 맞았다는 소식을 듣고 수일이를 걱정함.	전개
수일이는 자신이 공부보다 축구를 잘할 수 있다고 말하지만, 엄마는 옆집 정우와 수일이를 비교하며 공부하라고 잔소리를 하고 결국 수일이는 크게 화를 내며 방으로 들어가 버림.	위기

1 수일이의 아빠는 수일이와 아내가 싸우는 것을 말리지만, 둘 다 자신의 말을 듣지 않자 그냥 조용히 방으로 들어갑니다.

2 희곡은 연극을 하기 위한 대본입니다. 이러한 종류의 글은 인물의 대사와 행동만으로 사건이 전개되기 때문에 인물의 심리를 파악하려면 인물의 대사나 행동을 통해 간접적으로 추측해야 합니다.

오답 피하기 ② 이 글에서는 각자의 생각만이 드러날 뿐 상대방의 속마음을 파악하여 말하고 있지 않습니다.
③ 해설자는 상황을 설명해 줄 뿐 인물의 심리를 설명해 주지는 않습니다.
④ 이 글에서는 인물을 바라보는 다른 관찰자가 없습니다.
⑤ 인물과 인물 사이의 관계를 정리한다고 하더라도 그것은 인물이 처한 상황을 파악할 수 있을 뿐입니다. 인물의 심리 자체는 인물의 대사나 행동을 통해 추측할 수 있습니다.

3 수일이는 공부보다 축구를 좋아하므로 자신이 하고 싶은 일을 하면서 살면 된다고 생각합니다. 반면 엄마는 공부를 잘하는 것이 가장 중요하다고 생각합니다. 아빠는 이에 대해 자신의 생각을 내세우기보다는 두 사람이 싸우지 않고 사이좋게 지내기를 바라고 있습니다.

4 수일이는 공부가 아니더라도 자신이 좋아하는 것을 하면 된다고 생각하고, 엄마는 공부를 잘해야 한다고 생각해서 서로 다투고 있습니다. 이런 가운데 아빠는 서로 화내지 않고 잘 지내는 것이 좋다고 생각하고, 수진이는 자신이 할 일은 자신이 알아서 그때그때 해 놓는 것이 좋다고 생각합니다.

5 이 글에서 수일이는 학원에 가기 싫어하고, 공부만 강요하는 엄마에게 화를 냅니다. 반면 엄마는 수진이나 옆집 아이와 달리 공부를 싫어하고 철없이 놀려고만 하는 수일이가 답답해서 계속 야단을 칩니다.

146~149쪽

5 DAY 이달의 인문학 인물 – 이육사

1 ⑤
2 ③
3 ㉮ 독립 ㉯ 저항 정신 ㉰ 용기
4 ③
5 옥살이, 청포도, 극복, 소망

독해력을 기르는 어휘

❶ 비운 ❷ 자조 ❸ 향수 ❹ 연루
❺ 문인 ❻ 어조 ❼ 서정 ❽ 역경

글의 내용과 짜임 다시보기

● 글의 내용

이달의 인문학 인물로 '이육사'를 선정하여 그의 삶과 작품을 소개하는 글입니다.

● 글의 짜임

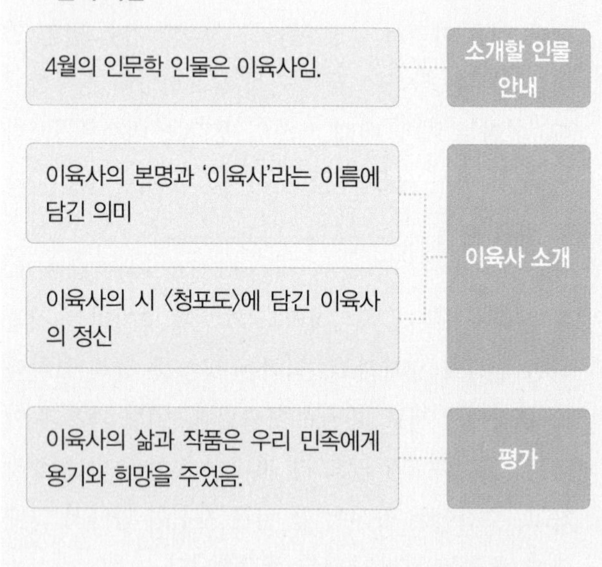

1 이 글은 '이육사'라는 인물을 소개하고 있는데, 이육사와 관련된 역사적 사실을 정리하고 그에 대한 글쓴이의 평가를 함께 드러내고 있습니다.

오답 피하기 ① 상상하여 지어낸 글이 아니라 있었던 사실을 바탕으로 한 글입니다.
② 정확한 사실만을 객관적으로 나열하기보다는 중간중간 글쓴이의 주관적인 생각도 드러나고 있습니다.
④ 글쓴이의 생각을 주장하는 것이 목적이 아니라 인물과 관련된 사실을 알리는 것이 목적인 글입니다.

2 남성적이고 의지적인 어조를 주로 사용하는 이육사의 다른 작품과 달리 '청포도'는 낭만적이고 서정적인 분위기의 시라고 설명하고 있습니다.

3 글쓴이는 이육사가 평생 나라의 '독립'을 소망했으며, 시와 글을 통해 일제에 대한 '저항 정신'을 표현했다고 평가하고 있습니다. 그리고 그의 삶은 당시 사람들에게도, 오늘날의 우리에게도 한없는 '용기'와 희망을 주고 있다고 말하고 있습니다.

4 영희는 이육사에게서 본받을 점을 자신의 상황에 적용해서 다짐을 하고 있습니다.

오답 피하기 ① 당시의 상황에 적용해 감상하고 있습니다.
② 이육사의 시와 삶에 집중해 감상하고 있습니다.
④ 이육사의 시에 초점을 두고 감상하고 있습니다.
⑤ 이육사라는 인물에 집중해 감상하고 있습니다.

5 이육사는 여러 차례 옥살이를 하면서도 나라의 독립을 위해 싸웠으며, '청포도'라는 시에는 민족의 암울한 현실을 극복하고자 하는 간절한 소망을 담았습니다.

WEEK 7

내용과 표현의 적절성을 판단해요

154~157쪽

1 DAY 반려동물 인수제

1 ②　　2 ④
3 ⑤　　4 ②
5 ㉮, ㉱　　6 인수, 유기, 개선

독해력을 기르는 어휘

❶ 반려　❷ 도입　❸ 위탁　❹ 유기
❺ 사유　❻ 절감　❼ 개선

글의 내용과 짜임 다시보기

- **글의 내용**

불법으로 유기되는 반려동물을 보호하기 위한 제도인 반려동물 인수제를 소개하며 제도 도입을 둘러싼 찬반 의견을 보도하는 글입니다.

- **글의 짜임**

반려동물의 불법 유기가 증가하여 이를 해결하기 위해 반려동물 인수제에 대한 논의가 시작됨.	도입
반려동물 인수제에 대해 찬성과 반대의 의견이 있음.	보도
다양한 의견 수렴을 통해 제도 마련과 함께 반려동물에 대한 사람들의 인식 개선이 필요함.	마무리

1 도입 부분에서 반려동물을 키우는 사람의 수가 증가한 만큼 불법으로 버려지는 동물의 수 또한 늘어나 사회적 문제가 되고 있다고 말하고 있습니다.

2 이 보도에는 반려동물 양육을 포기하는 사유가 나와 있지 않습니다.

3 기자는 보도의 마무리 부분에서 제도 마련과 함께 반려동물에 대한 사람들의 인식을 바꿀 수 있는 노력을 지속적으로 하는 것이 중요하다고 말하고 있습니다.

4 동물 보호 단체 김○○ 대표의 인터뷰를 보면, 반려동물 인수제가 동물의 입양을 어느 정도 활성화할 수 있을 것으로 예상된다고 말하고 있습니다. 이는 반려동물 인수제를 찬성하는 사람들이 주장하는 의견과 공통된다고 볼 수 있습니다.

5 뉴스의 신뢰도를 높이려면 보도에 사용된 자료가 믿을 만한 것이어야 하므로, 출처가 분명한 자료나 전문가의 의견을 제시해야 합니다. 기자는 첫 번째 발언에서 '농림 축산 식품부'라고 자료의 출처를 밝히고 있고, 동물 보호 단체 대표와의 인터뷰를 통해 내용의 신뢰도를 높이고 있습니다.

오답 피하기 ㉯ 간결한 문장으로 전달하는 것은 뉴스 보도에서 필요한 부분이기는 하지만, 이는 내용의 전달력을 위한 것이지 신뢰도를 높이기 위한 방법은 아닙니다.

6 반려동물 인수제는 불법으로 유기되는 반려동물을 보호하기 위한 제도이며, 제도의 도입과 함께 반려동물에 대한 사람들의 인식의 개선도 필요하다는 내용을 보도하는 글입니다.

158~161쪽

2 DAY 사이버불링

1 ⑤ 2 ④
3 ㉮, ㉰ 4 ⓑ
5 ④ 6 폭력, 처벌, 신중

독해력을 기르는 어휘

❶ ㄷ ❷ ㄴ ❸ ㄱ ❹ ㄹ
❺ 가담 ❻ 유대감 ❼ 신중 ❽ 인지

글의 내용과 짜임 다시보기

● **글의 내용**

사이버불링의 심각성을 제시하고, 사이버불링의 특징과 예방 방법에 대해 보도하는 글입니다.

● **글의 짜임**

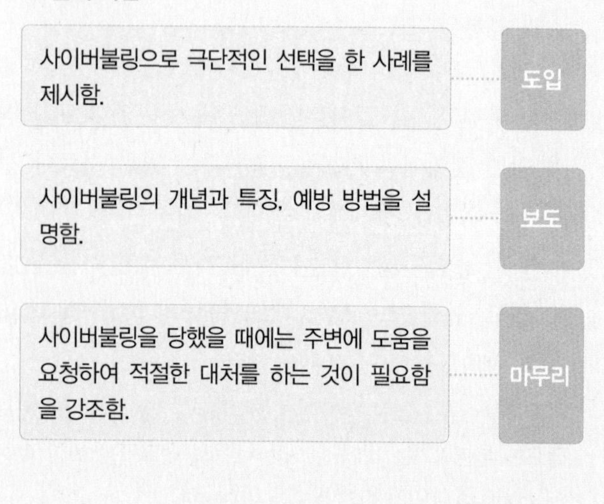

1 기자가 사이버불링의 개념을 설명하는 부분을 보면, 사이버상에서 특정 대상에게 반복적이고 지속적으로 심리적 공격을 가하거나, 특정 대상과 관련한 정보나 허위 사실을 유포해 상대방이 고통을 느끼도록 하는 모든 행위를 사이버불링으로 규정한다고 설명하고 있습니다.

오답 피하기 ①, ③ 사이버불링은 오프라인에 비해 전파 속도가 빠르며, 상대와 대면하지 않고 벌어지는 행위입니다.

2 교실에서 학생 여러 명이 모여 친구 한 명을 괴롭히는 장면은 사이버상의 상황이 아닌 오프라인에서의 학교 폭력이므로 뉴스의 관점에서 벗어나는 자료입니다.

3 진행자는 시작 부분에서 사이버불링으로 극단적인 선택을 한 중학생의 사례를 들며 사람들의 관심을 끌고 있습니다. 그리고 기자는 진행자가 제시한 온라인 공간에서의 학교 폭력과 관련한 사이버불링에 대해 자세하게 보도하고 있습니다.

오답 피하기 ㉯ 진행자는 보도의 시작을 여는 역할을 하고 있지만, 기자의 보도 내용을 정리하고 있지는 않습니다.
㉱ 기자가 전문가의 인터뷰 내용을 제시하고 있지만, 그 내용을 요약하여 강조하고 있지는 않습니다.

4 사이버상의 괴롭힘에 대해 뉴스로 다룰 만한 가치가 있는지를 중심으로 타당성을 판단한 것은 ⓑ입니다.

5 글을 쓰는 공간이 오프라인에서인지 사이버상에서인지 명확하지 않으므로, 맨 앞에 '사이버상에서'를 추가하여 의미를 명확하게 하는 것이 필요합니다.

6 이 뉴스에서는 사이버불링의 심각성을 제시하고, 사이버불링도 폭력 행위에 해당하므로 사이버상에서 활동을 할 때에는 더욱 신중해야 함을 알리고 있습니다.

162~165쪽

3 DAY 황룡사 9층 목탑

1 ①　　2 ④
3 ②　　4 ④
5 궁궐　　6 신라, 연구, 복원

독해력을 기르는 어휘

❶ 보존　❷ 전소　❸ 토대　❹ 논란
❺ 복원　❻ 규모　❼ 발굴　❽ 재건

글의 내용과 짜임 다시보기

● **글의 내용**

황룡사 9층 목탑이 세워진 배경과 그 의의를 소개하고, 복원에 대한 신중한 자세가 필요함을 보도하는 글입니다.

● **글의 짜임**

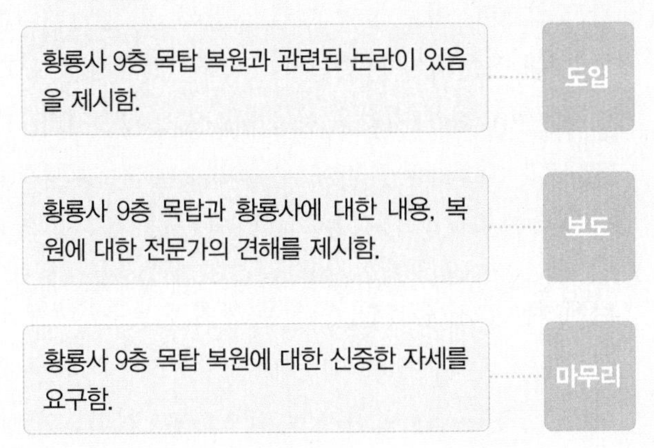

1 보완한다는 것은 글에서 언급하지 않은 내용을 보충한다는 의미입니다. 그런데 ①은 기자의 두 번째 말에서 불국사와 비교하여 이미 언급한 내용이므로, 내용 보완 계획으로는 알맞지 않습니다.

2 기자의 두 번째 말을 통해 황룡사 9층 목탑은 신라가 아닌 고려 때 몽골의 침입에 의해 불타 버렸다는 것을 알 수 있습니다.

3 기자의 마지막 말을 보면, 빨리 복원하는 것보다는 제대로 복원하려는 노력이 필요하다고 언급하고 있으며, 황룡사 9층 목탑을 신라 문화의 정신적 유산이라고 보고 있으므로, 이 두 가지 내용을 모두 포함한 제목인 ②가 가장 알맞습니다.

오답 피하기 ①, ③, ④ 학생 1의 말이 반영되지 않았습니다.
⑤ 뉴스의 관점에서 벗어나는 내용입니다.

4 **보기** 의 기준에 따르면, 뉴스에서 활용한 시민과 전문가와의 인터뷰 자료가 황룡사 9층 목탑 복원에 대한 뉴스의 관점을 뒷받침하고 있는지를 기준으로 타당성을 판단하는 것이 알맞습니다.

오답 피하기 ①은 표현이 적절한지, ②는 자료의 출처가 명확한지, ③은 뉴스의 관점과 보도 내용이 서로 관련 있는지, ⑤는 가치 있는 뉴스인지를 기준으로 타당성을 판단하고 있습니다.

5 문화재 연구소 박사의 말에 따르면 황룡사는 원래 궁궐을 지으려던 자리였다는 것을 알 수 있습니다.

6 황룡사 9층 목탑은 신라 시대의 호국 정신을 반영한 정신적 유산이므로, 복원에 그만큼 신중한 자세가 필요함을 강조하고 있습니다.

166~169쪽

4 DAY 서스펜디드 커피

1 ④　　2 ①
3 ③　　4 ⑤
5 ㉮　　6 커피, 기부, 관심

독해력을 기르는 어휘

❶ 보류　❷ 지불　❸ 일종　❹ 결성
❺ 확산　❻ 불황　❼ 치열

글의 내용과 짜임 다시보기

● **글의 내용**

서스펜디드 커피의 의미와 등장 배경을 소개하고, 서스펜디드 커피의 착한 영향력과 그 의의에 대해 설명하는 글입니다.

● **글의 짜임**

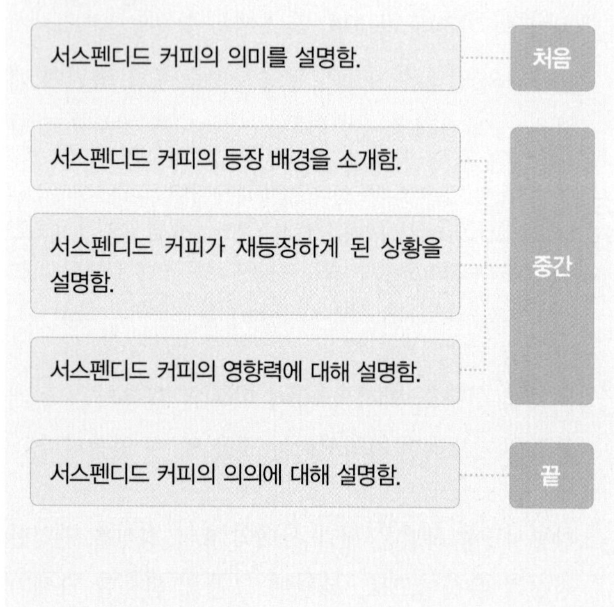

1 2문단에서 서스펜디드 커피는 제2차 세계 대전 직후 이탈리아 남부 지역인 나폴리에서 당시 전쟁의 고통과 공포에 빠진 사람들을 위로하기 위해 시작되었다고 설명하고 있습니다.

2 5문단에서 서스펜디드 커피는 풍족한 사람들이 베푸는 동정이 아니라 평범한 시민들의 관심으로부터 시작된 작은 선물이라는 점에서 더욱더 의미가 있다고 말하고 있습니다.

3 이 글에서는 서스펜디드 커피의 한계점에 대해 언급하고 있지 않습니다.

오답 피하기 ①은 1문단, ②는 4문단, ④는 2문단, ⑤는 3문단에서 설명하고 있습니다.

4 문장의 순서를 바꾸어 변화를 주는 방법을 도치법이라고 합니다. 예를 들어 '너를 좋아해.'를 '좋아해, 너를.'처럼 표현하는 방법입니다. 그런데 제시된 광고에서는 이러한 도치법을 사용하고 있지 않습니다.

오답 피하기 ①과 ③은 첫 번째 문장에서, ②는 두 번째 문장에서, ④는 세 번째 문장에서 확인할 수 있습니다.

5 나에게는 그저 음료일 수 있는 커피가 누군가에게는 큰 위로가 될 수 있기 때문에 그만큼 소중하다는 의미의 '생명수'라는 표현을 쓴 것이지만, 커피가 생명수만큼 생존을 좌우하는 것은 아니므로 의미가 과장되어 쓰인 표현이라 평가할 수 있습니다.

6 이 글에서 서스펜디드 커피는 '맡겨 둔 커피'라는 의미로, 작은 관심으로부터 시작된 나눔을 실천할 수 있는 착한 기부에 해당한다고 설명하고 있습니다.

170~173쪽

5 DAY 청소년의 화장품 사용

1 ④ 2 ⑤
3 ② 4 ①, ③
5 재희, 수아, 민호 6 광고, 피부, 노력

독해력을 기르는 어휘

❶ ㄷ ❷ ㄱ ❸ ㄴ ❹ ㄹ
❺ 특정 ❻ 현혹 ❼ 고려

글의 내용과 짜임 다시보기

● **글의 내용**

청소년이 화장품을 구입할 때 주의해야 할 사항들을 설명하고, 화장에 대한 올바른 가치관을 형성하는 것이 중요함을 드러내는 글입니다.

● **글의 짜임**

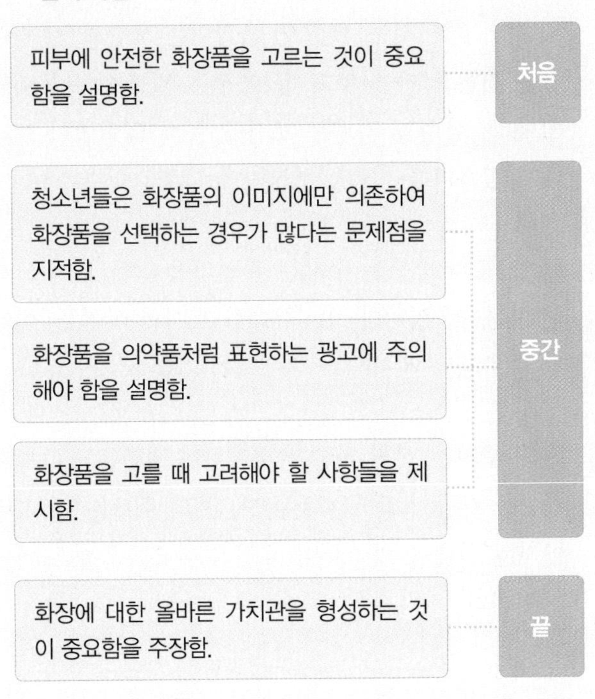

1 이 글에 청소년이 화장하는 것에 반대하는 글쓴이의 관점은 드러나 있지 않습니다. 그보다는 건강한 피부를 위해 화장품을 올바르게 선택해야 함을 강조하고 있습니다.

2 2문단에서 용기의 디자인만 보고 화장품을 선택하는 것은 위험할 수 있음을 제시하고 있습니다.

3 2문단에서 청소년은 자신이 좋아하는 연예인이 광고에 나오면 무턱대고 그 화장품을 구입하는 경우가 많다고 설명하고 있습니다.

오답 피하기 ①, ④, ⑤ 이 글에서 확인할 수 없는 내용입니다.
③ 화장품 겉면에 표기된 성분들을 확인해야 한다는 것은 나와 있지만, 표기된 성분들이 무엇인지 알기가 어렵다는 것은 언급하고 있지 않습니다.

4 '기적의 크림'은 여드름과 피부 톤 개선에 탁월한 효과가 입증되었으며, 모든 유해 성분을 제거한 착한 화장품이라고 광고하고 있습니다.

5 소비자 재구매율 1위라는 결과를 보여 주는 자료의 출처가 드러나 있지 않으므로 신뢰할 수 없는 내용이며, 화장품 하나만으로 건강한 피부가 될 수 있다는 것은 과장된 표현으로 볼 수 있습니다.

오답 피하기 정말 유해 성분을 완전히 제거했는지 확인이 필요한 내용이므로, 예은이의 판단은 올바르지 않습니다.

6 이 글에서는 화장을 할 때 건강한 피부를 유지할 수 있는 화장품을 고르는 것이 중요하므로, 광고의 이미지에 현혹되지 말고 꼼꼼히 정보를 확인해 자신의 피부에 맞는 화장품을 사용하는 것이 중요하다는 것을 주장하고 있습니다.

비유하는 표현을 이해해요

178~181쪽

1 DAY 돌담에 속삭이는 햇발 / 유성

1 ⑤ 2 ③
3 유성 4 ①
5 ② 6 봄, 하늘, 별, 유성

독해력을 기르는 어휘

❶ ⓑ ❷ ⓐ ❸ 고운 ❹ 벌였다
❺ 햇발 ❻ 실비단 ❼ 바자닌다 ❽ 아슴푸레

글의 내용과 짜임 다시보기

● 글의 내용

가는 따스한 봄 하늘을 바라보며 평화롭고 이상적인 삶의 모습을 꿈꾸는 시이고, 나는 밤하늘에서 떨어지는 별똥별을 바라보며 자연의 경이로움을 감상하는 시입니다.

● 가의 짜임

평화롭고 순수한 세계인 하늘을 돌담에 속삭이는 '햇발'과 풀 아래 웃음 짓는 '샘물'처럼 우러르고 싶음.	1연
평화롭고 순수한 세계인 하늘을 새악시 볼에 떠오는 '부끄럼'과 시의 가슴에 살포시 젖는 '물결'처럼 바라보고 싶음.	2연

● 나의 짜임

밤하늘의 아름다운 모습과 유성의 생동감을 '운동장'과 '운동장에서 뛰어노는 아이들'에 비유해 감각적으로 표현하고 있음.	1연

1 가는 봄이 오고 있는 하늘의 모습을, 나는 유성이 떨어지고 있는 하늘의 모습을 각각 다른 대상에 빗대어 표현하고 있습니다.

2 가의 시적 화자는 봄의 따뜻한 정취를 느끼고 있습니다. 따라서 '슬픈 생각'은 이 시의 분위기와는 어울리지 않습니다.

3 나에서는 '밤하늘'에서 벌어지는 '별들의 움직임'을 '운동장'에서 경기하는 '야구'에 비유하고 있습니다. 별이 떨어지는 모습을 '빗나간 야구공'이라고 이야기하고 있으므로, ㉠이 비유하는 대상은 '지구의 대기권 안으로 들어와 빛을 내며 떨어지는 작은 물체'를 가리키는 '유성'입니다.

4 가와 나에 공통으로 쓰인 비유법은 사람이 아닌 것을 마치 사람이 행동하는 것처럼 표현하는 의인법입니다. 가에서는 '햇발'이 속삭이는 모습과 '샘물'이 웃음 짓는 모습을 통해, 나에서는 '별들'이 운동회를 벌이고, 함성을 지르는 모습을 통해 의인법이 드러나고 있습니다.

5 가와 나의 공통된 주제는 자연의 풍경을 보며 느끼는 아름다움입니다. ② '화려한 도시의 야경'은 이와 같은 주제와 정서에는 어울리지 않는 풍경입니다.

6 가의 주제는 '봄의 하늘을 바라보며 평화롭고 따뜻한 마음을 갖길 소망하는 것'이고, 나의 주제는 '별이 떨어지는 하늘을 바라보며 유성의 아름다움을 느끼는 것'입니다.

182~185쪽

2 DAY 살아 있는 냉장고

1 ② 2 ⑤
3 ⑤ 4 ④
5 냉장고, 이웃, 음식

독해력을 기르는 어휘

① 고역 ② 자임 ③ 대소사 ④ 모가치
⑤ 함지 ⑥ 경조사 ⑦ 나이테

글의 내용과 짜임 다시보기

● 글의 내용

이사를 온 후, 이웃과 음식을 나누는 경험을 통해 깨달은 이웃 간의 정과 음식을 오랫동안 바람직하게 보관하는 방법은 냉장고가 아닌 마음으로 품는 것임을 이야기하는 글입니다.

● 글의 짜임

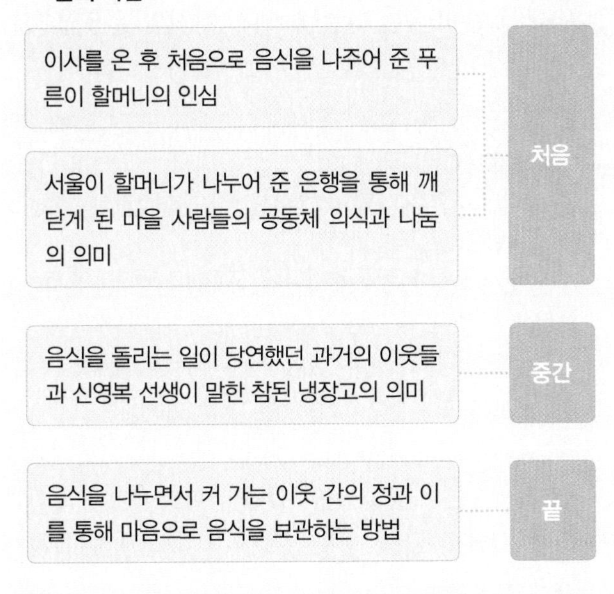

1 글쓴이는 맛있는 음식을 다른 사람에게 대접받은 사람들은 그 경험을 평생 기억한다고 했지만, 글쓴이가 직접 이웃에게 음식을 나눠 준 것은 아닙니다.

오답 피하기 ① 이 글에 나온 글쓴이의 경험을 통해 확인할 수 있습니다.
③ 푸른이 할머니와 서울이 할머니의 말에서 확인할 수 있습니다.
④, ⑤ 글쓴이의 말과 신영복 선생의 이야기에서 확인할 수 있습니다.

2 글쓴이는 음식을 이웃의 소식을 전달하는 연락꾼으로 표현하고 있습니다. 이는 우리 민족이 전통적으로 집안의 크고 작은 일이나 경사스러운 일과 불행한 일이 있을 때마다 이웃끼리 음식을 나눔으로써 그러한 상황을 공유했기 때문입니다.

3 ㉠에는 '무엇은 무엇이다'의 형식으로 빗대어 표현한 은유법이 쓰였습니다. '음식은 ~ 연락꾼이었다.'와 같은 은유법이 쓰인 문장은 ⑤의 '이웃 사람들의 배가 냉장고였거든요.'입니다.

4 ⓐ는 내가 누군가에게 무언가를 베풀었을 때, 그것을 받은 사람도 그에 맞는 무언가를 나에게 주는 상황입니다. 이러한 상황에 가장 어울리는 속담은 '가는 말이 고와야 오는 말이 곱다'입니다.

오답 피하기 ① 한 가지 일을 하여 두 가지 이상의 이익을 보게 됨을 비유적으로 이르는 말입니다.
② 조금 주고 그 대가로 몇 곱절이나 많이 받는 경우를 비유적으로 이르는 말입니다.
③ 말만 잘하면 어려운 일이나 불가능해 보이는 일도 해결할 수 있다는 말입니다.
⑤ 아무리 비밀로 한 말이라도 반드시 남의 귀에 들어가게 된다는 말입니다.

5 글쓴이는 이웃과 함께 음식을 나누어 먹는 일이야말로 음식을 오랫동안 잘 보관할 수 있는 살아 있는 냉장고라고 생각하고 있습니다.

186~189쪽

3 DAY 헌혈은 뫼비우스의 띠

1 ①	2 생명
3 ③, ⑤	4 ㄴ, ㄹ, ㅁ
5 ②	6 헌혈, 사랑, 뫼비우스

독해력을 기르는 어휘

❶ 동참 ❷ 저해 ❸ 무균 ❹ 대가
❺ 기증 ❻ 불안감 ❼ 가능성

글의 내용과 짜임 다시보기

● **글의 내용**

수혈이 시급한 환자의 생명을 구할 수 있는 방법인 헌혈은 결국 뫼비우스의 띠와 같이 나에게도 그 혜택이 돌아올 수 있음을 알리는 글입니다.

● **글의 짜임**

문단	내용	구성
가	헌혈은 혈액의 성분 중 하나가 부족해 건강과 생명을 위협받는 다른 사람을 위해, 아무 대가 없이 자신의 혈액을 기증하는 것임.	처음
나	헌혈은 다른 사람의 생명을 살리기도 하지만 나의 생명도 살릴 수 있음.	중간
다	청소년들이 헌혈을 주저하는 이유는 건강에 대한 위험성과 전염병에 걸릴 가능성 때문임.	중간
라	대한 적십자사 헌혈 관리 본부에 따르면, 헌혈 후 충분한 휴식을 취하면 건강에 아무런 지장이 없고, 헌혈 과정에 사용되는 모든 기구는 무균 처리되며 사용 후 모두 폐기 처분하므로 전염병에 걸릴 위험도 없음.	중간
마	헌혈은 '나'와 '너' 모두에게 도움이 될 수 있는 뫼비우스의 띠와도 같음.	끝

1 가에서 혈액은 사람의 힘으로 만들 수 있거나, 대체할 물질이 존재하지 않기 때문에 헌혈이 필요하다고 말하고 있습니다.

오답 피하기 ②와 ④는 나에서, ③은 가에서, ⑤는 라에서 확인할 수 있습니다.

2 나의 첫 번째 문장에서 이 글의 중심 내용을 요약하고 있습니다.

3 다의 헌혈이 건강을 해칠 수 있다는 '잘못된 인식'에 대한 반박의 근거로는 ⑤가, 헌혈 과정에서 전염병에 감염될 수도 있다는 '불안감'에 대한 반박의 근거로는 ③이 알맞습니다.

4 ㄴ은 정의의 설명 방법으로 가에서, ㄹ은 비유법으로 마에서, ㅁ은 인과의 설명 방법으로 다에서 확인할 수 있습니다.

5 ⓐ에 쓰인 비유는 'A는 B이다.' 형식의 은유법으로, ②의 '내 마음은 호수요.'가 이에 해당합니다.

오답 피하기 ① 원관념을 드러내지 않고 보조 관념으로 뜻을 암시하는 풍유법입니다.
③ 사람이 아닌 동식물이나 무생물, 개념을 사람처럼 표현하는 의인법입니다.
④ 생명이 없는 것을 생명이 있는 것처럼 표현하는 활유법입니다.
⑤ 원관념과 보조 관념을 직접적으로 연결하여 '마치', '~같이', '~듯' 등의 연결어를 사용하는 직유법입니다.

6 헌혈은 다른 사람을 위한 사랑의 실천이면서 자신과 다른 사람이 서로 생명을 나누는 뫼비우스의 띠와 같다고 말하고 있습니다.

190~193쪽

4 DAY 거품 현상

1 ② 2 ①
3 ③ 4 ④
5 ⑤ 6 거품, 가치, 사회

독해력을 기르는 어휘

❶ 일시 ❷ 지속 ❸ 실체 ❹ 대량
❺ 폭락 ❻ 손실 ❼ 붕괴 ❽ 악영향

글의 내용과 짜임 다시보기

- **글의 내용**

뚜렷한 이유 없이 어떤 것의 가치가 일시적으로 높아졌다가 급격히 원래의 상태로 돌아가는 거품 현상에 대해 설명하는 글입니다.

- **글의 짜임**

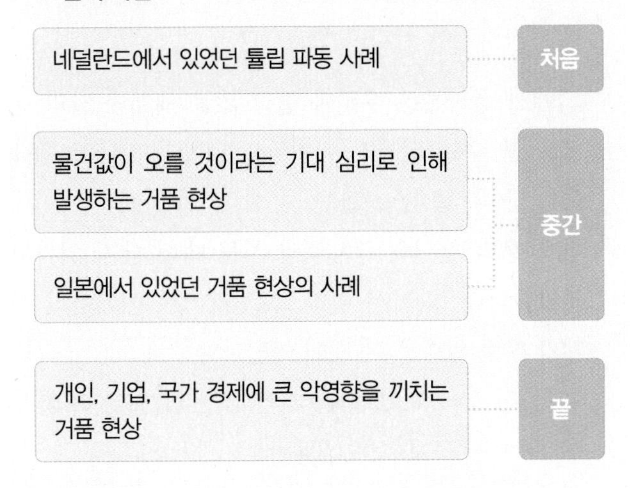

1 1문단에서는 네덜란드의 사례를, 3문단에서는 일본의 사례를 들어 내용을 전개하고 있습니다.

2 빈부 격차에 의해 거품 현상이 일어난다는 내용은 이 글에서 확인할 수 없습니다.

오답 피하기 ⑤ '거품 현상'은 실체가 없으면서도 겉으로 크게 부풀어 오르는 거품의 성격을 경제 상황에 비유한 표현이라는 내용을 2문단에서 확인할 수 있습니다.

3 땅을 사 두면 돈을 많이 벌 수 있다는 소문 때문에 땅값이 치솟았고, 얼마 후 땅값이 급격히 떨어졌다는 것은 거품 현상의 사례에 해당합니다.

오답 피하기 ⑤ 배추 가격이 급격히 올랐다가 떨어졌다는 것은 공급 부족으로 인한 가격 상승의 사례로 알맞습니다.

4 ㉡의 '오르다'는 '값이나 수치, 온도, 성적 따위가 이전보다 많아지거나 높아지다.'라는 의미로 쓰였습니다. 이와 같은 의미로 쓰인 것은 ④입니다.

5 4문단에서 소비가 줄어들면 나라의 경제가 휘청이는 결과를 가져오게 된다고 언급하고 있습니다. 따라서 거품 현상이 소비를 활성화한다는 ⑤의 내용은 알맞지 않습니다.

6 거품 현상은 어떤 것의 가치가 일시적으로 높아졌다가 급격히 원래의 상태로 돌아가는 현상으로, 사회에 막대한 손실을 끼칩니다.

194~197쪽

5 DAY 이데아의 세계

1 ②　　2 ③
3 ⓐ 감각적, ⓑ 이성　　4 ①
5 ③　　6 동굴, 이성, 진리

독해력을 기르는 어휘

❶ ㄷ　❷ ㄱ　❸ ㄹ　❹ ㄴ
❺ 유일　❻ 파악　❼ 판단

글의 내용과 짜임 다시보기

● 글의 내용

플라톤은 우리가 현실에서 감각적으로 파악하는 세계의 원형인 이데아의 세계가 있다고 했습니다. 이 글은 플라톤이 동굴 안에 묶여 지내는 죄수들의 비유를 통해 이데아의 세계를 설명하는 글입니다.

● 글의 짜임

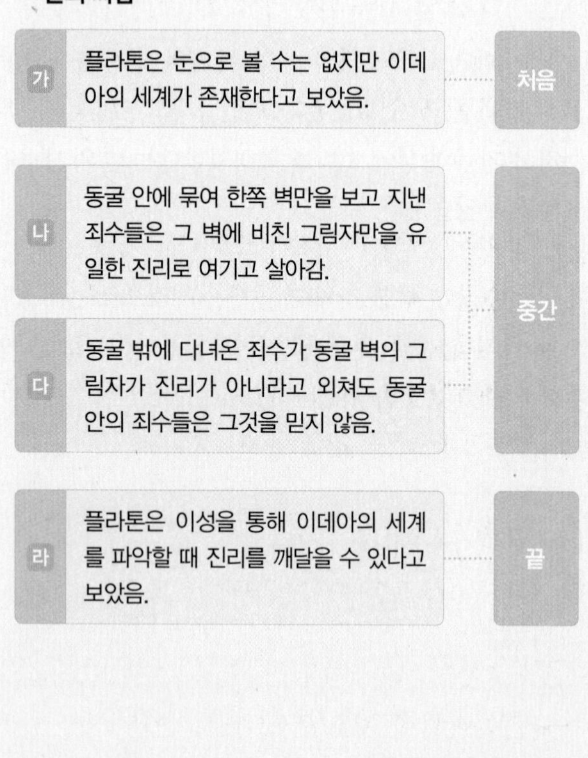

1 이 글은 감각적인 세계에 갇혀 이데아의 세계를 알지 못하는 사람들을 동굴 안에 갇혀 동굴 밖의 진리를 알지 못하는 죄수들에 비유해 설명하고 있습니다.

오답 피하기 ①, ④ 동굴 안의 죄수들은 현실을 비유하기 위해 가정한 상황일 뿐입니다. 또한 어떤 견해를 반박하기 위한 것이 아니라 설명하고자 하는 내용을 쉽게 이해시키고자 끌고 들어온 것입니다.

2 라에서 이데아는 동굴 밖의 진짜 현실과 같다고 했습니다. 동굴 안에 있는 조각상은 동굴 밖 세계를 본뜬 것으로 이를 이데아로 보는 것은 알맞지 않습니다.

오답 피하기 ①, ⑤ 동굴 안에 묶여 있는 죄수들의 감각으로는 동굴 밖 세계를 파악할 수 없습니다. 오히려 라에서 말한 대로 동굴 밖 세계는 이데아의 세계를 빗댄 것이므로 이성을 통해서 깨달을 수 있습니다.

3 라에서 플라톤은 감각적인 방법으로는 동굴 밖의 진짜 현실과 같은 이데아의 세계를 알 수 없다고 했습니다. 그렇기 때문에 이성의 눈을 갖추고 진리의 세계를 파악해야 한다고 했습니다.

4 가에서 플라톤은 우리가 살고 있는 세계와 달리 눈으로 볼 수는 없지만 이데아의 세계가 있다고 했습니다. 이와 달리 보기 에서 아리스토텔레스는 이데아가 우리 현실의 구체적인 사물 속에 담겨 있다고 보았습니다. 따라서 아리스토텔레스는 이데아의 세계가 따로 있다고 본 것이 아닙니다.

오답 피하기 ② 아리스토텔레스가 감각적인 방법으로 이데아를 파악할 수 있다고 한 것은 아닙니다.
③ 구체적인 사물들의 원래 형태는 이데아로, 플라톤과 아리스토텔레스 모두 이데아가 있다고 보았습니다.
④ 이데아가 구체적인 사물에 담겨 있다고 본 사람은 아리스토텔레스입니다.
⑤ 진리의 세계인 이데아의 세계가 따로 존재한다고 본 사람은 플라톤입니다.

5 ㉡의 '보다'는 '생각하거나 평가하다.'라는 의미로 쓰였습니다. 이와 같은 의미로 쓰인 것은 ③입니다.

6 이성을 통해 이데아의 세계를 파악할 때 진리를 깨달을 수 있다는 플라톤의 견해를 동굴 안에 묶여 지내는 죄수들에 빗대어 설명한 글입니다.

최상위를 위한

심화 학습 서비스 제공!

문제풀이 동영상 + 상위권 학습 자료

(QR 코드 스캔 혹은 디딤돌 홈페이지 참고)

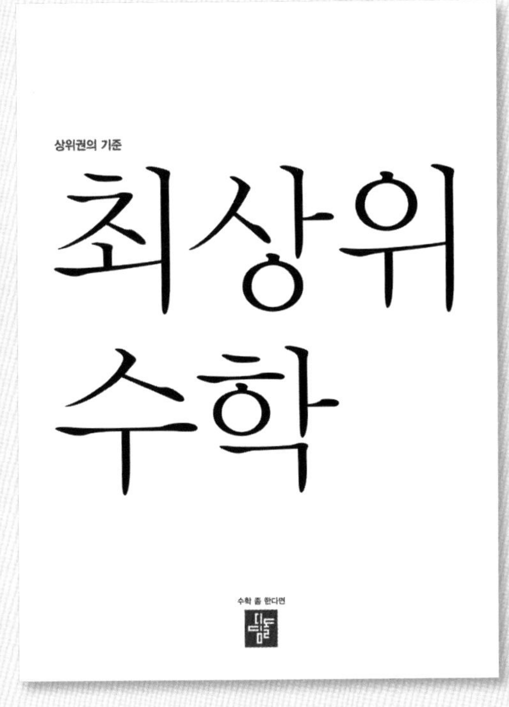

상위권의 기준

최상위

수학

S

수학 좀 한다면

디딤돌

심화 완성 최상위 수학S, 최상위 수학

개념부터 심화까지

수학 좀 한다면 

상위권의 힘, 사고력 강화

최상위 사고력

최상위
사고력

정가 11,000원

ISBN 978-89-261-5859-3

⚠ 주 의

- 책의 날카로운 부분에 다치지 않도록 주의하세요.
- 화기나 습기가 있는 곳에 가까이 두지 마세요.

(주)디딤돌 교육은 '어린이제품안전특별법'을 준수하여 어린이가 안전한 환경에서 학습할 수 있도록 노력하고 있습니다.
KC마크는 이 제품이 공통안전기준에 적합하였음을 의미합니다.

수능까지 연결되는

초등

디딤돌 독해력

이 책을 쓰신 분들

강상우 지우 국어논술학원
김가람 채재준 국어전문학원
김보미 고척고등학교
김슬기 지우 국어논술학원
김연주 라온 국어논술학원
김희정 라온 국어논술학원
박성희 국사봉중학교
박종희 라온 국어논술학원
박창규 지우 국어논술학원
박형주 채재준 국어전문학원
복현자 국어 전문 저자
신지원 라온 국어논술학원
이재숙 국어 전문 저자
이한승 지우 국어논술학원
정송희 고려대학교 사범대학 부속중학교
정윤주 채재준 국어전문학원
채재준 채재준 국어전문학원
현지연 라온 국어논술학원

디딤돌 독해력[초등국어] **6**

펴낸날 [초판 1쇄] 2020년 3월 20일 [초판 7쇄] 2024년 1월 25일
펴낸이 이기열
펴낸곳 (주)디딤돌 교육
주소 (03972) 서울특별시 마포구 월드컵북로 122 청원선와이즈타워
대표전화 02-3142-9000
구입문의 02-322-8451
내용문의 02-325-6800
팩시밀리 02-338-3231
홈페이지 www.didimdol.co.kr
등록번호 제10-718호